MONTRÉAL

De quel système relationnel êtes-vous prisonnier ?

Autres ouvrages de Colette Portelance
aux Éditions du Cram

Approfondissez vos relations intimes par la communication authentique

Éduquer pour rendre heureux

Aimer sans perdre sa liberté

La guérison intérieure, un sens à la souffrance

Relation d'aide et amour de soi

Les 7 étapes du lâcher-prise

3 grands secrets pour réussir votre vie amoureuse

Vivre en couple et heureux, c'est possible

L'acceptation et le lâcher-prise

COLETTE PORTELANCE

De quel système relationnel êtes-vous prisonnier?

Les Éditions du CRAM

1030 Cherrier, bureau 205,
Montréal, Qc. H2L 1H9
514 598-8547

www.editionscram.com

Conception graphique
Alain Cournoyer

Illustration de couverture
© retrorocket — iStockPhoto

Dépôt légal — 2e trimestre 2015
Bibliothèque et Archives nationales du Québec
Bibliothèque nationale du Canada

Nous reconnaissons l'aide financière du gouvernement du Canada par l'entremise du Fonds du livre du Canada pour nos activités d'édition.

Gouvernement du Québec – Programme de crédit d'impôt pour l'édition de livres – Gestion SODEC.

Patrimoine canadien   Canadian Heritage

Distribution au Canada : Diffusion Prologue
Distribution en Europe : DG Diffusion (France),
Caravelle S.A. (Belgique), Transat Diffusion (Suisse)

Catalogage avant publication de Bibliothèque et Archives nationales du Québec et Bibliothèque et Archives Canada

Portelance, Colette, 1943-

De quel système relationnel êtes-vous prisonnier?

(Collection Psychologie)

Comprend des références bibliographiques.

ISBN 978-2-89721-086-1

1. Communication interpersonnelle. 2. Relations humaines. 3. Communication - Aspect psychologique. I. Titre. II. Collection : Collection Psychologie (Éditions du CRAM)

BF637.C45P672 2015   153.6   C2015-940810-5

Imprimé au Canada

Table des matières

À Louis-de-Gonzague Chevrier
et Raymonde Sabourin,
mes chers oncle et tante
pour souligner leur
70e *anniversaire de vie amoureuse*
et pour leur manifester mon admiration,
mon affection et ma gratitude.

Introduction

L'origine de mon questionnement par rapport à la relation affective remonte à mon enfance. Je me souviens des malaises que je ressentais quand mes parents se disputaient. À cette époque, je n'aurais malheureusement pas su mettre des mots sur mon vécu, mais je sais aujourd'hui que j'étais habitée par l'insécurité, l'impuissance et de nombreuses peurs. Parfois, je prenais parti pour ma mère et, à d'autres moments, pour mon père. De toute façon, j'en arrivais toujours à la conclusion que l'un avait tort et que l'autre avait raison, et je blâmais celui des deux qui bouleversait le plus ma tranquillité intérieure du moment. J'ai mis des années à comprendre qu'ils avaient tous les deux leur part de responsabilité dans leurs différends et que leurs blessures respectives les poussaient à se défendre. Lorsqu'ils se disputaient, ils n'étaient pas conscients du monde complexe des émotions et des besoins qui les habitaient et qui suscitaient à leur insu leurs réactions. Beaucoup plus tard, forte de ma propre expérience de couple, j'ai découvert que leurs comportements défensifs involontaires avaient créé des systèmes relationnels dont ils avaient été totalement prisonniers.

Entendons-nous bien. Mes parents ne se disputaient pas tous les jours. Je me souviens aussi des nombreux moments d'harmonie qu'a connus leur relation. Aussi je suis loin de vouloir les blâmer de mon vécu par rapport à leurs problèmes de couple, sachant très bien moi-même ce qu'est la vie à deux. Avec le recul, je les trouve bien courageux, comme plusieurs parents de cette génération (je suis née en 1943), d'avoir composé le mieux possible avec leurs secousses relationnelles. Ils ne bénéficiaient pas de la panoplie des moyens dont nous profitons aujourd'hui dans le domaine du développement personnel et de la vie relationnelle.

C'est pendant la messe du dimanche et au cours des retraites fermées qu'ils trouvaient le réconfort et les stimulants pour poursuivre le plus agréablement possible leur route ensemble quand ils traversaient des périodes épineuses. Ils se sont organisés relativement bien avec les moyens de leur temps. J'éprouve pour eux une énorme reconnaissance, parce qu'ils m'ont appris à ne pas rester passive devant mes difficultés relationnelles, mais à chercher à les résoudre. Les ressources d'ordre spirituel qu'ils utilisaient s'avéraient pour eux d'une valeur et d'une efficacité aussi considérables que certains outils d'ordre psychologique mis à notre disposition aujourd'hui. De toute façon, l'important, ce ne sont pas surtout les chemins que nous choisissons d'emprunter pour améliorer nos relations affectives, mais plutôt la volonté d'*agir* au lieu de *subir* quand nous sommes coincés dans des impasses qui nous font souffrir. Agir, c'est choisir la voie qui correspond le mieux à nos besoins, dans la fidélité à ce que nous sommes et dans le respect des autres.

Ma gratitude envers mon père et ma mère est d'autant plus considérable que l'héritage psychique qu'ils m'ont laissé est à l'origine du travail personnel et professionnel que j'ai accompli par la suite en ce qui concerne les relations humaines, que ce soient les relations amicales et amoureuses, les relations parents/enfants, les relations frères/sœurs, les relations familiales et les relations professionnelles. Leur influence conjuguée à mon expérience m'ont amenée, au fil des ans, à découvrir et à comprendre les systèmes relationnels, grâce surtout au travail que ces systèmes m'ont encouragée à accomplir dans ma propre vie affective et professionnelle. Cette démarche personnelle, qui a d'abord été inestimable pour la réussite de mes relations, m'a encouragée par la suite à m'intéresser à la psychologie relationnelle, à m'inscrire à des formations, à créer l'Approche non directive créatrice^MC [1], à fonder le Centre de relation d'aide de Montréal et, par conséquent, à aider des couples, des parents, des enfants, voire des personnes aux prises avec des blocages relationnels, et ce, dans tous les milieux de vie.

Combien d'amoureux, de parents, d'enfants, d'amis, de patrons et d'employés, déçus, frustrés, confrontés à l'impuissance à résoudre leurs conflits ont cherché des réponses aux nombreuses questions qu'ils se posaient à propos de leurs tribulations relationnelles ? Voici quelques exemples de questions qui m'ont été adressées au cours des années par des personnes en recherche de solutions.

- Je me rappelle, notamment, de Louis et de Juliette, qui se demandaient d'où venaient leurs comportements compulsifs et leurs mots déchirants pour le cœur de l'être aimé, alors qu'ils savaient par expérience que ces mots et ces comportements les plongeaient tous les deux au cœur de leurs propres meurtrissures.
- Pour leur part, les sœurs Aline et Madeleine souhaitaient que je leur explique la raison pour laquelle elles

1 L'Approche non directive créatrice^MC est une approche humaniste essentiellement relationnelle. Pour la connaître, je propose la lecture de mon ouvrage *Relation d'aide et amour de soi* publié aux Éditions du CRAM.

n'arrivaient pas à contrôler leurs réactions sarcastiques quand elles étaient blessées l'une par l'autre.

- Je n'ai pas oublié le regard suppliant de Carmen et de Rodrigue lorsqu'ils m'ont demandé de leur expliquer ce qui les poussait à se comporter parfois l'un envers l'autre et avec leurs enfants comme des êtres insensibles et impitoyables alors que, émotionnellement, ils étaient profondément bouleversés. Ils se sentaient tellement coupables.
- Geneviève et David, son beau-père, m'ont profondément touchée lorsqu'ils m'ont exprimé à quel point ils se sentaient *anormaux*. Ils se demandaient pourquoi ils entretenaient la haine et la guerre entre eux alors que tout ce qu'ils voulaient, c'était l'amour et la paix. Ils souhaitaient que je leur dise la raison pour laquelle ils agissaient contrairement à leur volonté et à leurs véritables besoins.

Quel amoureux, quel parent, quel beau-parent, quel ami ne s'est-il pas interrogé, un jour, à la manière de ces personnes ? Qui n'a pas été confronté à l'impuissance devant ses propres fonctionnements quand il est blessé ? Combien de personnes, par exemple, sont passées d'une relation amoureuse à une autre dans le but de ne plus souffrir et ont eu la déception de retomber avec leur nouveau conjoint dans les mêmes embûches que dans leur relation précédente ! Combien de couples remettent sans cesse en question leur relation parce qu'ils se disputent continuellement ?

Au cours des premières années de ma vie amoureuse, quand j'étais blessée par mon conjoint, j'avais parfois le sentiment d'être menée comme une marionnette par des forces intérieures que je n'arrivais pas à dominer, malgré mes connaissances rationnelles et ma bonne volonté. Ces forces, que je reconnais aujourd'hui comme des blessures de fond, me poussaient, quand je souffrais, à réagir défensivement. Comme mes parents autrefois, je me protégeais contre ma souffrance par la fermeture ou par la contre-attaque. En guerre avec moi-même, j'adoptais alors inconsciemment des comportements qui réactivaient les blessures de mon conjoint. Blessé à son tour, il se défendait avec autant d'intensité que j'avais pu en manifester moi-même. C'est ainsi que se créait l'incommunicabilité entre nous. Nous ressortions de ces situations conflictuelles meurtris, froissés comme une feuille qu'on chiffonne et qu'on n'arrive plus à défroisser parce que, par nos réactions, nous exacerbions les blessures originelles de l'autre et, ipso facto, les nôtres.

Je me sentais prisonnière de mes réactions défensives beaucoup plus que de mon conjoint. J'étais d'autant plus frustrée que, me sachant seule à détenir la clé de ma liberté, je ne la trouvais pas. Elle n'a pas été facile à découvrir, parce que nous étions tous les deux impliqués dans ces processus de destruction et d'autodestruction lorsque nous étions blessés et que chacun d'entre nous responsabilisait l'autre de sa souffrance. Le fait d'essayer de changer l'autre pour calmer nos malaises personnels envenimait notre relation plutôt que de la rendre harmonieuse. J'aspirais à la paix et à l'harmonie, et cette quête était pourtant vitale pour moi.

Quelque chose manquait à ma démarche ; quelque chose d'important m'échappait de ma vie intérieure et de celle de mon conjoint. ***Le plus grand mystère de l'homme pour l'homme se trouve en lui-même.*** *C'est en perçant ce mystère jour après jour, par le travail sur moi et la communication authentique, que j'ai acquis* *davantage de maîtrise de ma vie et, par conséquent, plus de pouvoir sur mes réactions. J'ai pu ainsi cerner les modes de défense compulsifs qui naissaient de mes blessures, qui provoquaient nos conflits de couple et qui se trouvaient à l'origine des systèmes relationnels que nous entretenions. Ceux-ci perturbaient mon équilibre intérieur et rendaient ma vie, à certains moments, infernale.*

Qui des deux conjoints est responsable de la disharmonie d'un couple ? Qui du parent ou de l'enfant devenu adulte est à la source de leurs affrontements et de leurs déchirements intérieurs ? Qui du patron ou de l'employé est fautif dans le conflit qui les tourmente ? L'expérience m'a appris que chercher un coupable n'a jamais vraiment résolu le problème de ceux qui sont coincés dans le labyrinthe de leurs blessures.

Attribuer la cause des difficultés relationnelles de deux êtres humains à un seul des deux n'a jamais réglé leur problème de fond, puisqu'ils forment un système dans lequel les deux sont obligatoirement concernés, quelles que soient les apparences.

Ce système, créé par la rencontre de leurs fonctionnements psychiques personnels, les entraîne parfois dans des sables mouvants desquels ils n'arrivent pas à se dégager. Plus ils se débattent pour en sortir, plus ils s'y enfoncent et y étouffent.

Comment émerger alors des profondeurs et de l'obscurité dans lesquelles sont parfois plongés ceux qui s'aiment ?

C'est en apportant un éclairage sur le fonctionnement des systèmes relationnels que, dans cet ouvrage, je répondrai à cette question. Pour en faciliter la lecture, je l'ai divisé en trois parties :

- la formation des systèmes relationnels ;

- les plus importants systèmes relationnels;
- la transformation de la dynamique systémique en relation consciente et harmonieuse.

Inspiré d'un chapitre de mon premier ouvrage, *Relation d'aide et amour de soi*[2], ce livre approfondit et enrichit considérablement le sujet. Je l'ai écrit pour répondre aux besoins de nombreuses personnes aux prises avec des affrontements relationnels récurrents dont elles n'arrivent pas à se délivrer. Je souhaite que ces personnes et toutes celles qui liront ces pages y trouveront la sortie du maquis dans lequel elles se perdent lorsqu'elles blessent involontairement les êtres aimés et qu'elles sont blessées par eux.

Le lecteur doit savoir que ma description des systèmes relationnels et des fonctionnements psychiques individuels qui les composent résulte d'abord et avant tout d'observations cliniques. Elle a pour premier but de satisfaire la conscience rationnelle du lecteur, qui a besoin de repères pour se sécuriser, et comme deuxième but d'offrir à celui-ci des pistes vers la connaissance et la compréhension de lui-même. Si Freud, Jung, Assagioli et Berne n'avaient pas mis des mots sur le monde psychique, s'ils n'avaient pas classifié, défini et décrit cet univers invisible à partir de leurs observations, notre compréhension de la vie psychique intérieure n'en serait pas où elle en est aujourd'hui. Cependant, il est important de mentionner que, dans la réalité profonde d'un être humain, tout est imbriqué et forme un tout complexe et indissociable. Autrement dit, l'être humain n'est pas que *bourreau, manipulateur* ou *sauveur*. À la lecture des caractéristiques des types psychologiques qui composent les systèmes

2 Colette Portelance. *Relation d'aide et amour de soi*. Montréal : Éditions du CRAM, 5e édition mise à jour, 2014, 531 p.

relationnels développés dans cet ouvrage, chacun découvrira ses propres miroirs et ses propres chemins de libération.

Les exemples qui précèdent ces descriptions sont tirés d'histoires vraies. Pour respecter la confidentialité, j'ai toutefois changé les noms des personnes, leur âge, leur genre, les lieux où elles habitent et j'ai réuni les circonstances de l'histoire de plusieurs personnes pour en créer une seule, représentative de la dynamique développée, de façon que chaque exemple ait une portée universelle.

Toutefois, cette classification et ces descriptions des systèmes relationnels et des fonctionnements psychiques qui les composent, écrites pour satisfaire les besoins de compréhension de la conscience rationnelle, ne doivent surtout pas servir de carcans aux aidants professionnels. Un bon TRA (Thérapeute en Relation d'Aide^MC), un psychologue compétent et un médecin averti n'entreront pas l'aidé dans le moule de leurs connaissances. Ils l'écouteront et adapteront leurs interventions à chaque cas particulier, mettant leur compétence et leur expérience au service du vécu, des besoins et de l'expérience de ceux qui les consultent.

Donc, si vous voulez identifier les systèmes nuisibles à l'harmonie de vos relations affectives, si vous souhaitez que votre relation amoureuse et toutes vos autres relations importantes pour vous reposent sur une meilleure connaissance de vos processus psychiques personnels, sur le dénouement progressif de vos systèmes relationnels insatisfaisants et sur la communication authentique[3], ce livre est pour vous. Si vous voulez éviter le plus possible les réactions répétitives qui mènent inéluctablement au conflit ; si vous désirez contacter votre sensibilité sans vous laisser gouverner par elle ; si vous

3 Colette Portelance. *Apprivoisez vos relations intimes par la communication authentique*. Montréal : Éditions du CRAM, 3e édition revue et corrigée, 2012, 273 p.

souhaitez agir le plus consciemment possible plutôt que de réagir involontairement, vous trouverez dans cet ouvrage des informations, des moyens, des balises qui faciliteront graduellement et en douceur votre transformation vers une vie affective plus harmonieuse et plus satisfaisante.

Ce livre ne possède aucun pouvoir magique. Il s'adresse à ceux qui veulent comprendre la cause de leurs conflits itératifs et qui sont prêts à prendre des moyens pour s'en sortir. Pour leur part, les thérapeutes relationnels et tous les professionnels de la santé physique et psychique y trouveront des informations pertinentes pour progresser dans leur démarche auprès de ceux qui sont coincés dans des systèmes relationnels qui les emprisonnent et les rendent malheureux.

N'oubliez pas que la relation affective est le lieu de tous les possibles. Donc, si vous tenez à vos relations amoureuses, amicales, familiales et professionnelles, et que vous êtes disposé à vous investir pour les rendre plus fonctionnelles et, par conséquent, plus heureuses, ce livre s'avère un outil précieux pour vous.

De quels systèmes relationnels êtes-vous prisonnier ?

La suite de votre lecture vous permettra de les identifier et de vous en libérer.

Bonne lecture !

Première partie

La formation des systèmes relationnels

Chapitre 1

La formation des systèmes relationnels

À cause du lien étroit qui existe entre les systèmes relationnels et l'attirance amoureuse, je ne peux développer le thème de ce chapitre sans soulever les nombreuses questions qui m'ont été posées au cours de mes années de pratique de thérapeute relationnel avec l'ANDC^MC[4] et de formatrice de spécialistes des relations humaines au Centre de Relation d'Aide de Montréal à propos du phénomène de l'attraction qui entraîne deux personnes l'une vers l'autre au-delà même de leur volonté :

- Pourquoi sommes-nous attirés sexuellement et amoureusement par un type d'hommes ou de femmes bien particulier ?
- Comment expliquer que certaines personnes éveillent en nous le désir et le sentiment amoureux alors que d'autres, que notre raison perçoit comme des partenaires susceptibles de nous convenir parfaitement, ne nous stimulent ni sexuellement ni amoureusement ?

4 ANDC^MC est le sigle pour désigner l'Approche non directive créatrice que j'ai créée et qui est enseignée au CRAM^MC (Centre de Relation d'Aide de Montréal) à Montréal, à Gatineau, à Québec et à Paris.

- Pour quelle raison est-ce si difficile, voire parfois impossible, de contrôler nos attirances amoureuses ?
- Pourquoi arrive-t-il si fréquemment que les hommes ou les femmes qui nous attirent spontanément et intensément soient des personnes avec lesquelles nous ne sommes pas nécessairement heureux ?
- Pourquoi une forte attirance amoureuse et sexuelle ne nous empêche-t-elle pas de répéter des comportements défensifs qui rendent la communication authentique impossible ?
- Comment expliquer qu'une attraction magnétique et des sentiments passionnels intenses créent, à court ou à long terme, des systèmes relationnels qui génèrent, de la souffrance plutôt que de combler nos manques affectifs ?

L'objet de ce chapitre est précisément de répondre à ces questions :

1. en définissant l'expression *système relationnel* ;
2. en expliquant la manière dont se forme un système.

Qu'entend-on par *système relationnel* ?

Un système relationnel est un ensemble formé par deux ou plusieurs personnes qui sont en relation affective et dont les fonctionnements psychiques inconscients sont déclencheurs de comportements défensifs qui s'alimentent mutuellement et qui entretiennent un mode de relation et de communication répétitif, insatisfaisant, dysfonctionnel et souffrant.

Pour clarifier cette définition, je développerai chacune de ses composantes.

Le système est un ensemble

Dès que nous employons le mot *système*, un ensemble organisé d'éléments qui forment un tout est implicite. Dans le cas du système relationnel, les éléments en cause peuvent être les membres d'une famille ou d'un groupe, d'un couple d'amoureux, d'un couple d'amis ou d'un couple composé d'un parent et de son enfant, d'un frère et d'une sœur, d'un employeur et d'un employé, d'une belle-mère et de son gendre et *tutti quanti*.

Les personnes impliquées sont en relation

Le mot *relation* est ici fondamental en ce sens que les personnes qui forment le système interagissent, c'est-à-dire qu'elles agissent réciproquement les unes sur les autres. Elles exercent une influence mutuelle simplement par ce qu'elles sont, par ce qu'elles disent et par ce qu'elles font. C'est précisément cette action réciproque qui nourrit ou détruit le lien affectif et qui, dans le dernier cas, crée les systèmes relationnels dysfonctionnels qui mettent en position de dépendance ceux qui les forment.

La relation est de nature affective

Dans les relations humaines, il est impossible de dissocier la dimension affective des dimensions rationnelle, corporelle et spirituelle. Ceux qui tentent d'y arriver perturbent vraiment leur relation avec eux-mêmes et avec les autres, puisqu'une partie de ce qui les constitue est niée. Ceux-là ignorent peut-être que, même désavouée, la dimension émotionnelle s'impose toujours dans leurs rapports. Plus ils essaient de la réprimer, plus elle a de pouvoir sur eux. Elle se manifeste à leur insu par la voie des mécanismes de défense qui créent des modes relationnels dysfonctionnels. C'est donc dire que,

dans le cas des relations *affectives* qui nous intéressent dans cet ouvrage, il est évident que la composante émotionnelle occupe une place privilégiée puisqu'elle est au cœur de la formation des systèmes.

Les fonctionnements psychiques de chaque membre du système influencent leur relation

Trois éléments fondamentaux composent le fonctionnement psychique d'un être humain :

- les blessures causées dans le passé par des expériences d'abandon, d'humiliation, de culpabilisation, de dévalorisation, de pouvoir, de trahison, d'insécurité, de comparaison ou d'incompréhension ;
- les mécanismes de défense mis en place par le psychisme pour se protéger contre ces meurtrissures du cœur ;
- les besoins fondamentaux non satisfaits parce que non identifiés et parce que la souffrance provoquée par les blessures n'a pas été entendue.

Par exemple, quand un amoureux est blessé par son conjoint, qu'il n'est pas à l'écoute de ses émotions et qu'il ne reconnaît pas ses besoins, il se défendra en rejetant l'autre, en le jugeant, en argumentant pour avoir raison, en le dominant ou encore, en se plaçant en position de victime. Blessé par cette réaction défensive, son compagnon, s'il n'est pas à l'écoute de lui-même non plus, réagira, aussi, défensivement. Lorsque ces fonctionnements réactionnels se répètent et s'alimentent mutuellement, un système dysfonctionnel se forme. Celui-ci rend la vie amoureuse insatisfaisante et empêche les partenaires de communiquer. Avec le temps, la relation s'envenime et les amoureux deviennent prisonniers de leur impuissance à résoudre leurs conflits. Un changement favorable ne peut s'amorcer dans leur vie relationnelle que par une prise de conscience de leurs fonctionnements personnels et de la dynamique créée par la rencontre de ces fonctionnements. Lorsque les conjoints découvrent l'origine de la formation des systèmes qui les emprisonnent, leur prise de conscience est largement facilitée.

Comment se forment les systèmes relationnels ?

Les modes relationnels qu'un individu établira avec les autres par la suite dans sa vie découlent de l'élaboration du fonctionnement psychique. Celui-ci se forme dans la relation de l'enfant avec ses parents ou avec leurs substituts.

Sur quoi repose-t-il exactement ?

Chez l'enfant, le fonctionnement psychique découle de la recherche inconsciente de satisfaction de ses besoins psychiques fondamentaux. En effet, pour assurer son équilibre intérieur, le petit a besoin d'être aimé, reconnu, sécurisé, accepté, compris et écouté par son père et par sa mère. Il a aussi besoin d'affirmer librement ce qu'il est et surtout de se sentir important pour ses parents.

Évidemment, comme nous le savons, ces besoins ne sont pas toujours assouvis. Pourquoi ? Premièrement, parce que les parents qui satisferaient tous les besoins de leurs enfants devraient, pour y arriver, nier complètement les leurs, ce qui s'avère humainement impossible. Deuxièmement, aucun parent n'est parfait. Même les meilleurs pères et les meilleures mères sont aux prises avec leurs propres blessures et avec leur propre héritage psychique. Il en résulte donc qu'ils ne déclenchent pas seulement chez leurs enfants des émotions agréables, mais aussi des vécus désagréables et souffrants. Leurs paroles, leurs gestes et leurs comportements peuvent éveiller, chez leur fille ou chez leur garçon :

- la peur d'être rejeté, abandonné, jugé, ridiculisé, humilié ou trahi ;
- un sentiment de culpabilité, de honte, d'insécurité, d'infériorité ou d'impuissance ;
- de la peine, de la colère, de la jalousie, de l'angoisse, voire de la haine.

Comment le parent peut-il déclencher de telles émotions ?

Un regard désapprobateur, un reproche, une limite imposée, une punition, un jugement, une menace, un oubli, une absence, une réaction défensive sont autant de moyens adoptés inconsciemment ou non par les parents dans le processus d'éducation de leurs enfants. Ces moyens provoquent parfois l'apparition d'émotions souffrantes dans le psychisme de leur fils ou de leur fille. Toutefois il ne faut pas croire que ce déclenchement de vécus désagréables a toujours des conséquences néfastes. Si le petit est entendu et reçu par ses parents dans l'expression de son vécu, si ses éducateurs ne se soumettent pas à tous ses caprices et s'il est encadré avec amour, au moyen de limites claires, ses besoins d'être écouté, accepté, reconnu, compris et sécurisé seront satisfaits. Il se sentira alors important pour ses parents ou ses éducateurs. Ainsi, son équilibre psychique ne sera pas perturbé. Par contre, la réalité n'est pas toujours aussi reluisante. L'enfant est parfois réprimé ou rejeté lorsqu'il exprime son vécu, spécialement quand ce vécu dérange ou blesse l'un ou l'autre de ses parents. N'oublions pas que ces derniers sont gouvernés par leurs propres blessures s'ils ne les ont pas conscientisées et acceptées.

Quelles sont alors les conséquences de cette répression ?

Pour éviter une souffrance supplémentaire et surtout pour se sentir exister et être aimé par ses principaux éducateurs quand ses émotions désagréables ne sont pas accueillies par eux, l'enfant développera très jeune des mécanismes de défense.

- S'il est réprimé, il se défendra probablement en réprimant les autres et en se réprimant.
- S'il est rejeté, il est possible qu'il se défendra en rejetant son entourage et en se rejetant lui-même.
- S'il est blâmé, il blâmera les autres et se blâmera.
- S'il est jugé, il jugera les autres et se jugera sans aucun doute.
- S'il est dominé, il dominera les autres ou se laissera vraisemblablement dominer par eux.
- S'il est culpabilisé, éventuellement il culpabilisera les autres et se culpabilisera.
- S'il est humilié, il humiliera les autres et, prisonnier de la honte, il reniera sa vraie nature et n'exploitera pas son potentiel créateur.

Exemple de Frédéric

L'exemple de Frédéric est révélateur pour comprendre la formation du fonctionnement psychique d'un être humain. De plus, ce fonctionnement aura un impact sur toutes ses relations affectives ultérieures. Enfant, Frédéric était puni par sa maman chaque fois qu'il exprimait sa colère. Mathilde n'acceptait pas l'expression de cette émotion parce qu'elle avait énormément souffert des réactions colériques, hystériques et violentes de sa propre mère lorsqu'elle était jeune. Elle se défendait donc de ses propres malaises par rapport aux colères de son fils par la répression. Elle lui interdisait d'extérioriser cette émotion lorsqu'il la ressentait. Dans de telles situations,

Mathilde manquait totalement de discernement, car elle n'était pas consciente de la peur viscérale qui la possédait. Elle craignait que Frédéric devienne comme sa grand-mère. Cette crainte, née de sa souffrance d'enfant, était tellement forte qu'elle n'était pas en mesure de distinguer une colère défensive d'une colère réelle. Manquant totalement de points de repère à ce sujet, à cause d'une blessure non identifiée, Mathilde ne pouvait apprendre à son fils comment composer avec ses colères de façon constructive.

Nous pouvons voir, par cet exemple, que

les parents éduquent leurs enfants non seulement avec leur amour, leurs valeurs, leurs croyances et leurs connaissances, mais aussi et surtout avec leurs blessures.

Lorsqu'ils sont touchés émotionnellement, leurs interventions deviennent défensives s'ils demeurent inconscients des émotions qui les motivent à réagir. Devant de telles réactions, leurs enfants se sentent parfois rejetés, souvent incompris, impuissants et confus. C'est exactement ce qui s'est passé pour Frédéric. Le sentiment de rejet a déclenché en lui d'autres émotions, comme la honte, la culpabilité et la peur de perdre l'amour de sa mère. L'émotion de départ, en l'occurrence la colère, n'ayant pas été accueillie, sa souffrance a donc été largement amplifiée à cause des émotions supplémentaires causées par le rejet et surtout par le fait que ses besoins fondamentaux n'ont pas été satisfaits.

Que peut faire cet enfant pour dissiper sa souffrance ?

Pour assurer sa survie psychique, l'enfant a un besoin vital d'être aimé et sécurisé par ses principaux éducateurs. Quand il ne sent pas cet amour, il souffre tellement qu'il cherche à se protéger contre sa souffrance. Il assure donc sa protection en adoptant des mécanismes de défense, comme, par exemple, la fermeture, la bouderie, la crise de colère, la culpabilisation, le rejet. Par son mode de réaction, l'enfant cherche inconsciemment à attirer l'attention de ses éducateurs. Il se défendra donc par un mécanisme qui les fera réagir, qui sera perçu par eux comme dérangeant. S'il se rend compte que la bouderie déstabilise ses parents, il boudera. Si c'est en faisant la sourde oreille qu'il les atteint, il feindra l'indifférence. Très jeunes, les enfants découvrent les talons d'Achille de leurs éducateurs. Ils savent d'instinct ce qui leur donne du pouvoir sur eux et spontanément ils utilisent le moyen adéquat dans le but totalement inconscient de retrouver l'amour qu'ils croient avoir perdu et aussi le sentiment d'exister à leurs yeux. Par contre, si l'enfant est confronté à des éducateurs indifférents à ses états d'âme, il se fermera, se coupera de ses émotions pour éviter de souffrir. Il perdra confiance en lui-même et en ceux qui l'éduquent. Par la suite, il se méfiera de toute personne en position d'autorité.

La répétition de telles expériences contribue à la création du fonctionnement psychique d'un individu et le pousse, quand il se sent jugé, rejeté, humilié ou culpabilisé, ou lorsqu'il a peur de l'être, à se défendre toujours de la même manière. La puissance d'un tel fonctionnement vient du fait qu'il est inextricablement lié au besoin d'être aimé et d'exister. En effet, il ne faut pas oublier que la recherche de satisfaction de ses besoins fondamentaux, particulièrement des besoins d'amour, de reconnaissance et de sécurité, est à l'origine de la création du fonctionnement psychique de tout être humain. Pour l'enfant, l'amour et le sentiment d'exister n'existent pas en dehors de ce fonctionnement-là. Il sera donc attiré, dans ses relations affectives ou amoureuses, par des personnes dont le fonctionnement alimentera le sien parce qu'il n'en connaît pas d'autres.

Ainsi se forment la plupart des systèmes relationnels. C'est pourquoi

en amour, nous sommes séduits par des êtres qui ont des traits communs avec l'un ou l'autre de nos parents ou avec les deux. Leur attitude, leurs gestes, leurs mimiques, leur ton de voix ou leurs comportements rappellent à notre mémoire inconsciente la première expérience de la relation affective. Si nous n'avons pas vécu d'autres expériences significatives de la relation affective par la suite, nous ne connaissons pas l'amour en dehors de cette expérience-là. C'est la raison pour laquelle nous la répétons, malgré notre volonté, en étant toujours attirés par le même type de personnes et en retombant incessamment avec elles dans les mêmes fonctionnements personnels et les mêmes systèmes relationnels que nous avons développés dans la relation avec nos parents ou leurs substituts.

D'ailleurs, ces éducateurs ont probablement construit autrefois leur propre relation amoureuse sur ces mêmes systèmes dysfonctionnels. Cela dit,

notre expérience enfantine de l'amour n'est pas la seule à créer nos systèmes relationnels. Leur formation s'explique aussi par le phénomène projectif.

Tout ce qui a été réprouvé de nos émotions, de nos besoins, de nos désirs, de nos forces, de nos particularités positives ou négatives, voire de nos talents, par nos éducateurs, nous l'avons refoulé pour être aimés. Cependant, ce qui est réprimé ne disparaît pas de notre psychisme. Notre inconscient le garde en mémoire et le projette sur certaines personnes qui, par leur attitude et leurs comportements, ravivent notre mémoire inconsciente.

Il arrive souvent que ces personnes sur lesquelles nous projetons la partie refoulée, voire honteuse, de nous-mêmes nous attirent irrésistiblement. Elles nous attirent parce que nous cherchons naturellement, à l'extérieur de nous, ce que nous avons réprimé dans le but inconscient de retrouver notre intégralité perdue.

Néanmoins, cette partie projetée que nous désavouons n'est pas nécessairement négative. Ce n'est pas parce qu'elle a importuné nos éducateurs qu'elle est mauvaise pour autant. Bien au contraire, elle représente généralement une grande force qui a réveillé leurs blessures et qui les a effrayés, au point qu'ils ont réagi défensivement par la réprimande pour se protéger. Pour être acceptés par eux, nous avons étouffé cette force honteuse. Comme nous ne la laissons pas émerger par peur de perdre l'amour, nous la recherchons involontairement toute notre vie et notre manière inconsciente de la récupérer est de la projeter. La personne à laquelle nous attribuons l'une ou l'autre de nos caractéristiques nous attire parce qu'elle nous complète. Nous créons ainsi avec cette personne un système relationnel souffrant parce que nous ne la voyons pas telle qu'elle est et parce que nous ne nous accueillons pas tels que nous sommes non plus.

Est-il possible de désamorcer ces systèmes ? Si oui, comment ?

Avant de répondre à ces questions, ce que je ferai dans la troisième partie de cet ouvrage, voyons ce qui caractérise chacun des neuf principaux systèmes relationnels auxquels toute personne qui aime peut être confrontée.

Deuxième partie

Les systèmes relationnels

Chapitre 2
Les systèmes relationnels

Le système relationnel, dans le cas qui nous intéresse ici, est un ensemble formé de deux personnes qui vivent une relation amoureuse ou affective importante. Leurs fonctionnements psychiques inconscients, formés dans le passé à partir de leurs blessures, de leurs modes réactionnels et de leurs besoins non satisfaits, déclenchent chez chacune d'elles, dans le présent de leur relation, des émotions désagréables. Lorsque ces émotions ne sont pas conscientisées et accueillies, dans l'ici et maintenant, elles suscitent des réactions de défense. Si les réactions défensives de l'une de ces personnes réveillent les souffrances passées et refoulées de l'autre, cette dernière sera blessée et se défendra à son tour. Ainsi, les deux personnes étant meurtries, il se crée entre elles un mode de relation conflictuel qu'elles alimentent mutuellement malgré leur volonté. Par conséquent, leur communication est fondée sur un système dysfonctionnel et souffrant dont elles se sentent complètement prisonnières.

Cette définition du système montre l'importance des fonctionnements psychiques de chacun des conjoints dans la formation d'un système.

Si, à titre d'exemple, deux amoureux sont coincés dans un mode de relation qui les fait souffrir, ils doivent impérativement, pour s'en sortir, prendre tous les deux conscience de leur fonctionnement et accueillir sans jugement dans l'ici et maintenant :

- **leurs propres blessures ;**
- **leurs propres réactions défensives ;**
- **leurs propres besoins non satisfaits.**

Ces trois éléments bien spécifiques non conscientisés font que, dans une relation affective, l'un peut être, par exemple, bourreau, manipulateur ou envahisseur alors que l'autre sera victime, manipulé ou envahi.

Pour que le couple sorte du mode relationnel insatisfaisant dans lequel il s'enlise jour après jour, il s'avère fondamental que chacun des partenaires connaisse et accepte son propre fonctionnement psychique. C'est pourquoi, dans cet ouvrage, je répéterai souvent les composantes du fonctionnement psychique et je développerai les systèmes en décrivant chacun des fonctionnements qui les créent, c'est-à-dire chacun des types psychologiques qui forment un système disharmonieux.

Par exemple, dans le cas du bourreau et de la victime, j'expliquerai d'abord le fonctionnement du bourreau et ensuite celui de la victime. Je poursuivrai en montrant comment l'enfant devient bourreau ou victime. Je terminerai en proposant à chacun des conjoints une manière d'aborder l'autre et, aux thérapeutes des moyens d'aider les couples enlisés dans le système créé par leurs propres fonctionnements.

Je précise toutefois que le contenu de ce livre ne s'applique d'aucune manière aux cas pathologiques. Ceux-ci ne sont pas considérés ici parce qu'ils nécessitent l'expertise d'un psychiatre ou d'un psychologue.

En résumé, pour aider le lecteur à découvrir son fonctionnement psychique et les conséquences de celui-ci sur ses relations affectives, voici l'ordre de présentation que j'utiliserai pour traiter chacun des systèmes présentés dans la deuxième partie de cet ouvrage :

- le fonctionnement psychique de l'un des fondateurs du système ;
- le fonctionnement psychique de l'autre ;
- la naissance de ce fonctionnement ;
- la manière d'aborder la personne aux prises avec son fonctionnement insatisfaisant.

Je suivrai ce plan pour décrire et expliquer les systèmes relationnels suivants :

1. bourreau/victime
2. sauveur/affligé
3. ange/démon
4. abandonnique/déserteur
5. manipulateur/manipulé
6. persécuteur/persécuté
7. inférieur/supérieur
8. envahisseur/envahi
9. juge/coupable

Voici comment je vous propose d'aborder la lecture des systèmes. Vous pouvez les lire l'un après l'autre en prenant des notes sur ce qui capte votre attention ou orienter votre lecture directement vers ceux qui vous intéressent ou vous concernent. Quel que soit votre choix, je vous encourage à les lire tous même si, par les appellations pour les désigner, vous croyez qu'ils ne vous concernent pas. En les lisant, vous serez surpris de vos découvertes. De plus, sachez que si, par exemple, vous entretenez une relation affective avec un persécuteur, un manipulateur, un envahisseur ou un juge, il y a de très fortes possibilités que vous soyez un persécuté, un manipulé, un envahi ou un coupable. Cela dit, ne lisez jamais plus d'un des systèmes à la fois pour éviter de surcharger votre esprit d'informations qui vous plongeraient davantage dans la confusion plutôt que de vous fournir un éclairage favorable à votre libération. Laissez-vous quelques jours entre chaque chapitre pour bien intégrer son contenu et, pendant ce laps de temps, répondez aux questions suivantes :

1. En quoi vous reconnaissez-vous dans chacun des types psychologiques qui composent ce système ? Par exemple, êtes-vous davantage un manipulateur ou un manipulé ? un inférieur ou un supérieur ? un juge ou un coupable ? etc. Vous sentez-vous emmuré dans un fonctionnement répétitif qui vous fait souffrir ?
2. Entretenez-vous ce système dans l'une de vos relations affectives ou professionnelles ? Si oui, laquelle ? Vous sentez-vous emprisonné par quelque chose qui vous échappe ou vous dépasse dans cette relation ?

Après avoir répondu à ces questions, parlez à la personne avec laquelle vous nourrissez le système et voyez avec elle chacun de vos rôles dans la relation. Si vous ne vous sentez pas prêt à aborder ce sujet avec elle, consultez une personne de confiance ou un thérapeute spécialiste des relations humaines qui vous aidera à voir clair en vous et à dénouer, par un travail sur vous-même, le système qui vous encage.

Commençons donc ce parcours par la description du système bourreau/victime.

Chapitre 3
Le système bourreau/victime

Exemple de Denise et Arthur

Denise pleure et se plaint parce que, impatient, Arthur a manifesté de la colère envers elle. Il a crié plutôt que de lui exprimer son vécu. Sa colère était défensive. Elle résultait d'émotions et de sentiments désagréables déclenchés par sa conjointe, sentiments qu'il n'a pas identifiés. Les larmes de Denise, au lieu de l'apaiser, l'ont agressé et l'ont poussé à crier plus fort encore.

Malheureusement, Arthur ne comprend pas pourquoi, quand sa partenaire de vie pleure, il ressent une telle colère. Il se dit qu'il devrait être sensible à elle, mais il a davantage envie de la rejeter violemment que de la consoler. Il ressent même de la haine et du mépris à son égard. Sa honte d'éprouver de tels sentiments le plonge dans une culpabilité insupportable. Son impuissance à changer son état intérieur le fait profondément souffrir. Aussi, se débat-il avec lui-même et tente-t-il de se défendre contre toutes ces émotions insoutenables. Il le fait en s'emportant et en injuriant grossièrement sa conjointe. Après coup, poursuivi par le remords, il se jure de ne plus la traiter aussi brusquement à l'avenir. Malgré ses bonnes intentions, dès que Denise lui adresse un reproche, s'apitoie ou le responsabilise de ses malaises, il retombe automatiquement dans ce comportement de colère défensive, de violence verbale qu'il regrette avoir adopté par la suite. Plus elle se victimise, plus il hurle ; plus elle l'accuse et se lamente, plus il l'insulte. De son côté, Denise se sent démunie et totalement impuissante devant l'agressivité, voire la brutalité de caractère de son mari. Elle éprouve une peur terrible devant ses emportements et ignore de quelle manière se protéger. Elle souffre énormément, d'autant plus qu'elle ne sait pas comment s'affirmer en sa présence. Elle se demande d'ailleurs pourquoi elle ne le quitte pas, considérant le fait qu'elle croit ne plus ressentir d'amour pour lui.

Dans cet exemple, nous voyons que Denise et Arthur sont confinés dans un cercle vicieux, à l'intérieur duquel ils se sont tous les deux emprisonnés. Le manque de conscience de leurs fonctionnements respectifs les empêche d'en sortir. Conséquemment, à défaut de pouvoir sur leur vie, ils nourrissent involontairement le système bourreau/victime qui les rend si malheureux. Ils sont donc persuadés que seule la séparation les libérera de leurs conflits récurrents qu'ils croient d'ailleurs insolubles. Cette impuissance à s'affranchir des systèmes qui les engloutissent pousse probablement près de 50 % des couples à se séparer, tant au Québec qu'en France ainsi que dans la majorité des pays occidentaux.

Compte tenu de cette réalité et pour mieux expliquer le système dans lequel s'enlisent jour après jour Arthur et Denise, et ceux qui sont aux prises avec le même problème, voyons ce qui caractérise le fonctionnement psychique de chacun des membres du mode relationnel bourreau/victime en commençant par le bourreau.

Le bourreau

Le bourreau, amoureux, parent ou patron, dans le cas non pathologique qui nous intéresse ici, n'est pas un tortionnaire. Au même titre que la victime, il reste un être humain qui, lorsqu'il se sent coupable ou impuissant, se défend pour survivre à sa blessure intérieure par une attitude autoritaire, voire parfois méprisante. En effet, comme tous les êtres humains, il est marqué psychiquement par des blessures profondes dont il se protège plus ou moins péniblement lorsqu'il est blessé profondément et lorsque ses besoins fondamentaux ne sont pas satisfaits.

Le fonctionnement psychique du bourreau

Ce qui emprisonne le bourreau, ce n'est pas la victime, mais son propre fonctionnement psychique. Quels sont donc les blessures, les modes réactionnels et les besoins qui composent ce fonctionnement et qui forment le système bourreau/victime?

1. Les blessures psychiques du bourreau

Avant de décrire les blessures du bourreau, il est important de définir le mot *blessure*. Pour ce faire, je m'inspirerai de mes *Petits cahiers d'exercices*[5]... publiés aux Éditions Jouvence en 2013. Donc,

la blessure psychique est une affection grave, subie dans le passé à la suite d'un traumatisme affectif. Ce traumatisme a été causé par un choc émotionnel important ou par de petits chocs

5 Colette Portelance. *Petit cahier d'exercices pour identifier les blessures du cœur* et *Petit cahier d'exercices pour soulager les blessures du cœur.*

émotionnels, répétés sur une longue période, qui ont laissé des marques profondes au cœur du psychisme.

En réalité, les chocs émotionnels qui ont causé la blessure ont été déclenchés par un ou plusieurs événements significatifs de la vie passée de la personne blessée. Ces événements ont soulevé en elle une abondance d'émotions souffrantes tellement fortes qu'elles ont dépassé le seuil de tolérance de son psychisme. La souffrance étant insupportable, la personne aurait pu sombrer dans l'abîme de la mort (suicide) ou de la folie (psychose), mais parce que sa pulsion de vie était plus forte que sa pulsion de mort, elle a inconsciemment et naturellement choisi de se défendre pour survivre à sa douleur. Il n'en reste pas moins que son psychisme a été profondément perturbé par la blessure subie et que, devenue adulte, la personne en porte encore la marque. C'est donc dire que

> **la blessure du cœur est beaucoup plus qu'un malaise ou une émotion désagréable. Résultant d'un traumatisme vécu au cours de l'enfance, de l'adolescence, voire de la vie du jeune adulte, elle a laissé dans le cœur du blessé une empreinte qui influence aujourd'hui considérablement ses comportements et sa vie affective.**

Cette empreinte contribue à l'élaboration d'un fonctionnement psychique souffrant qui influe sur les relations affectives en ce sens qu'il crée des systèmes relationnels dysfonctionnels, comme le système bourreau/victime. Notamment, en comprenant ce qui caractérise chacun des fonctionnements des membres du couple qui forme l'ensemble, nous pouvons commencer à le dissoudre. Aussi, dans le système qui nous intéresse ici, la description des particularités de chacun des types psychologiques qui le composent favorisera la communication authentique entre les deux. Il faut savoir que cette communication est impossible tant que les partenaires restent les prisonniers inconscients d'un système, quel qu'il soit. Par conséquent, pour sortir le bourreau et la victime de leur prison relationnelle et psychique, voyons ce qui distingue chacun des fonctionnements répétitifs qui, pour leur malheur et malgré leur volonté, les enchaînent l'un à l'autre. Commençons par présenter ceux du bourreau.

Contrairement à ce que pourraient croire certains lecteurs et malgré les apparences, le bourreau n'est pas un être dénudé de sentiments. Il est, au contraire, hypersensible et profondément meurtri psychologiquement. Cependant, parce qu'il a été rejeté ou jugé dans l'expression de sa sensibilité, il a appris, pour réduire sa souffrance, à la refouler et à réagir par des mécanismes de défense qui blessent son entourage, spécialement les victimes. Autrement dit,

> **le bourreau blesse ceux qui l'ont blessé quand il souffre psychiquement plutôt que de montrer sa peine, son impuissance et d'exprimer son sentiment de culpabilité et son besoin d'être aimé.**

Il se sent coupable de ressentir de la colère, de la pitié et du mépris, et coupable de manquer d'amour envers ceux qui se *victimisent*. Il se défend de cette charge émotive parce qu'il en a honte et qu'il craint d'être rejeté et humilié s'il l'exprime, comme par le passé. C'est donc dire que ce type psychologique possède plusieurs caractéristiques du coupable, que je décrirai au chapitre 11.

En réalité, le bourreau fait peur parce qu'il a peur. Son attitude défensive cassante et intimidante cache un sentiment d'impuissance insupportable et des peines incommensurables accumulées depuis sa plus tendre enfance parce qu'il les a probablement toujours refoulées. Ces peines causées par le rejet, l'humiliation, la culpabilisation, la dévalorisation et l'incompréhension sont enfouies au plus profond de sa caverne psychique. Elles sont ravivées par les plaintes, les apitoiements, les reproches et le rejet de la victime, parce que ses sentiments insupportables de culpabilité et d'impuissance de même que sa peur d'être abandonné et d'être une mauvaise personne sont alors attisés. Se sentant seul avec sa souffrance, le bourreau ne connaît pas d'autre manière de réagir à sa peine que par la colère défensive et la violence verbale. Constamment habité, comme Arthur, par le sentiment d'être fautif et méchant, il a honte de lui-même. Sa honte et sa culpabilité, déclenchées par l'attitude geignarde et responsabilisante de la victime, le poussent à s'attribuer la responsabilité des conflits qu'il a suscités par sa colère. D'une manière ou d'une autre, il lutte constamment contre lui-même. Fondamentalement malheureux et se croyant indigne d'amour, il souhaite à tout prix se métamorphoser en être doux et bon. Cependant, malgré d'honnêtes efforts, il n'y arrive pas. La vérité est qu'il n'atteindra pas ce louable objectif tant qu'il n'aura pas pris conscience de ses blessures et de ses réactions de défense.

Je dois préciser ici que celui que nous appelons *bourreau* n'est pas toujours défensif. Est souvent perçu ainsi par les *victimes* celui qui affirme son opinion et son vécu catégoriquement et authentiquement ; celui qui dit les vérités directement aux personnes qui refusent de les entendre ou celui qui refuse l'hypocrisie. Est aussi qualifiée parfois de *bourreau* ou de *méchante* la personne vraie qui manque de tact et de diplomatie quand elle s'exprime ; celle qui dérange parce qu'elle dénonce les irrégularités ; celle qui se place du côté de la justice plutôt que du côté du favoritisme ; celle qui ne supporte pas de ressentir de la pitié et de jouer au sauveur ou celle qui refuse de se compliquer la vie avec les doléances émotionnelles enchevêtrées des autres. En réalité, l'individu qui remet tout en question, qui place les autres face à leur *ombre* et qui déclenche des malaises par sa forte confiance en lui-même ou par ses affirmations péremptoires peut blesser sans le vouloir ou encore provoquer une grande admiration. Par contre, chez les victimes, il peut provoquer de profonds sentiments d'impuissance, d'insécurité et d'infériorité dont elles se défendront par les mécanismes qui caractérisent leur fonctionnement psychique et que je développerai plus loin. Pour le moment, voyons les mécanismes défensifs du bourreau.

2. Les mécanismes défensifs du bourreau

Plusieurs personnes pensent, à tort, que le bourreau est un contrôleur, un dominateur, voire une brute, ce qui n'est pas nécessairement le cas même si, de l'extérieur, nous observons des comportements intimidants de sa part. S'il contre-attaque et attaque par une violence verbale et par un ton de voix qui suscite l'effroi, c'est parce qu'il est blessé, qu'il a peur de perdre l'amour et qu'il n'est pas en contact avec ses émotions insupportables : comme la culpabilité, la honte, la frustration causée par l'insatisfaction chronique de ses besoins fondamentaux et surtout par l'impuissance et la pitié. Il crie et agresse pour ne pas crever de douleur et pour ne pas s'autodétruire par le refoulement. Son vase intérieur déborde de peine, de colère et d'une rancœur qu'il a tenté trop longtemps de retenir par le passé. Malheureusement, arrive un moment où il ne peut plus refouler ses émotions. Dans ce cas, sa réaction est généralement inconsciente au départ, de même que les raisons qui la provoquent. Il ne prend conscience des dégâts qu'après coup, en voyant l'impact sur son entourage de son comportement de cosaque et de ses propos enflammés.

Une fois ses paroles brutales prononcées, le bourreau voudrait les retirer, même si elles sont parfois vraies, mais il est trop tard. Il doit composer avec le jugement, le rejet et la trahison de la victime et de ses protecteurs. Il doit aussi composer avec sa honte et sa culpabilité, et surtout avec les jugements sans appel qu'il porte sur lui-même.

Sa souffrance est donc décuplée, ce qui entraîne, s'il est blessé de nouveau, une défensive encore plus intense.

Parce que leurs blessures sont constamment réveillées, que leurs besoins d'amour et de reconnaissance ne sont pas satisfaits et qu'ils souffrent trop de culpabilité, d'impuissance et de honte, certains *bourreaux* finissent par se couper complètement de leurs émotions. Dans ce cas, ne ressentant plus leur vulnérabilité, il n'est pas rare que leur violence devienne pathologique, gratuite et dangereuse. Ces gens détruisent pour éviter d'être détruits. Ce n'est pas d'eux dont il est question dans ce livre, mais plutôt de ceux dont la violence n'est pas gratuite et dont la force du cri est directement proportionnelle à la douleur réelle ressentie intérieurement. Ces bourreaux-là, quand leurs besoins fondamentaux sont satisfaits, quand ils se sentent aimés et compris, ont au contraire le cœur sur la main. Ils se caractérisent alors par une sensibilité, une générosité, voire une profondeur surprenante. Par contre, lorsqu'ils sont rejetés, culpabilisés, responsabilisés, ignorés ou humiliés comme ils l'ont été dans le passé, leur instinct de survie psychique se manifeste instantanément d'une manière parfois trop directe, parfois violente. Quand ils sont atteints dans une zone de sensibilité profonde créée dans leur enfance ou leur adolescence, ils contre-attaquent agressivement parce qu'ils sont assujettis à une souffrance psychique intolérable causée par la non-satisfaction de leurs besoins fondamentaux.

3. Les besoins psychiques du bourreau

Le bourreau est habité par les besoins inconscients d'être aimé, reconnu, compris et sécurisé affectivement. Malheureusement, il s'attire le contraire de ce dont il a tant besoin parce que, comme nous l'avons vu, il décharge sa souffrance sur les autres quand il est blessé.

Comme il préfère être rejeté qu'ignoré, il se gagne ainsi, par ses réactions offensives, une certaine forme d'attention dont la satisfaction est très minime par rapport à ses besoins réels qui, eux, sont pharaoniques. En effet, par son attitude, il n'attire pas seulement les plaintes et les critiques de ses victimes, mais aussi le rejet de leur entourage.

Dans le système bourreau/victime, le bourreau est toujours considéré responsable des problèmes relationnels dans lesquels il est impliqué. C'est lui qu'on blâme, qu'on accuse, qu'on critique et qu'on exclut. Il devient alors la victime de ceux qui, pour protéger la personne agressée, le jugent, le condamnent et le rejettent. Ainsi blessé, il redouble de colères défensives.

Il se défend de cette manière, spécialement lorsqu'il est en présence de personnes qui présentent un fonctionnement général ou situationnel de victimes. Poussé alors par des forces émotionnelles intérieures qu'il ne maîtrise pas, il se demande souvent pourquoi il réagit si intensément à ce type d'individus bien particulier que sont les victimes.

L'origine du fonctionnement de bourreau

Personne ne naît bourreau. Ce fonctionnement est acquis. L'enfant le devient parce qu'il a été brutalisé, rejeté dans sa sensibilité ou jugé sur ses comportements. Comme il n'a pas été reçu dans sa souffrance, il la réprime.

À la suite de traitements agressifs subis dans le passé, certains enfants restent toute leur vie des refoulés et des victimes, alors que d'autres, incapables de contenir leurs frustrations ou leur colère, les déchargent virulemment sur les autres, particulièrement s'ils perçoivent du rejet, de l'indifférence ou s'ils sont culpabilisés, critiqués ou responsabilisés de quelque façon que ce soit. De cette manière, ils entretiennent des relations affectives dans lesquelles, par leur violence verbale et leur puissant ton de voix, ils maintiennent la victime dans la frayeur. Ils agissent ainsi parce que l'amour, dans leur expérience de vie, n'existe pas en dehors de cette forme d'impulsivité brutale.

L'enfant-bourreau a possiblement grandi avec un éducateur-bourreau qui a usé d'autorité pour exiger de lui l'obéissance absolue et qui ne lui permettait aucune faiblesse. Il est aussi possible que ses parents aient entretenu entre eux un système relationnel bourreau/victime. L'enfant s'est alors identifié au parent-bourreau et a adopté en vieillissant les mécanismes défensifs de ce parent. Il a choisi inconsciemment d'attaquer quand il est blessé plutôt que de s'écraser et de se plaindre. Ce choix était pour lui une question de survie psychique.

« *Quand un enfant souffre sur les plans physique et psychique, il essaye d'échapper le plus rapidement possible à sa souffrance. Il cesse donc de s'identifier à lui-même et s'identifie plutôt à son humiliant oppresseur, pour tenter de s'approprier son pouvoir et sa force*[6] », nous dit BRADSHAW.

Pour survivre à leur souffrance psychique, tous les enfants, y compris nous-mêmes quand nous étions petits, adoptent des mécanismes défensifs plus ou moins oppressants lorsqu'ils souffrent de manque d'amour, de reconnaissance et de sécurité. La plupart du temps et, paradoxalement, ils choisissent instinctivement les réactions défensives du parent qui les a fait le plus souffrir dans le but de lui soutirer son pouvoir.

Comme je l'expliquais au premier chapitre, s'ils ont été violentés par un parent-bourreau et qu'ils en ont été profondément marqués, ils violenteront vraisemblablement, malgré leur volonté de ne pas reproduire ce qu'ils ont vécu, parce que c'est l'expérience relationnelle et affective la plus importante enregistrée par leur psychisme. Comment faire pour la transformer ?

Comment aider un bourreau ?

La satisfaction des besoins d'amour, de reconnaissance et de compréhension est fondamentale pour que le bourreau puisse retrouver son équilibre psychique et assurer l'harmonie dans ses relations affectives, particulièrement dans sa relation amoureuse.

6 John BRADSHAW. *S'affranchir de la honte*. p. 40

Lorsque ces besoins sont satisfaits, il ne manifeste généralement plus d'agressivité.

J'ai vu des bourreaux, intensément colériques et virulents dans leur relation amoureuse, devenir calmes et sereins dans leur milieu de travail ou en présence de leurs amis ou l'inverse. Se sentant aimés, importants et sécurisés, ils ne prononçaient plus de paroles blessantes, et ce, même lorsqu'on les mettait face à leurs limites ou à leurs erreurs. Cela ne signifie pas que leurs blessures étaient disparues, mais qu'elles n'étaient pas réveillées. Se sentant aimés, ils rendaient à ces personnes le respect qui leur était témoigné. Avec elles, ils ne ressentaient pas de culpabilité parce qu'ils n'étaient pas responsabilisés de leurs malaises et de leurs frustrations.

Cette réalité illustre le fait que celui que nous qualifions de *bourreau* ne l'est pas nécessairement toujours ni avec tout le monde. Ce sont surtout les *victimes* qui déclenchent ses blessures. En leur présence, il se sent presque toujours coupable, inadéquat et trahi par leurs complots.

Le bourreau réagit agressivement parce qu'il est habité par une honte insupportable de sa fragilité psychique et par une peine d'enfant qu'il continue à refouler par peur d'être humilié.

C'est précisément sa peur viscérale de ne pas être important pour l'autre, sa peur d'être anéanti par le jugement, le blâme et le rejet qui le poussent à s'en prendre aux victimes, c'est-à-dire aux personnes qui le culpabilisent, le responsabilisent directement ou subtilement de leurs malaises et se déchargent de leurs problèmes sur lui. Il s'emporte rarement avec ceux qui le respectent, qui s'affirment sans l'humilier, pas davantage avec ceux qui manifestent respectueusement leur autorité. Conscient de son hypersensibilité, il sait que si ces personnes ne le respectaient pas, il pourrait devenir violent ou, au contraire, s'écraser comme il l'a fait, enfant, face à son parent autoritaire. Dans un cas comme dans l'autre, il se sentirait, par la suite, profondément diminué.

Quand il n'est pas en contact avec ses émotions, la prise de conscience de son mécanisme défensif de projection peut aider ce type psychologique à soulager sa souffrance.

> **Le bourreau projette sa puissance intérieure, inconnue de lui, sur ceux qu'il admire et qu'il qualifie de *forts* parce que, selon lui, les forts savent, contrairement à lui, s'affirmer en se faisant respecter et aimer. D'autre part, il juge sévèrement les victimes, auxquelles il attribue le qualificatif de *faibles*, parce qu'il projette sur elles le jugement qu'il porte sur sa propre sensibilité.**

À ses yeux, les gens vulnérables sont *petits* intérieurement, surtout s'ils se plaignent, s'apitoient sur leur sort et responsabilisent les autres de leur misère intérieure. Pour ne pas leur ressembler, il cache son émotivité et s'en défend par une affirmation défensive plus ou moins incisive.

Comment contribuer à le libérer de la prison dans laquelle il s'est enfermé lorsqu'il était enfant ? Surtout, comment agir pour ne pas créer ou nourrir avec lui une relation fondée sur le système bourreau/victime ?

Celui qui veut soulager le bourreau de ses déchirements intérieurs et rester libre en sa présence doit avoir développé les trois caractéristiques suivantes :

1. la confiance en soi ;
2. l'affirmation ;
3. la compréhension.

Il est fondamental d'avoir acquis assez de sécurité intérieure pour aborder un bourreau en crise sans se laisser impressionner par sa colère. Dans ces moments de décharge colérique, comme le bourreau est dans un état défensif, adopter un comportement de victime chaque fois qu'il prononce des paroles rejetantes, méprisantes, choquantes ou indécentes nourrirait son fonctionnement et créerait, par conséquent, un système bourreau/victime entre vous et lui. Il est préférable de le regarder dans les yeux, d'attendre qu'il se taise et de lui demander immédiatement, avec douceur et affection, et en le nommant par son prénom, quelque chose comme : « *Dis-moi ce qui ne va pas, Arthur.* » S'il s'agit d'un bourreau qui n'est pas coupé de sa sensibilité et qu'il voit que vous ne vous victimisez pas ou ne le jugez pas, il se sentira accueilli et il vous répondra calmement. Votre écoute, votre accueil sans jugement et votre compréhension de sa souffrance le réconforteront et contribueront à satisfaire ses besoins fondamentaux d'être aimé, reconnu et accepté tel qu'il est, et ce, même s'il n'est pas conscient de ses besoins. Il doit sentir votre authenticité, votre compréhension de sa douleur, mais il doit aussi savoir que vous n'approuvez par ses emportements et sa violence.

Si vous êtes thérapeute, vous pouvez l'aider à comprendre son fonctionnement quand, dégagé de l'intensité émotionnelle qui l'habite, il est en mesure de vous entendre. L'encourager, par la reformulation, à identifier et à accepter ses mécanismes de défense et ses blessures, à discerner sa responsabilité et lui apprendre surtout à ne pas s'octroyer la responsabilité de la victime en discernant la part qui lui appartient dans leurs conflits est primordial pour le libérer de sa culpabilité chronique. Il ne s'agit surtout pas de jouer au thérapeute avec lui si vous ne l'êtes pas, encore moins de le forcer à exprimer ce que vous voudriez entendre après la lecture de ce chapitre. Si vous le traitez avec respect, il développera à long terme le discernement nécessaire pour transformer l'attitude et les comportements défensifs qu'il adopte avec les victimes en une affirmation juste et pertinente.

La victime

S'il existe un fonctionnement que nous ne pouvons juger chez les autres parce que nous l'adoptons tous plus ou moins souvent à certains moments de nos vies, c'est bien celui de la victime. Eu égard à cette réalité, nous avons avantage à lire ce qui concerne ce type psychologique en nous observant avec honnêteté plutôt qu'en attribuant ces caractéristiques aux personnes de notre entourage. Nous aurons ainsi le pouvoir de travailler sur nous-mêmes au lieu d'essayer de changer les autres quand ils déclenchent nos blessures et qu'ils dérangent notre quiétude intérieure. Ce travail sur soi nous permettra de comprendre non seulement les victimes que nous côtoyons, mais aussi nos bourreaux et les leurs. De plus, nous serons indulgents avec cette partie de nous qui se défend de cette manière lorsqu'elle souffre. Nous pouvons alors nous demander quelle souffrance nous habite lorsque nous réagissons par un comportement de victime dans nos relations affectives.

Le fonctionnement psychique de la victime

Ce fonctionnement résulte, comme celui du bourreau, de trois composantes que la victime n'a généralement pas identifiées :

- ses blessures psychiques ;
- ses modes réactionnels ;
- ses besoins.

Les blessures psychiques de la victime

Qu'elle soit affectée par une blessure d'enfance causée par l'abandon, la culpabilisation, l'incompréhension ou la dévalorisation, la victime souffre de problèmes importants dans ses relations affectives d'adulte, parce qu'elle manque de confiance en elle-même et d'estime personnelle. Comme les types psychologiques *inférieur et honteux* décrits au chapitre 9 et au chapitre 11, elle n'est pas toujours consciente de ses forces et de ses talents. Aussi, quand elle est blessée ou qu'elle craint de l'être, elle n'arrive pas à s'affirmer sans reprocher, sans culpabiliser, sans se plaindre et sans se décharger de ses problèmes sur les autres, subtilement ou concrètement. Elle est constamment freinée par le doute d'elle-même et par la peur de perdre, ce qui l'empêche d'exploiter ses ressources. Dépendante affectivement de son entourage pour être heureuse, à cause de son manque de confiance en elle, elle utilise involontairement un comportement de victime pour attirer la sympathie.

La victime attire la pitié et non l'amour. Son attitude s'avère très efficace avec les sauveurs, mais elle irrite considérablement les bourreaux, qui la traitent avec mépris et la rejettent parce qu'ils ne supportent

pas de ressentir de la culpabilité, encore moins de la pitié envers les autres.

Derrière cette non-estime de soi se cache au cœur du psychisme de la personne affectée une peine incommensurable, celle de ne pas s'aimer. C'est la libération de cette douleur profonde, en présence d'un thérapeute ou d'une personne de confiance, capable de distinguer le faux du vrai dans l'expression de ses émotions, qui peut l'aider. L'important est de lui faire réaliser que son affliction réelle n'a aucun lien avec les larmes manipulatrices et défensives qu'elle verse pour se défendre. Pour que la victime contacte sa force intérieure d'affirmation, cette force insoupçonnée enfouie sous sa blessure, le passage indispensable à emprunter consiste à se délivrer de sa véritable souffrance de manque d'estime d'elle-même. Tant qu'elle adopte une attitude défensive de victime, elle nourrit le système dysfonctionnel qui l'attache au bourreau et, par conséquent, elle cultive son malheur.

Comment se défend-elle alors quand elle n'est pas en contact avec ses peurs et son manque d'amour d'elle-même ?

2. Les mécanismes défensifs de la victime

Je tiens à rappeler que la victime, tout comme le bourreau, se défend parce qu'elle souffre et qu'elle ne s'aime pas suffisamment. Elle ne choisit pas délibérément ses réactions défensives pour blesser. Les buts fondamentaux inconscients qu'elle poursuit par le biais de son comportement défensif sont de la protéger contre sa souffrance et de satisfaire, en bifurquant, ses besoins d'être aimée et comprise.

La victime réagit devant la violence du bourreau notamment par le blâme, la critique sournoise, la responsabilisation, la manipulation, le complot, l'apitoiement, la culpabilisation et la fermeture. Quand elle se sent agressée par le bourreau, il lui arrive de rester silencieuse pendant des heures en sa présence et de prendre une attitude de vierge offensée. Par son silence prolongé, elle provoque en lui une insécurité grandissante qui lui confère beaucoup de pouvoir sur celui-ci. Lorsqu'elle s'exprime enfin, c'est souvent pour lui signifier qu'il est entièrement responsable de ses malaises.

Les mots qui résument le comportement-clé de la victime sont : *irresponsabilité* et *pouvoir.* Avec elle, ce sont les autres qui ont tort. Les personnes de son entourage et les événements deviennent responsables de son vécu désagréable, de ses déceptions, de ses frustrations, de ses manques affectifs, de ses erreurs, de ses mauvais choix et de ses besoins non satisfaits. Ce n'est jamais elle la responsable. C'est en cela qu'elle détient un immense pouvoir sur le bourreau.

Comme elle a tendance à responsabiliser l'autre et qu'elle ne se fait pas assez confiance pour affronter son bourreau directement, la personne qui se victimise cherche la coalition auprès des *sauveurs.* Elle s'entoure de personnes qui l'appuient et la défendent contre ses *méchants bourreaux,* ce qui nourrit sa dépendance, son irresponsabilité et son manque d'estime d'elle-même. Entretenant ainsi un pouvoir considérable sur son *bourreau,* elle contribue, elle aussi, à maintenir le système qui la lie à son déclencheur. En effet, elle se croit innocente et largement lésée ; elle ne se fait pas assez confiance pour affronter sans manipulation, sans culpabilisation et sans responsabilisation ceux qui l'agressent. Par conséquent, elle n'est pas en contact avec ses besoins et attend le soutien inconditionnel des autres ou le changement de l'être aimé pour être libérée d'une souffrance bien réelle et que nous ne devons surtout pas ignorer, encore moins juger. Convaincue, quand elle est blessée, que c'est la faute de l'*autre*, elle n'est souvent pas consciente de ses propres modes réactionnels. Par contre, elle repère facilement ceux du bourreau. En ce sens, la victime est aussi parfois le juge que je décrirai au chapitre 11.

Comme elle manque de pouvoir sur elle-même, la personne qui se défend par un comportement de victime est habitée par une peur inconsciente de perdre son pouvoir sur les autres. Aussi, avec ceux qui ne s'apitoient pas sur son sort, qui refusent de comploter avec elle contre son agresseur, qui ne se laissent pas manipuler et qui résistent à son emprise, elle peut se transformer en personne manipulatrice mesquine ou en agresseur intraitable. Nous pouvons aider une telle personne en lui faisant prendre conscience de ses peurs et de ses besoins.

3. Les besoins psychiques de la victime

Il est remarquable de constater que, en ce qui touche les systèmes relationnels, les personnes impliquées éprouvent généralement les mêmes besoins. Par contre, elles se défendent différemment. La victime, comme son bourreau, a besoin d'amour, de sécurité affective et de compréhension. Elle a aussi un grand besoin de liberté qu'elle ne conscientise pas. En effet, elle veut se libérer des bourreaux, mais elle ne se rend pas compte qu'elle doit s'affranchir d'une partie d'elle-même. Sans travail sur elle, elle continuera à attirer dans sa vie des personnes qui s'emportent facilement et qui la soumettent à leur impulsivité.

La personne aux prises avec ce mécanisme de défense souhaite trouver une certaine autonomie, mais n'y parvient pas parce qu'elle sollicite constamment l'aide d'un ou de plusieurs sauveurs pour se protéger contre ceux qui l'agressent.

Ainsi son bonheur dépend toujours du changement des autres, jamais du sien. De plus, son besoin de sécurité affective non conscientisé contribue aussi à nourrir sa dépendance malsaine par rapport à ceux qui prennent parti pour elle contre son bourreau.

Le plus triste est que la plupart des victimes du monde amplifient, dans leurs relations affectives d'adultes, ce comportement développé dans leur enfance. Elles le reproduisent parce qu'elles n'ont jamais appris à contacter leur beauté et leur pouvoir intérieurs, et parce que la plupart de ceux qui leur viennent en aide leur fournissent le poisson sans leur apprendre à pêcher.

L'origine du fonctionnement de la victime

L'enfant qui a appris à se défendre en se victimisant a possiblement grandi avec un ou deux parents surprotecteurs qui l'ont pris en charge, parce qu'ils ne lui ont pas fait confiance, ou par des parents qui l'ont responsabilisé de leurs problèmes et qui ont reporté leurs problèmes sur le monde extérieur. Cet enfant ayant évolué dans un milieu d'irresponsabilité, son besoin d'amour et son sentiment d'insécurité n'ont pas été entendus. Par conséquent, il n'a pas acquis l'aptitude à prendre sa vie en main psychologiquement ni à contacter son pouvoir et ses ressources quand il est blessé. En prenant de l'âge, il a développé, par influence inconsciente, une habitude à critiquer les autres en leur absence, à les blâmer, à les juger et à se plaindre des malaises subis quand il souffre. Devenu adulte, il se trouve souvent démuni devant les obstacles de la vie relationnelle.

C'est pourquoi il croit avoir besoin de *sauveurs* pour le libérer de son impuissance.

Les parents ne sont pas toujours les seules personnes à l'origine du comportement défensif de victime de leur fils ou de leur fille. Ce fonctionnement se développe chez les enfants intimidés et violentés par leurs pairs à l'école ou rejetés par des autorités signifiantes pour eux. Dans ce cas, s'ils n'apprennent pas à s'affirmer, ils supposeront qu'ils sont incapables de se défendre dans la vie. Ils se plaindront pour obtenir ce qu'ils veulent et ils intégreront la croyance qu'ils ne possèdent pas les ressources nécessaires pour prendre leur vie en main. Quand ils seront blessés, il responsabiliseront les déclencheurs de leur souffrance et chercheront des sauveurs pour les en libérer.

Rares sont les personnes qui ont été éduquées par des parents totalement responsables. Si c'était le cas, le monde ne pullulerait pas de guerres et de trahisons ; les relations affectives et professionnelles seraient moins conflictuelles ; le nombre de séparations et de divorces diminuerait et on verrait beaucoup moins d'enfants en conflit avec leur père ou avec leur mère.

Nous sommes tous des victimes et notre premier pas vers la libération est de l'admettre. Lorsque nous aurons vraiment intégré la notion de responsabilité à nos vies, nous aurons saisi, de l'intérieur, ce que signifie vivre en paix, aimer et être libre.

Nous serons alors motivés à récupérer le pouvoir sur nos vies en cherchant en nous la source de nos problèmes et des horreurs du monde, comme l'a fait le Dr Len par la méthode

Ho'oponopono[7].De cette manière, nous apprendrons à nous délivrer du poids de notre victime et nous aiderons les autres à trouver la source de leur véritable liberté.

Comment aider une victime?

Pour aider adéquatement les victimes et nous soulager de celle qui nous habite, il est important de distinguer les victimes réelles des victimes défensives. Lorsque des êtres vivants sont frappés par la guerre, les catastrophes naturelles, la mort d'êtres chers, la famine, la violence, le viol, ils ont besoin de compréhension et de solidarité. Dans ces cas-là, ces personnes ne sont pas en situation psychologique de défense, mais en situation de survie. Je crois profondément que nous sommes tous liés les uns aux autres par une énergie commune. Nous ne pouvons donc pas négliger ou abandonner des gens affectés par de telles calamités sans nous abandonner nous-mêmes et nous causer du tort. La solidarité entre les êtres vivants, actualisée par l'aide humanitaire et par la prière, est essentielle à la survie humaine, à condition qu'elle soit orientée vers l'autonomie des aidés plutôt que sur leur prise en charge.

La victime défensive se manifeste surtout sur le plan des relations interpersonnelles. C'est là qu'elle entretient, par ses réactions de défense, un système relationnel dont elle est partie prenante. Elle a donc une responsabilité par rapport à sa souffrance. Ce qui la maintient dans l'impuissance, ce

7 Ho'oponopono est une philosophie de vie de l'Antiquité hawaïenne qui repose sur la croyance que tout ce qui existe à l'extérieur de nous reflète quelque chose de notre monde intérieur. Ainsi, en changeant l'intérieur de nous-mêmes par une méthode simple et très efficace, nous influençons le monde extérieur qui change aussi parce que nous sommes tous reliés.

Dr Luc Baden et Maria-Élisa Hurtade-Graciet, *Ho'oponopono*. Saint-Julien-en-Genevois : Éditions Jouvence, 2011.

n'est pas *l'autre*, mais elle-même. Ce n'est pas en continuant à blâmer, à critiquer, à manipuler, à responsabiliser, à culpabiliser, à comploter et à s'apitoyer sur son sort qu'elle se libérera de ses problèmes. Au contraire, elle contribuera ainsi à les amplifier, au point qu'ils lui sembleront insolubles. La victime aura besoin continuellement d'un *sauveur* pour attirer la pitié.

Aider une personne qui se défend par une attitude de victime s'avère une démarche difficile, car cette personne est profondément convaincue de son innocence et que ses déclencheurs ont tous les torts. Chose certaine, nous ne l'aidons pas en la *sauvant*. Nous l'aidons en lui donnant la possibilité de contacter et d'exprimer ses peurs profondes et ses besoins, et en lui apprenant des moyens de développer la confiance en elle. Pour cela, la victime doit d'abord comprendre que, si elle s'attire des bourreaux, ce n'est pas par hasard. En effet, elle les agresse aussi à sa façon par ses comportements manipulateurs et responsabilisants, par ses plaintes, ses critiques, sa fermeture et ses reproches culpabilisants. Elle doit savoir que certaines personnes réagissent par la colère et l'agressivité à la culpabilité et à l'impuissance qu'elle déclenche chez eux. C'est, du moins, le cas de ceux qui ont un fonctionnement de bourreau et qui éprouvent de la pitié, voire, dans certains cas, du mépris pour elle et non de l'amour.

Quand nous donnons par pitié, nous rabaissons celui que nous aidons. Quand nous donnons par amour, nous l'élevons. L'amour véritable est assez fort pour affronter avec empathie la souffrance de l'autre sans le prendre en charge.

La pitié provoque un sentiment très inconfortable, parce qu'il est fait de mépris, d'affectation et de fausse compassion.

Aussi, quand nous ressentons ce sentiment sans l'identifier, nous cherchons à nous en dégager. Pour ce faire, nous agissons inconsciemment de manière à sortir la victime de sa souffrance pour ne plus ressentir ce malaise désagréable, voire insupportable. Les deux moyens généralement adoptés pour y arriver sont : l'intimidation agressante du bourreau ou la mansuétude du sauveur. Dans le premier cas, la victime a une raison de plus de se plaindre et de s'enfoncer dans son fonctionnement autodestructeur; dans le deuxième cas, elle en sort avec moins de confiance en elle puisque sa souffrance est prise en charge. Pour l'aider à se faire confiance, il est fondamental de lui faire prendre conscience du pouvoir qu'elle exerce elle aussi sur son entourage, en l'occurrence sur les déclencheurs de sa blessure. Cette prise de conscience lui permettra d'entrouvrir progressivement la porte de la responsabilité. Il est fondamental que la victime saisisse que ses modes réactionnels sont aussi puissants que ceux de ses bourreaux, bien que différents, et qu'elle contribue elle aussi à nourrir le système qui la fait souffrir.

La prise de conscience de ses réactions défensives et de leur impact sur son conjoint, ses parents, ses enfants et sur la relation qu'elle entretient avec eux représente pour la victime le premier pas à franchir pour la libérer de son manque d'estime d'elle-même. Accepter sa responsabilité et apprendre à trouver des manières non défensives d'entrer en relation avec les autres sont des passages obligés vers la satisfaction de ses besoins. Si la personne ne se plaint plus, ne critique plus, ne culpabilise plus, n'adresse plus de reproches, ne joue plus la vierge offensée et ne cherche plus à faire prendre en charge sa souffrance, que lui restera-t-il comme moyen d'action ? Quelle autre manière aura-t-elle de s'affirmer et d'exister, à part son comportement de victime ?

Il lui restera l'identification et la prise en charge de ses besoins. Il lui restera aussi l'acceptation de ses blessures et surtout la prise de conscience d'une réalité incontournable, à savoir que ce n'est pas l'autre qui la fait souffrir, mais son enfant intérieur blessé qu'elle a abandonné. Plus elle s'occupera de cet enfant meurtri, plus elle développera de compréhension envers elle-même et, dès lors, envers les autres. Ainsi, au lieu de responsabiliser son entourage de sa souffrance, elle en prendra elle-même toute la responsabilité et sera fière de ses victoires. Elle ne sera plus une victime devant son bourreau, mais un être humain à part entière, libre, autonome et capable de s'affirmer. Elle contribuera ainsi à déstabiliser le système qui, petit à petit, se dissoudra pour faire place à une relation saine et *propulsante*, comme devraient l'être toutes les relations affectives fondées sur le respect, l'amour de soi et l'amour sincère de l'autre. De cette manière, le sentiment amoureux à l'égard de son déclencheur-bourreau renaîtra, s'épanouira et fera de leur lien une source de renaissance perpétuelle, d'harmonie et de paix.

En résumé, toutes les victimes que nous sommes doivent savoir que leur problème ne réside pas dans la colère défensive et la violence du bourreau, mais dans :

1. leur manque de confiance en leur force intérieure ;
2. leur incapacité à accueillir leur propre colère et leur propre agressivité refoulées ;
3. leur peur inconsciente de subir le même traitement qu'elles font vivre à leurs bourreaux.

Il est absolument impossible d'aider les victimes en nous liguant avec elles contre leurs agresseurs ou en approuvant leurs plaintes et leurs critiques. L'unique approche susceptible de leur redonner leur pouvoir est d'adopter avec elles le comportement suivant :

1. accueillir affectueusement et sans jugement leur comportement de victime, parce que c'est leur mécanisme de défense privilégié contre leurs blessures ;
2. les encourager à exprimer leurs vraies émotions et à identifier les blessures qui les font souffrir ;
3. leur montrer qu'elles adoptent un fonctionnement défensif de pouvoir sur les autres quand elles sont blessées ;
4. reformuler leur agressivité réprimée ;
5. leur faire prendre conscience que ce sont précisément leur apitoiement, leurs jugements et leur rejet qui déclenchent les bourreaux et non le vécu et les besoins réels qu'elles n'expriment pas ;
6. les encourager à se responsabiliser de leurs propres réactions défensives de critique, de complot, de blâme et de fermeture ;
7. leur dire que, si elles veulent sortir du système bourreau/victime et se créer des relations harmonieuses, elles doivent impérativement faire leur part du chemin pour y arriver.

Pour que ce type de relation harmonieuse soit accessible à toutes les victimes et aussi à leurs bourreaux, je terminerai la description de ce système par la présentation d'un schéma qui servira de résumé à tout ce qui précède.

Le système relationnel bourreau/victime

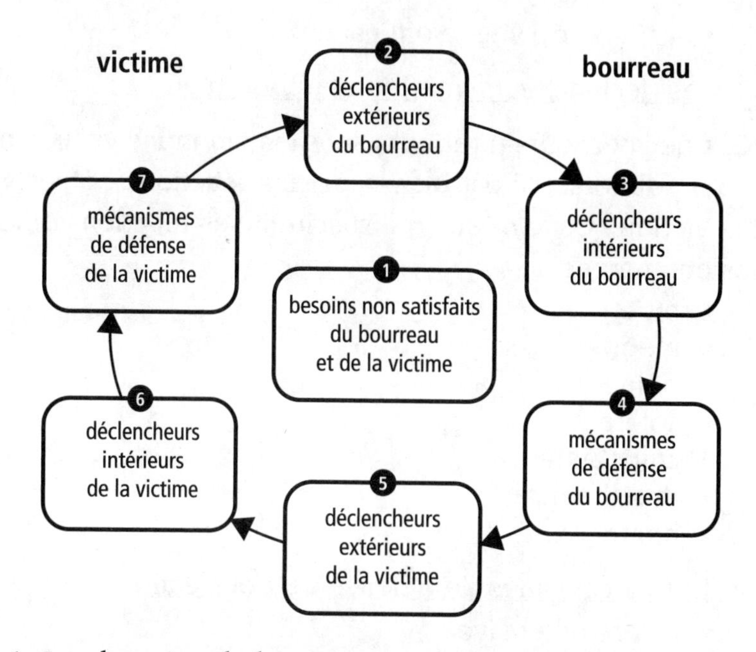

1. Les besoins du bourreau et de la victime
   - être aimés
   - être importants
   - être compris
   - être sécurisés
   - être libres

2. Les déclencheurs extérieurs du bourreau

Tous les mécanismes de défense de la victime sont des déclencheurs extérieurs pour le bourreau :

- apitoiement
- culpabilisation
- reproche
- rejet
- jugement
- plaintes et larmes défensives
- responsabilisation

- complots contre lui
- fermeture
- attitude de vierge offensée

3. Les déclencheurs intérieurs du bourreau

Ces déclencheurs intérieurs sont les émotions vécues par le bourreau lorsqu'il est blessé par les réactions défensives de la victime. Ce sont eux qui suscitent ses réactions défensives énumérées au # 4.

- pitié
- mépris
- peine
- colère
- culpabilité
- impuissance
- honte

4. Les mécanismes de défense du bourreau
   - colère défensive
   - violence verbale
   - intimidation
   - agression
   - cris

5. Les déclencheurs extérieurs de la victime

Tous les mécanismes de défense du bourreau cités précédemment sont des déclencheurs extérieurs d'émotions souffrantes pour la victime.

6. Les déclencheurs intérieurs de la victime
   - peur de s'affirmer
   - peur d'être anéantie
   - insécurité
   - impuissance
   - peur inconsciente de perdre le pouvoir
   - peine

7. Les mécanismes de défense de la victime

Toutes les réactions défensives suivantes de la victime agressent le bourreau et éveillent ses blessures

- fermeture
- manipulation
- recherche de confluence
- reproche
- culpabilisation
- apitoiement
- critique sournoise
- responsabilisation
- attitude de vierge offensée

Explications générales du schéma

Pour approfondir le contenu de ce schéma, il est important de ne jamais oublier que les mécanismes de défense du bourreau sont les déclencheurs *extérieurs* de la victime et que ceux de la victime sont les déclencheurs *extérieurs* du bourreau. Ces déclencheurs *extérieurs* engendrent des émotions désagréables, voire insupportables, que j'appelle des déclencheurs intérieurs parce que ces émotions provoquent des comportements défensifs instantanés chez la personne blessée. Ce ne sont donc pas les mécanismes de défense du bourreau qui incitent une victime à devenir défensive, mais bien ses émotions souffrantes. Par conséquent, on peut dire que

travailler à changer nos déclencheurs *extérieurs* quand nous sommes blessés équivaut à pédaler sur un vélo stationnaire.

Cela ne contribue d'aucune façon à nous faire avancer. En agissant ainsi, nous dépensons inutilement une énergie qui ne sert qu'à nous épuiser et qu'à envenimer la relation sans donner de résultats positifs et durables.

Pour progresser, il est essentiel de nous occuper de notre monde intérieur, c'est-à-dire de nos blessures et de nos besoins psychiques fondamentaux : là, et là seulement, se trouve notre source de force, de puissance et de pouvoir sur nos vies. Le jour où nous aurons vraiment intégré cette réalité, notre existence se transformera, parce que nous contacterons notre potentiel illimité d'amour et de créativité. Nous accéderons alors aux ressources profondes qui nous permettront d'identifier et de prendre en charge les besoins de notre personnalité et nos besoins spirituels.

Nos besoins psychiques et spirituels fondamentaux, qui sont les mêmes pour tous les êtres humains de la planète, sont au cœur du fonctionnement psychique de chacun d'entre nous. C'est lorsqu'ils ne sont pas satisfaits que nous nous défendons et blessons les autres et, inversement, c'est aussi parce que nous nous défendons quand nous sommes blessés que ces besoins restent insatisfaits.

Bien que nos réactions défensives soient normales quand nous souffrons psychologiquement, elles restent nos principales sources de tourments dans nos tempêtes relationnelles. Aussi, tant que nous demeurons défensifs et tournés vers nos déclencheurs extérieurs, tant que nous voulons changer l'autre, avoir raison ou prouver notre valeur, nous entretenons notre faiblesse et notre manque de confiance en nous-mêmes et en notre potentiel créateur, quelles que soient les apparences.

Qu'elle soit bourreau ou victime, une personne peut paraître sûre d'elle-même ou angélique extérieurement. Elle n'en est pas moins fragile à l'intérieur tant et aussi longtemps qu'elle ne prend pas la totale responsabilité de ses souffrances et qu'elle ne choisit pas de prendre soin elle-même de ses besoins d'être aimée, reconnue et libre.

Si nous observons notre société et le monde qui le compose, force nous sera d'admettre que la responsabilité n'est pas encore partout intégrée. Le système bourreau/victime est présent en tous lieux. Les gouvernants et les habitants d'un pays se disent victimes de la domination d'un autre, pendant que les chefs politiques de cet autre pays présentent leurs adversaires comme des bourreaux. Le même problème se pose dans les relations interpersonnelles, particulièrement au travail, dans les familles et chez de nombreux couples. En définitive, sur ce plan, le monde semble divisé en deux : d'une part, les *pauvres victimes* et de l'autre, les *méchants bourreaux*. La vérité n'est pas aussi simple et ne se tranche pas si facilement. En réalité, nous sommes tous parfois, à différents degrés, les bourreaux de quelqu'un et les victimes de quelqu'un d'autre. Selon les situations et notre manière de les vivre, nous pouvons même être le bourreau et la victime de la même personne, notamment de notre conjoint. Par exemple, comme je l'ai démontré, le bourreau qui se défend par la violence s'attire du rejet et devient ainsi la victime des reproches, des plaintes et de la disgrâce de l'affligé et de son entourage.

Ce livre n'a donc pas pour but de favoriser le jugement en classant les gens par catégories : les bons d'un côté et les méchants de l'autre. En fait, il n'y a ni bons ni méchants. Il n'y a que des personnes qui se défendent parce qu'elles souffrent.

Par conséquent, en écrivant sur ce sujet, mon objectif est que le lecteur comprenne bien que, lorsqu'il est blessé, il peut lui aussi blesser en se défendant par des mécanismes répétitifs inconscients qui touchent l'autre au cœur même de ses blessures. C'est ce qui cause des conflits et crée des systèmes relationnels insatisfaisants, des systèmes qui ne se dénoueront que lorsque chacun prendra en charge sa propre souffrance.

Prendre conscience de notre manière personnelle et défensive de blesser les autres quand nous sommes éprouvés est primordial pour réparer les liens brisés et recréer des liens satisfaisants.

Ce phénomène d'auto responsabilisation s'applique particulièrement dans le cas du prochain système présenté dans cet ouvrage : le système sauveur/affligé. Bien que le bourreau, la victime et le sauveur forment un trio indissociable, j'ai choisi de les développer par couples, car c'est en démystifiant les couples bourreau/victime, sauveur/affligé et sauveur/bourreau que chacun découvrira sa propre dynamique interne et qu'il pourra transformer une relation aliénante en une relation fondée sur la liberté d'être et le bonheur de vivre pleinement sa vie.

Chapitre 4
Le système sauveur/affligé

Exemple de Sandra, Blanche et Joe

Lorsque son beau-frère Joe a quitté sa sœur préférée, Blanche, pour une autre femme plus jeune, Sandra, profondément peinée de voir souffrir Blanche, a rejeté catégoriquement l'homme qui avait partagé la vie de sa frangine pendant des années. Elle a appuyé Blanche à 100 % et a même approuvé ses critiques, ses plaintes et son apitoiement. En effet, comme sa sœur, Sandra a qualifié Joe de traître, d'hypocrite et de sans cœur. Au cours des mois qui ont suivi cet événement éprouvant, elle a accompagné Blanche dans sa souffrance avec une grande générosité. Elle faisait tout ce qu'elle pouvait pour l'aider parce qu'elle ne supportait pas de la voir souffrir. Consacrant une grande partie de son temps libre à écouter et à approuver les blâmes que Blanche attribuait à son ex-mari, Sandra n'était pas consciente qu'elle entretenait ainsi chez sa sœur le ressentiment, l'impuissance et, par conséquent, le manque d'estime d'elle-même. Au contraire, elle croyait sa présence indispensable auprès de sa sœur, d'autant plus que cette dernière n'arrivait pas à faire le deuil de son mari. Plus le temps avançait, plus Blanche était malheureuse et dépendante. Ce n'est que le jour où sa fille aînée l'a dirigée vers un groupe de personnes endeuillées par l'abandon que

Blanche a commencé à reprendre le pouvoir sur sa vie, à s'aimer et à retrouver la joie de vivre.

Deux ans après cette séparation, un événement inattendu s'est produit dans la vie de Sandra. Elle a rencontré Maxime, un nouvel employé dans l'entreprise où elle travaillait depuis plus de cinq ans. Chargée de sa formation parce qu'il œuvrait dans sa spécialité, elle appréciait énormément son regard séducteur et ses délicates attentions à son égard. Troublée en sa présence, elle luttait contre son attirance pour lui, parce qu'elle était de sept ans son aînée et parce qu'elle était déjà engagée avec Fabien, le père de leurs trois enfants. Malgré ses réticences et sa volonté, le jour où Maxime lui a déclaré son amour, elle n'a absolument pas pu lui résister. Quelques mois plus tard, elle a quitté son mari et a emménagé avec son nouvel amoureux dans un petit appartement coquet du centre-ville.

N'eût été que de leur histoire d'amour, tout se serait passé merveilleusement bien. Heureuse d'être libérée d'un mariage sans passion, Sandra ne s'était pas doutée que, en quittant Fabien, elle serait jugée, voire rejetée par deux de ses enfants, par la plupart de leurs amis de couple, par la famille de son mari et même par certains membres de sa propre famille. Pour eux tous, Fabien était un homme extraordinaire qui ne méritait pas d'être abandonné de la sorte par sa femme. La plus grande peine de Sandra a été d'apprendre que sa sœur Blanche, qu'elle avait soutenue assidûment au moment de sa séparation, s'était rangée aussi du côté de Fabien. Parce qu'elle faisait souffrir son ex-mari, Sandra devenait pour ces personnes le bourreau d'une victime innocente qui avait besoin de sauveurs pour traverser cette épreuve. Profondément blessée, elle a réagi aux jugements de son entourage par la critique, oubliant qu'elle avait fait subir à son beau-frère le même sort deux ans plus tôt. Par son comportement, elle se plaçait en victime d'une situation qu'elle avait elle-même choisie sans en assumer les conséquences.

Comme Sandra, ne sommes-nous pas, selon les circonstances, le sauveur d'une personne, le bourreau d'une autre et la victime d'une troisième ?

Dans ce triangle, le trio forme trois couples :

- bourreau/victime
- bourreau/sauveur
- sauveur/affligé.

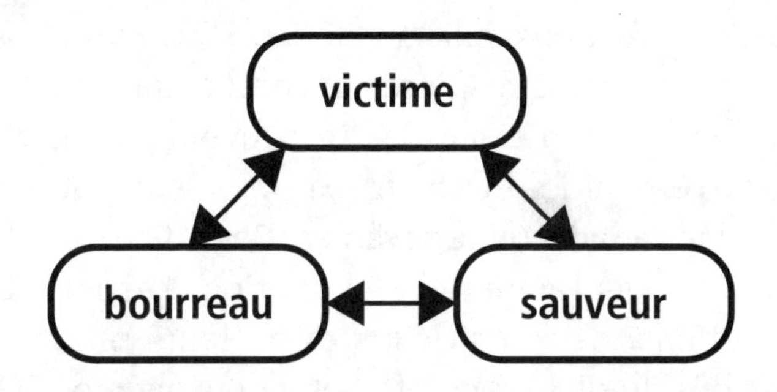

Abordons d'abord le système sauveur/affligé, qui repose, comme celui du bourreau et de la victime, sur le fonctionnement psychique de chacun des membres qui le composent. Pour le démystifier, voyons d'abord ce qui caractérise celui que j'appelle l'affligé.

L'affligé

Qui est-il ?

L'affligé est, par essence, un être souffrant. Il est réellement affecté par un handicap, une maladie, une blessure psychique, la pauvreté, une situation pénible ou un problème relationnel. Il a donc besoin d'aide sur le plan physique, psychologique ou matériel. Cependant, selon la manière dont ils conçoivent leur problème, on distingue deux types d'affligés.

Les types d'affligés

Dans notre entourage et dans la société en général, nous distinguons les affligés responsables et les affligés victimes.

Les affligés responsables sont ceux qui, sans résignation, acceptent leur épreuve et leurs limites et composent avec elles sans se plaindre. Ce sont des *guerriers pacifiques*[8] qui cherchent à identifier leurs besoins et qui s'en occupent directement en adressant des demandes claires et précises. Comme ils se responsabilisent de leurs erreurs et de leurs échecs, ce sont des êtres libres et sereins qui ne se placent pas dans une attente stérile de sauveurs potentiels. Ils acceptent d'être aidés et savent exprimer leur gratitude sans se sentir dépendants ou redevables. Ces affligés-là n'attirent pas la pitié, mais l'amour et l'admiration. Responsables de leurs émotions, de leurs désirs et de leurs problèmes, ils n'ont pas besoin de *sauveurs* et pilotent eux-mêmes la barque de leur vie. Pour cette raison, ils ne créent pas de systèmes relationnels dysfonctionnels avec ceux qui voudraient les prendre en charge. Bien qu'ils soient peu nombreux, leur rayonnement et leur influence bénéfique sont tels qu'ils contribuent sans conteste à l'évolution de leur entourage et de la société.

Les affligés-victimes réagissent à leur souffrance de manière bien différente. Ils s'en servent pour se victimiser. Plutôt que de s'occuper de leurs problèmes et de leurs déboires, ils en attribuent la responsabilité à leur entourage. Pour eux, il est tout à fait normal qu'on les prenne en charge quand ils souffrent. D'ailleurs, il n'est pas rare qu'ils critiquent ceux qui s'en abstiennent. À cause de leur manque d'estime d'eux-mêmes, ces affligés-victimes créent avec les *sauveurs*

8 L*e guerrier pacifique* est le titre du roman initiatique et autobiographique de Dan MILLMAN publié pour la première fois en1980.

un système qui nourrit leur dépendance et les infantilise. N'ayant pas appris à assumer leur responsabilité devant leurs difficultés relationnelles, ils souffrent beaucoup plus que les affligés responsables. Démunis et prisonniers du système sauveur/affligé par inconscience quant à leurs ressources intérieures, ils entretiennent un grand manque de confiance en eux-mêmes. Comme j'ai consacré le chapitre précédent à les présenter, j'encourage le lecteur à s'y référer s'il veut rafraîchir sa mémoire à propos de ce qui les caractérise. Voyons plutôt ici comment se comporte un *sauveur* dans le système qui nous intéresse maintenant.

Le sauveur

L'affligé-victime a incontestablement besoin d'aide pour apprendre à se responsabiliser. Malheureusement, par la pitié qu'il suscite, il s'attire des aidants sauveurs plutôt que des aidants véritables.

L'aidant véritable

L'aidant véritable, bien que sensible à la souffrance des autres, se connaît suffisamment pour ne pas se laisser piéger par le comportement de victime de certains d'entre eux. Aussi, leur montre-t-il le chemin qui mène au pouvoir sur leur vie plutôt que de les prendre en charge. Altruiste non défensif, il est facteur de liberté et non de dépendance. Pour utiliser une image évocatrice, je dirais qu'il apprend aux malheureux et aux démunis à cultiver leur jardin plutôt que de les approvisionner en légumes, en fines herbes et en fruits. Contrairement à l'aidant sauveur, l'aidant véritable ne contribue d'aucune façon à créer un système relationnel dysfonctionnel et souffrant.

L'aidant *sauveur*

L'aidant sauveur est celui qui sacrifie son temps, son énergie, son argent, voire sa santé à soulager la souffrance du monde. Son comportement n'a rien de répréhensible en soi. Il le devient lorsqu'il est défensif, c'est-à-dire lorsque, par manque d'écoute de ses émotions et de ses besoins, il prend les affligés-victimes en charge. Dans ce cas, à long terme, son aide n'est pas vraiment bénéfique puisqu'elle maintient l'affligé dans l'infantilisme et la dépendance.

Pour mieux décrire l'aidant sauveur, j'emprunterai le même parcours que celui que j'utilise pour présenter tous les types psychologiques dont je trace le portrait dans ce livre. Mon but est de favoriser la connaissance et l'acceptation des éléments qui composent votre propre fonctionnement psychique, soit vos blessures, vos besoins et vos mécanismes de défense. Je vous encourage à écrire ces éléments et à noter sous chacun d'eux, au fur et à mesure de votre lecture, les caractéristiques qui vous concernent en vous servant de l'exemple suivant comme modèle :

Exercice

Mon côté sauveur

mes blessures

- manque de valorisation
- insécurité affective
- etc.

mes besoins

- me sentir utile
- exister
- etc.

mes mécanismes de défense

- la projection de mon impuissance
- la projection de mon agressivité refoulée
- la confluence
- etc.

mon histoire passée

- parent victime
- trop de responsabilités
- etc.

Voyons maintenant plus en détail le contenu de ce résumé.

Le fonctionnement psychique du sauveur

1. Les blessures du sauveur

Les plus importantes lésions psychiques du sauveur sont des blessures causées par l'infériorisation et la culpabilisation. De plus, comme l'affligé-victime, il est habité par une profonde insécurité affective et un manque d'estime de lui-même, mais il s'en défend différemment. Habituellement inconscient de son ressenti quand il *sauve* et trop centré sur le bien-être des autres pour accueillir sa vulnérabilité et sa puissance intérieure, il se défend contre ses sentiments d'impuissance et d'insécurité par la prise en charge.

2. Les mécanismes de défense du sauveur

Je rappelle que nous sommes tous défensifs à certains moments, le mécanisme de défense étant un moyen mis en place par le psychisme pour atténuer, voire éliminer la souffrance causée par nos blessures.

Chez le sauveur comme chez tous les autres types psychologiques, ce comportement résulte de l'abandon de son enfant intérieur blessé qu'il n'a pas appris à écouter et à aimer. Comme il n'accueille pas sa propre souffrance, il la projette sur ceux qui éprouvent une douleur physique ou morale quelconque. Il perçoit donc les personnes affligées à travers ses projections. Il voit en elles sa propre impuissance, sa propre insécurité et ses propres besoins insatisfaits. C'est pourquoi il aborde les victimes comme des êtres sans défense qu'il doit prendre sous son aile pour les soulager. Autrement dit,

> **au lieu de rester attentif à ses propres malaises, le sauveur s'occupe des souffrances des autres pour ne pas ressentir la sienne. Il souhaite inconsciemment résoudre les problèmes de ses protégés dans le but inconscient de se libérer de la douleur psychique causée par sa propre impuissance et sa propre insécurité. Prendre soin des autres est donc pour lui un moyen détourné de s'occuper de lui-même.**

L'aidant sauveur est, au fond, un altruiste défensif qui s'ignore. Quand il offre son aide, il veut sincèrement soulager les affligés de leur souffrance, mais il agit aussi de cette manière pour calmer ses propres blessures et pour satisfaire ses propres besoins.

Vouloir soulager sa propre souffrance n'est pas répréhensible chez l'être humain. C'est tout à fait normal et juste. Le problème se pose quand il le fait défensivement et inconsciemment. Il est alors mené par ses malaises plutôt que d'en être le maître. Cette inconscience contribue à créer des relations affectives dysfonctionnelles, parce que, à cause d'elle, le sauveur, puisque c'est de lui qu'il s'agit ici, se laisse facilement manipuler par les doléances des victimes.

Nous aurions tort de le juger, parce que, dans ce cas, ce serait finalement nous-mêmes que nous condamnerions. Il nous arrive tous de prendre la souffrance des autres en charge pour nous occuper indirectement de la nôtre. Par exemple, il nous arrive tous d'approuver les critiques des gens malheureux contre leurs déclencheurs, pour les soutenir dans leur épreuve mais aussi dans le but d'apaiser notre sentiment d'impuissance. Nous croyons alors les aider; nous sommes d'ailleurs considérés comme de bons aidants par ceux que nous protégeons et défendons, et par leur entourage. Cependant, notre attitude défensive, qui a pour buts inconscients de dissoudre nos propres malaises et de satisfaire notre besoin viscéral d'être aimés, ne produit pas les résultats escomptés par nos louables intentions. Il s'avère malheureusement illusoire de croire que nous arriverons à satisfaire notre besoin légitime d'être utile de cette manière parce que,

> **en faisant abstraction de nous-mêmes, nous n'existons pas intérieurement et nous ne répondons pas aux véritables besoins des affligés. Par conséquent, nous constatons tôt ou tard que notre aide est non seulement inefficace à long terme, mais souvent dommageable.**

En tant qu'aidants sauveurs, si nous manquons d'écoute de notre vécu et de nos besoins, nous ne pouvons être à l'écoute de ceux des victimes. La conséquence en est que, devant la souffrance des affligés, nous manquons de discernement. Dans le triangle que nous formons avec le bourreau et la victime, nous nous plaçons toujours du côté de cette dernière quand nous tombons dans ce mécanisme défensif du sauveur. Que la souffrance de cette victime soit réelle ou imaginaire, nous l'appuyons et la défendons, et nous jugeons négativement ceux qui la blessent. Dans ces circonstances, nous ne ressentons pas vraiment d'empathie envers les *bourreaux*, que nous considérons responsables de la détresse de nos protégés. Tout ce qui nous importe, c'est de supprimer la souffrance des affligés parce que, s'ils ne souffrent plus, nous nous sentirons libérés de nos propres malaises et du poids de la responsabilité que nous endossons en les prenant en charge. C'est donc dire que le sauveur souffre réellement d'impuissance devant la victime et cette souffrance suscite sa défensive. Son mode réactionnel n'est pas plus condamnable que tous ceux que nous adoptons d'une manière aussi inconsciente que lui pour nous libérer de nos inconforts intérieurs. En effet, lorsque nous nous déconnectons de nos propres blessures d'enfant, nous ne sommes pas aidants, mais nous n'en avons pas conscience.

Nous ne nous rendons pas compte que nous nous laissons manipuler et contrôler par les malheurs, les plaintes, l'apitoiement et les critiques des victimes que nous côtoyons. Par manque d'écoute de notre ressenti, nous nous perdons alors complètement en elles. L'un de nos principaux moyens de prise en charge, dans ces occasions, est la confluence.

Être en confluence avec une personne, c'est prendre parti pour elle contre ceux qui la perturbent, et ce, sans aucun discernement.

Le sauveur confluent ressent sans le savoir de la pitié pour les affligés, alors que l'aidant véritable est mû par la compassion et l'amour.

La confluence, qui résulte d'un manque d'écoute et d'amour de soi, est l'un des mécanismes de défense les plus nuisibles tant pour le sauveur, la victime, le bourreau que pour leur relation.

Personne au monde n'aide vraiment un affligé en prenant parti pour lui contre ses déclencheurs.

Certains sauveurs chroniques justifient leur comportement discriminatoire en proclamant qu'ils agissent ainsi par sympathie et par loyauté envers les victimes qu'ils prennent en charge. En réalité, ils camouflent sans le savoir leur véritable motivation. Leur manque de discernement n'est que l'expression d'un refus inconscient d'affronter leur propre sentiment d'impuissance et celui de ceux qui souffrent. Malgré les apparences, les aidants confluents s'occupent mal d'eux-mêmes et très mal des autres. C'est pourquoi leur approche des malheureux se caractérise par l'irresponsabilité. En effet, manquer de responsabilité, c'est se tourner vers le déclencheur extérieur quand nous ressentons des émotions désagréables plutôt que de rester présents à notre monde intérieur, c'est-à-dire à notre vécu et à nos besoins. Autrement dit, le sauveur se tourne vers la victime pour la protéger et vers le bourreau pour le condamner, au lieu de rester présent aux malaises que réveillent en lui ces deux types psychologiques avec lesquels il forme un trio relationnel complètement dysfonctionnel.

L'aide du sauveur, aussi bien intentionnée soit-elle, ne répond donc pas aux besoins d'empathie, de liberté, d'affirmation et d'amour véritable des affligés. Au contraire, elle entretient la dépendance, l'infantilisation, l'irresponsabilité, le manque de confiance et le manque d'estime de soi.

Le sauveur garde donc la victime faible et petite intérieurement. En prenant parti pour elle, il lui communique bien involontairement le message implicite qu'elle a besoin d'être prise en charge pour se sortir de sa souffrance. Il devient, par conséquent, le complice inconscient de l'impuissance des affligés qui, à son contact, perdent peu à peu le pouvoir sur leur vie. Croyant contribuer à construire, il nuit. Ses protégés, blindés à l'extérieur par sa protection malsaine, restent hyper fragilisés à l'intérieur.

Cela dit, les desseins du sauveur sont réellement sincères. Il est vraiment sensible à la souffrance des autres, bien qu'insuffisamment sensible à la sienne. Concerné par les malheurs d'autrui, c'est un être vulnérable, bon et charitable qui veut vraiment aider. C'est sa manière défensive de composer avec ses propres malaises et son manque de connaissance et d'amour de lui-même qui sont dommageables. Pour mieux le comprendre sans le juger, voyons quels sont les besoins inconscients qui le poussent à prendre en charge la souffrance des affligés d'une manière qui leur est si préjudiciable.

3. Les besoins du sauveur

> **Dans toutes ses actions et ses interventions, en plus d'être stimulé par le besoin de se libérer de ses sentiments d'insécurité et d'impuissance, l'aidant sauveur est motivé par un besoin inconscient de se sentir utile, d'exister aux yeux des autres et d'être aimé par eux.**

Il prend sa valeur dans la croyance qu'il peut réduire et même soulager la souffrance des affligés en mettant en action des moyens pour les sortir de la situation difficile qui cause leur malheur. De cette manière, que peut-il s'attirer d'autre que de la considération, de l'admiration, de la reconnaissance et de la valorisation ?

Cependant, le sauveur n'adopte pas cette approche magnanime avec tout le monde. Si, d'une part, il se penche sur la détresse des victimes, d'autre part, il ne se soucie pas suffisamment de la douleur qu'il inflige aux bourreaux par ses jugements et sa confluence avec ceux qu'il prend en charge. Par son comportement discriminatoire devant les déclencheurs de ses protégés, il se distingue de l'aidant véritable. Ce dernier, compréhensif et à l'écoute de la victime, ne fermera pas son cœur au bourreau et restera sensible à sa souffrance, et ce, même s'il n'approuve pas ses comportements autoritaires, intimidants et agressifs.

Au fond, le sauveur n'est pas conscient de ses défensives et surtout de son pouvoir. Il ignore qu'il *sauve* les autres pour fuir ce qu'il refuse de voir en lui-même, c'est-à-dire sa peur du vide et du manque affectif, son manque d'estime de lui-même, son impuissance, son sentiment d'infériorité et surtout son agressivité.

La vérité est que le sauveur aime bien, comme plusieurs d'entre nous, présenter une image de bonté et d'altruisme pour sentir qu'il existe et qu'il est utile. Cette image cache cependant un bouillonnement intérieur d'émotions qui l'apparente parfois au bourreau. En rejetant et en jugeant ce dernier, c'est une partie de lui-même qu'il juge et qu'il rejette.

D'ailleurs, rarissimes sont les sauveurs qui, comme Sandra, ne font pas eux-mêmes un jour ou l'autre à quelqu'un d'autre ce qu'ils ont condamné chez les déclencheurs des victimes qu'ils protègent. Ils n'agissent pas ainsi par méchanceté, mais par inconscience. Ils rejettent les bourreaux parce qu'ils n'affrontent pas les démons qui les habitent. Regarder en face leur ange déchu pourrait détruire leur personnage d'ange vertueux et risquerait de les décevoir et de décevoir leur entourage. En vérité, ils n'acceptent pas leurs facettes jugées négatives par leurs éducateurs, car, dans le passé, ils ont été aimés et reconnus par leur comportement de sauveur. Par conséquent, ils se défendent contre l'ange déchu qui les habite par le *sauvetage* psychique des affligés. Leur prise en charge leur permet de contrebalancer ce qu'ils considèrent inacceptable : leur ombre intérieure. En fait, en agissant pour attirer l'amour et la reconnaissance des autres, c'est leur image d'eux-mêmes qu'ils veulent dorer et redorer, parce qu'ils ont appris que c'est seulement de cette manière qu'ils attireront l'amour. Cela démontre que les aidants sauveurs, à la différence des aidants véritables, nourrissent bien inconsciemment leur EGO[9] négatif par manque de conscience et d'acceptation tant de leur côté sombre que de leur côté lumineux. Ce que je veux dire, c'est que leur vraie force ne se situe pas dans la prise en charge des autres, mais dans la puissance créatrice de leur vulnérabilité.

Leur manque de connaissance et d'acceptation de cette vulnérabilité les pousse à s'épuiser à force de refouler leur agressivité, leur insécurité et leur sentiment d'impuissance, et à force de se consacrer aux autres à leur détriment. Paradoxalement, par manque d'accueil de leurs émotions et par besoin d'être aimés et reconnus, ils ne s'accordent pas d'amour. À long terme, ils finissent par se sentir emprisonnés dans le cachot de relations dysfonctionnelles qui ne les nourrissent jamais véritablement.

9 L'EGO, en psychanalyse, c'est le MOI, cette instance psychique qui a besoin d'affirmer son existence pour ne pas être envahie et subjuguée par le ÇA et par le SURMOI. L'EGO est négatif lorsqu'il est la manifestation de l'orgueil, de la prétention, de la suffisance, de l'égocentrisme ou du culte du MOI.

D'où vient ce fonctionnement perturbateur qui crée le système sauveur/affligé ?

L'origine du fonctionnement psychique du sauveur

D'une manière générale, le sauveur a grandi avec un parent victime de l'autre ou victime d'un membre de la famille, d'un ami, d'un employeur ou d'une situation oppressante. Il a approuvé, protégé et soutenu ce parent pendant une partie de sa vie. De plus, très jeune, il a appris qu'en prenant beaucoup de responsabilités et qu'en se donnant entièrement aux autres, il était reconnu et il avait le sentiment d'exister. Insuffisamment écouté dans ses émotions et ses besoins, il ne sait accorder de l'importance qu'au vécu et qu'aux désirs des autres à son détriment. Comme tout être humain normal, il a cherché inconsciemment un moyen d'être aimé et important pour son entourage. Il a trouvé ce moyen dans la prise en charge de ce pauvre éducateur qu'il a défendu et qu'il défend peut-être encore sans discernement contre ses soi-disant bourreaux et, par la suite, dans la prise en charge des affligés. Quand cet enfant devient parent, il n'existe que pour ses enfants. De cette manière, il devient l'un des meilleurs sujets d'épuisement, de fatigue chronique ou de dépression qui soit. C'est lorsqu'il est confronté à ses limites et à sa souffrance qu'il commence à accepter que, à son tour, il a besoin d'être aidé.

Comment aider un sauveur ?

Par essence, le sauveur aide les autres, du moins le croit-il. Comme c'est en se tournant défensivement vers les affligés qu'il se protège contre sa propre souffrance, il n'est pas toujours conscient de son besoin d'aide. Il ne tourne un regard vers lui-même que lorsque son corps et son cœur sont vidés d'énergie ou qu'il commence à sentir des malaises relationnels accablants. Ce regard représente le premier pas accompli sur le chemin de l'estime de soi. Comment l'aider alors à exister par et pour lui-même au lieu de tirer son sentiment d'existence dans la prise en charge des *victimes* ?

Pour que l'aidant sauveur transforme son approche des affligés en aide plus efficace, il est impératif qu'il identifie ce qui, en lui, le pousse à prendre parti pour les victimes et à rejeter insensiblement leurs bourreaux.

Aider un sauveur, c'est lui montrer sans le juger qu'il projette son sentiment d'impuissance, son insécurité, son manque d'estime de lui-même sur ceux qui souffrent et qu'il projette son agressivité et sa colère refoulée sur leurs bourreaux. Or, ces comportements forment le triangle bourreau/victime/sauveur.

Dans ce triangle, le sauveur cherche inconsciemment à occulter sa victime et son bourreau intérieurs. C'est pourquoi il les projette sur les deux autres membres du triangle. Ce n'est donc que par la prise de conscience de son ombre intérieure et de ses projections qu'il apprendra à s'accepter et à se reconnaître tel qu'il est. S'il se sent accepté par un aidant vraiment sensible à sa souffrance, un aidant qui l'accueille sans le juger, il libérera petit à petit sa colère, son agressivité, sa peine et ses peurs refoulées. Il découvrira également qu'il est habité par un sentiment d'amour véritable qui n'a rien à voir avec les sentiments de pitié et d'impuissance qui le poussent à prendre en charge la douleur des autres. De cette manière, il pourra s'occuper de lui sans passer par la projection de sa vérité intérieure sur le bourreau et sur la victime. Il dissoudra ainsi les systèmes disharmonieux qu'il entretient avec eux. Alors il apprendra à devenir un aidant véritable capable d'écouter les affligés avec empathie et compréhension sans entrer en confluence avec eux contre leurs bourreaux. Il rejettera ces derniers de moins en moins, et ce, même s'il n'approuve pas leurs comportements agressifs. Au contraire, il cherchera à comprendre leur souffrance parce qu'il aura accueilli la souffrance et l'agressivité refoulées du bourreau qui l'habite. Son but sera d'aider les affligés à devenir autonomes. Il aura compris que *sauver* par la prise en charge et la confluence, c'est porter atteinte à la liberté des aidés en entretenant avec eux une relation fondée sur la dépendance malsaine. Pour cette raison, il cherchera davantage à développer les caractéristiques d'un aidant véritable.

Devenir un aidant véritable, c'est faire le deuil de l'image d'ange que l'aidant sauveur a souvent présentée pour être aimé et reconnu. C'est aussi, et surtout, gagner en amour de soi de façon à être motivé par l'amour plutôt que par l'impuissance, l'insécurité et la pitié.

Cela ne signifie pas que ces trois derniers sentiments doivent disparaître du psychisme du sauveur, bien au contraire. En effet, les refouler l'empêcherait de les identifier et, par conséquent, de les accepter. L'important pour le sauveur est de rester conscient et de les accueillir. Cette prise de conscience de son vécu constitue le meilleur moyen dont il dispose pour ne pas verser dans la prise en charge défensive de ceux qui souffrent.

Si, comme moi, vous vous reconnaissez dans le portrait du sauveur, soyez attentif à votre ressenti dans l'ici et maintenant devant une victime de façon que vous puissiez l'aider vraiment plutôt que de la *sauver*.

L'aider vraiment :

- c'est l'écouter avec empathie, compréhension et amour sans vous laisser prendre par ses apitoiements et son irresponsabilité ;
- c'est lui apprendre à se prendre en main plutôt que de la prendre en charge ;
- c'est éviter de prendre parti pour elle contre son *bourreau* quand elle vit des problèmes relationnels ;
- c'est être conscient de vos projections sur elle et sur ses déclencheurs ;
- c'est vous aimer assez pour accueillir vos propres malaises de manière à être plus sensible à sa véritable souffrance et à celle de ses bourreaux ;
- c'est accepter le petit bourreau qui vous habite pour manifester plus de compréhension envers la douleur psychique de ceux que vous jugez par manque d'accueil de votre propre agressivité contenue ;
- c'est ouvrir votre cœur à votre enfant intérieur blessé que vous avez abandonné au profit de celui des autres.

Seul ce changement intérieur contribuera à briser le système sauveur/affligé et à briser aussi le prochain système dont je vais vous entretenir : celui du troisième couple qui forme le trio bourreau/victime/sauveur. Il s'agit du couple sauveur/bourreau que j'appellerai le système ange/démon.

Chapitre 5
Le système ange/démon

L'exemple de Daniel et Jacinthe

Ceux qui côtoient sporadiquement Daniel et Jacinthe ne se doutent pas, à les observer, qu'un volcan gît, prêt à gronder, dans le cœur de Daniel. Toutes les femmes envient Jacinthe d'avoir un conjoint aussi extraordinaire. Il est, en effet, particulièrement remarquable d'attention soutenue, de tendresse assidue, d'abnégation constante et de douceur angélique. Ses amis et sa famille se demandent ce qu'il fait avec une conjointe parfois brusque et acariâtre et une militante politique aussi fanatique que la sienne. Ils ignorent que, dans l'intimité de leur alcôve, cette femme d'apparence anguleuse peut manifester, en dépit de sa nature fougueuse, une sensibilité surprenante. Ils ne savent pas non plus que, quand la lave de son volcan intérieur jaillit, Daniel n'est pas toujours un homme exemplaire. Leurs vies intérieures respectives agissent à leur insu sur leur relation et la rendent parfois paisible mais souvent agitée.

Que se passe-t-il au plus profond d'eux-mêmes pour qu'ils n'arrivent pas tout le temps, malgré leur volonté, à stabiliser le bateau de leur vie commune de manière qu'il vogue sur une mer toujours calme ? Comment expliquer que la sagesse de Daniel ne calme pas les emportements enflammés de sa conjointe et que la pasionaria soit généralement impuissante à éveiller la puissance refoulée de l'homme qu'elle aime ?

La relation qui unit ces deux personnes apparemment incompatibles représente un exemple frappant du système sauveur/bourreau, baptisé ici : système ange/démon.

Comme j'ai déjà largement décrit les fonctionnements psychiques du bourreau et du sauveur, je ne leur consacrerai pas un nouveau chapitre. Toutefois je m'attarderai au système relationnel qui les unit et j'emploierai, pour les désigner, un langage métaphorique paradoxalement plus proche de leur réalité. Eu égard à leurs caractéristiques, le sauveur sera *l'ange* et le bourreau, le *démon*.

Si nous observons les types de relations qui lient les êtres humains entre eux, force nous est de constater que le système ange/démon est relativement répandu dans la société.

Les deux personnes qui le composent sont attirées l'une par l'autre parce que, en dépit des apparences et paradoxalement, elles se ressemblent. Cela explique les vagues d'attractions et de répulsions qui, à la fois, les rapprochent et les repoussent. Souvent victimes toutes les deux d'une éducation fondée sur la survalorisation ou la dévalorisation, leur besoin d'être aimés et leur peur de perdre influent sur leur attitude et créent des comportements défensifs qui enveniment leur relation. Même s'il se croit parfois meilleur et supérieur parce qu'il agit avec diplomatie, douceur et patience, l'ange n'est pas conscient qu'il étouffe la souffrance causée par son asservissement au regard extérieur et par son manque d'amour de lui-même.

En réalité, l'ange, comme le sauveur, est aussi un démon qui se cache derrière une image de perfection pour être aimé et reconnu.

Par la délicatesse, la gentillesse, l'oubli de soi, la disponibilité, le dévouement, voire l'obéissance, il s'est attiré l'attention de ses éducateurs lorsqu'il était enfant. Par la perfection qu'il affecte, il a gagné l'approbation et l'admiration de son entourage. Ses éducateurs et son entourage le valorisaient tellement pour ses qualités altruistes qu'il a appris à se comporter comme une sorte d'intermédiaire entre Dieu et les hommes. D'apparence soumis, parfois il est intérieurement révolté. Trop parfait pour le démon qui, mystérieusement, l'attire, l'ange déclenche chez ce dernier la culpabilité et la honte, et renforce ainsi le côté *ombre* de la nature de cet ange apparemment déchu.

Plus la lumière de l'ange est éclatante, plus le démon cherche à la tamiser pour exister. Autrement dit, pour paraphraser Blaise PASCAL[10], plus l'un fait l'ange, plus l'autre fait la bête. Les mécanismes défensifs qu'utilise le démon pour émerger de son obscurité lui valent parfois le rejet de son entourage. C'est pourquoi on lui attribue le qualificatif de *méchant*, ce qui accentue le côté angélique de son partenaire.

Au fond, le démon est aussi un ange dont les qualités reluisantes n'ont jamais bénéficié de l'éclairage de la lumière du jour.

Ces qualités sont restées tellement enfouies au cœur de sa caverne intérieure qu'il les méconnaît lui-même. Lorsqu'il

10 Blaise PASCAL est un savant, un philosophe et écrivain français du XVIIe siècle. Le thème de l'ange et de la bête est tiré d'une œuvre posthume de l'auteur qui a pour titre : *Les pensées*. La version originale est la suivante : « L'*homme n'est ni ange ni bête, et le malheur veut que, qui veut faire l'ange fait la bête.* »

était enfant, on l'a probablement étiqueté par des attributs dévalorisants et on l'a sans doute désavantageusement comparé avec un membre de sa fratrie, de sa famille ou de sa classe. Lui ayant seriné des qualificatifs humiliants, ses éducateurs ont probablement contribué à créer en lui une image négative de lui-même qui le suit, adulte, dans toutes ses relations affectives. Par exemple, pour ses parents, il a probablement été le méchant et son frère, le bon ; lui, l'agressif et son frère, le doux ; lui, l'ostracisé et son frère le bien-aimé ; lui, l'indigne et son frère, le respectable. Ainsi marqué psychiquement, il ne peut se forger une bonne opinion de lui-même. Au contraire, il croit, à tort, qu'il est fondamentalement méprisable. Aussi, est-il toujours surpris lorsqu'un *ange* lui accorde son attention, voire son affection, lui, le maladroit, l'intolérant, l'impulsif, le provocateur, le colérique et le rebelle. Considérant ces réalités éducatives, nous pouvons, avec raison, nous demander ce qui peut expliquer le rapprochement spontané qui unit l'ange et le démon.
En fait, nonobstant toute logique, leur mécanisme de défense commun les rassemble.

Comme le démon est aussi un ange qui s'ignore, il projette inconsciemment sur le sauveur cette partie merveilleuse de lui-même. En quelque sorte, il est donc attiré par lui-même. Ce phénomène projectif se produit également chez l'ange, qui refoule et désavoue son côté malin et qui, le niant en lui, le recherche inconsciemment chez le démon.

En réalité, chacun d'eux a besoin de l'autre pour se sentir complet et pour se sentir exister pleinement. Cette dépendance malsaine précisément crée le système dysfonctionnel ange/démon. Ce système ne sera dissout que lorsque chacun aura rapatrié, reconnu et assumé la partie de lui-même qu'il boude, dans le premier cas, et qu'il méconnaît, dans le second.

Il ne faut pas se méprendre ici et croire que la part refoulée de l'ange est seulement négative. S'il s'en défend par une amabilité exacerbée, c'est qu'il ignore qu'elle est sa principale source d'affirmation, de création et d'authenticité. Sans elle, il se présente au monde comme un handicapé psychique qui a perdu une fraction importante de lui-même. C'est également le cas du démon, qui ne peut être une personne à part entière sans reconnaître la douceur et la sensibilité qui le constituent et qu'il juge comme des faiblesses.

> **Somme toute, l'ange et le démon n'assureront leur équilibre personnel qu'en redevenant entièrement eux-mêmes, ce qui signifie, pour le premier, d'accepter son agressivité et pour le second, d'accueillir sa vulnérabilité.**

À cette seule condition, ils pourront dénouer le système qui entrave leur liberté d'être. Ainsi, le dénouement par l'acceptation d'eux-mêmes du trio initial bourreau/victime/sauveur contribuera à les rendre capables de vivre une relation authentique et harmonieuse.

Le célèbre couple abandonnique/déserteur s'impose maintenant à notre attention. Voyons ce qu'il peut nous apprendre de nous-mêmes et de nos relations.

Chapitre 6

Le système abandonnique/déserteur

Exemple de Marjolaine et Antoine

La plupart des histoires d'amour commencent bien et plusieurs d'entre elles, comme la suivante, se poursuivent mal. Conquise par la personnalité charmante et attachante d'Antoine et par sa beauté apollinienne, Marjolaine lui a ouvert son cœur sans se douter de ce qui l'attendait. De nature plutôt discrète et réservée, notre Apollon a eu le coup de foudre pour cette femme dynamique et spontanée dont la joie de vivre et l'aptitude au bonheur l'affranchissaient des peurs qui l'empêchaient de vivre pleinement sa vie. Habituellement triste, taciturne et complexe, Antoine appréciait la fraîcheur, l'énergie et la simplicité de Marjolaine qui agissaient comme un baume sur ses blessures refoulées. Il la voyait comme une étoile à suivre qui pourrait enfin le soustraire aux marques de son passé.

Au début, touchée par les expériences d'abandon de son amoureux, Marjolaine s'est promis de ne rien ajouter à sa souffrance psychique par son attitude et son comportement. Attentive et compatissante, elle l'écoutait avec amour et empathie. Elle trouvait même beaucoup de satisfaction dans cette nouvelle relation parce qu'elle se sentait utile et importante. Cependant, après quelques mois de fréquentations, elle a commencé à ressentir des malaises. Femme indépendante et autonome, elle éprouvait un sentiment d'emprisonnement causé par la dépendance affective de son conjoint. Il avait toujours peur de la perdre. Elle avait beau le rassurer, il continuait à la questionner sur ses allées et venues, et à lui prêter des intentions qu'elle n'avait pas au sujet de ses rencontres amicales et professionnelles. Quoi qu'elle fasse ou dise, il manquait de confiance en elle. Plus il s'accrochait à elle, plus elle s'éloignait. L'amour qu'elle avait ressenti pour lui s'éteignait peu à peu de son cœur comme un feu sous la pluie. Elle se sentait coupable de l'insécuriser, mais elle se rendait compte qu'elle perdait sa joie de vivre en sa présence. Autant il avait peur d'être abandonné par elle, autant elle était terrifiée à l'idée de perdre sa liberté. Elle se demandait d'ailleurs pourquoi elle attirait toujours des hommes possessifs et dépendants comme son père l'était avec sa mère.

Rares sont ceux qui n'ont pas souffert d'abandon, de rejet ou d'exclusion à un moment donné ou l'autre de leur vie. Cependant, tous ne sont pas affectés par une blessure assez intense pour créer dans un couple le système relationnel abandonnique/déserteur. Pour comprendre la dépendance qui unit les partenaires de ce couple dysfonctionnel, voyons ce qui caractérise chacun d'eux.

L'abandonnique

L'abandonnique est un être habité par une peur permanente, voire obsessionnelle, de perdre l'amour et d'être rejeté, exclus ou abandonné. Sur le plan psychique, il dépend de ceux qu'il aime pour être heureux.

Le fonctionnement psychique de l'abandonnique

Pour faciliter l'intégration, je répète que le fonctionnement psychique d'un type psychologique comme celui de l'abandonnique est formé à partir de l'interaction de ses blessures, de ses modes réactionnels et de ses besoins.

1. La blessure de l'abandonnique

Lorsqu'elle est déclenchée dans une relation affective, la blessure causée par l'abandon, le rejet ou l'exclusion suscite des émotions très souffrantes, particulièrement la peur d'être délaissé, l'angoisse de séparation, l'insécurité chronique, la peine, voire le désespoir. Les déclencheurs de ces réactions émotionnelles intenses semblent parfois insignifiants au regard extérieur. En effet, le moindre oubli d'un coup de téléphone ou d'un baiser avant de partir pour le travail, la moindre distraction, la moindre absence, le moindre retard de même que les intérêts personnels de l'être aimé pour la télévision, l'informatique et le sport peuvent être interprétés par celui qui est affecté par une blessure d'abandon comme une mise à distance, une menace d'abandon. Il en est ainsi des silences, des manques d'écoute et d'attention qui peuvent provoquer une réaction apparemment démesurée. Cependant la souffrance que cache cette réaction n'en est pas moins réelle et profonde.

Lorsqu'il est rejeté, exclu ou abandonné ou qu'il interprète une parole ou une action comme une marque de rejet, l'abandonnique ressent un sentiment intense d'insécurité. Celle-ci ne peut être apaisée que par la personne qui l'a provoquée. Seule cette personne peut le rassurer, du moins temporairement, et lui faire retrouver le sourire. Cependant, comme l'abandonnique trouve sa sécurité dans le comportement de l'être aimé et dans la manifestation de son amour, il n'est jamais satisfait parce qu'il donne à celui qu'il aime le pouvoir de le rendre heureux. Si cet amour lui est retiré ou s'il est menacé de le perdre, il angoisse et parfois il s'effondre.

Généralement l'abandonnique n'est pas conscient du fait de s'attirer lui-même le rejet et l'abandon, car il attend de l'être aimé un amour qu'il ne se donne pas à lui-même. C'est pourquoi l'amour qui lui est témoigné ne le comble pas. Il est incapable de le recevoir. Son besoin d'être aimé n'est donc à peu près jamais assouvi. Comme un puits sans fond impossible à remplir, il finit par exaspérer son conjoint qui, pour se protéger contre ses inépuisables besoins d'être sécurisé, investit de moins en moins dans la relation et s'éloigne petit à petit.

En réalité, le manque de présence à sa propre blessure rend l'abandonnique défensif et malheureux. Mené par elle, il passe constamment de l'amour à la peur, de l'espoir au désespoir, de l'affirmation à la négation de lui-même, de la confiance à la méfiance. Malheureusement pour lui, ses humeurs changeantes et ses comportements défensifs deviennent difficilement contrôlables et lui attirent le contraire de l'amour véritable dont il a tant besoin pour survivre à sa souffrance.

2. Les mécanismes de défense de l'abandonnique

Pour ne pas ressentir l'intensité de son insécurité, de sa peur de perdre, de son angoisse quand il est blessé, l'abandonnique se défend de deux manières.

Dans un premier temps, il refoule ses émotions et accroît, par conséquent, la charge de souffrance qui l'habite. En accumulant les non-dits et en tournant ses réactions défensives contre lui-même, il implose intérieurement et se crée, à plus ou moins long terme, des problèmes relationnels qui nourrissent sa blessure.

Dans un deuxième temps, après une longue période de tolérance, lorsqu'il ne peut plus contenir l'intensité de sa douleur psychique, il explose. Il perd alors sa capacité de discernement et verse dans des débordements d'expression tournés contre l'autre. Au cours de ces sorties défensives, ses mots ne reflètent plus la réalité. Aussi, après les avoir prononcés, quand il constate qu'il obtient le contraire de ce qu'il voulait, il regrette ses paroles, se sent honteux, coupable et méchant, comme le bourreau, ce qui accentue son sentiment de ne pas être aimable et de ne pas mériter l'amour.

L'abandonnique projette son manque d'amour et d'acceptation de lui-même sur les autres. Il leur prête ses propres sentiments, ses propres croyances et ses propres pensées à son égard. Il interprète leurs paroles et leurs actions en fonction de ses projections. Évidemment, ce fonctionnement psychique renforce sa conviction qu'il ne peut absolument pas être aimé.

Sa honte le pousse à refouler davantage une souffrance devant laquelle il se sent complètement impuissant et qui le rend encore plus vulnérable au rejet, à l'exclusion et à l'abandon.

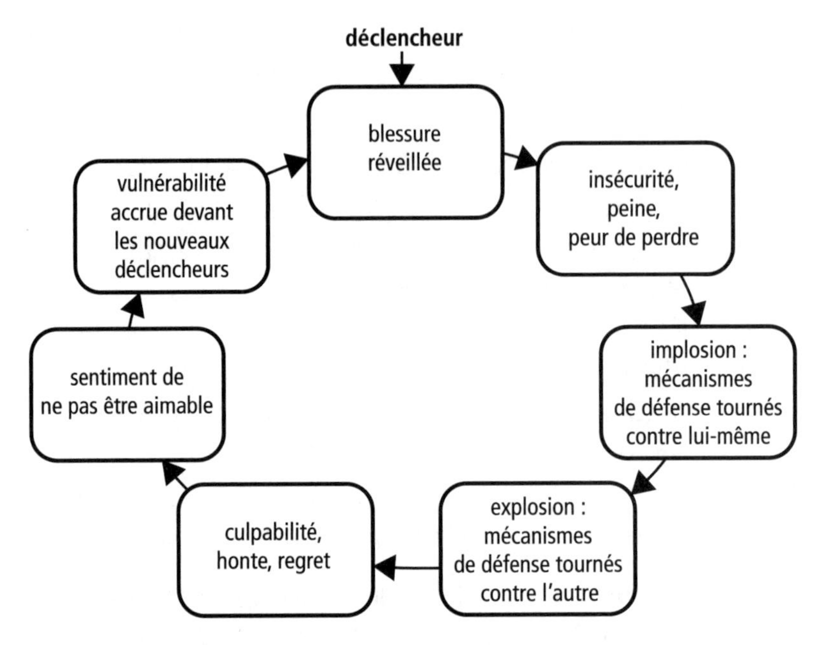

Ce cycle recommence encore et encore chaque fois que la blessure est ranimée.

Que refoule l'abandonnique ?

L'abandonnique refoule ses malaises et ses besoins parce qu'il se juge anormal de les ressentir et surtout parce qu'il a peur de perdre l'être aimé s'il les exprime. Au cours de ces périodes de refoulement, il se laisse parfois envahir et manipuler ; il devient généreux à l'excès ; il cède sa place ; il prend en charge les désirs, les problèmes, les échecs et les mauvais choix de l'être aimé ; il se rend disponible à l'aider et à répondre à ses attentes ; il peut aller jusqu'à se diminuer, se soumettre, se taire et endurer l'inacceptable pour éviter le conflit et l'abandon. Pour la simple raison qu'il se considère indigne d'être aimé tel qu'il est, il lui arrive même, comme l'ange et le honteux, de présenter le personnage de la personne parfaite, soumise et irréprochable.

Quand il ne peut plus contenir sa charge émotionnelle, l'abandonnique commence à tourner ses défensives vers l'extérieur. Au lieu d'imploser, il explose, de sorte que ses mécanismes de défense ne sont plus tournés contre lui-même, mais contre la personne qui déclenche sa souffrance.

Comment se manifestent ces explosions ?

Les mécanismes d'évacuation de l'abandonnique diffèrent d'une situation à une autre. Dans un premier temps, lorsqu'il est confronté à l'impuissance, à l'angoisse de séparation et à l'insécurité, il responsabilise l'être aimé de ses souffrances. Par sa demande constante d'être sécurisé, par ses questions, ses insinuations et les interprétations qu'il prête à l'autre à partir de ses propres expériences passées, il devient lourd à supporter à la longue. Ensuite, lorsqu'il a trop peur de perdre, ses réactions défensives se multiplient à l'infini. Il peut harceler le déserteur, le bouder, le manipuler, s'accrocher à lui, le supplier, brimer sa liberté, le rejeter, l'agresser, le punir, le critiquer, se victimiser ou carrément partir. Toutes ces réactions explosives sont provoquées par une douleur psychique insupportable et réelle. Dans la plupart des cas, il n'est malheureusement pas conscient du passage de l'implosion à l'explosion, lequel se déroule en plusieurs étapes.

1ère étape :

D'abord il se défend en refoulant ses émotions et en cherchant à plaire à tout prix pour se prouver et prouver à l'autre qu'il vaut la peine d'être aimé. Ce comportement défensif le maintient évidemment dans une dépendance malsaine.

2e étape :

S'il n'obtient pas de satisfaction à son besoin de sécurité affective par la séduction et le refoulement, il devient accusateur, manipulateur, envahisseur et culpabilisant.

3e étape :

Devant l'échec de ces offensives et pour éviter de souffrir, il finit par se convaincre que l'autre a un problème et ne vaut plus la peine d'être aimé. L'abandonnique n'a donc plus besoin de personne. C'est alors qu'il présente le personnage d'indépendance et d'indifférence que le déserteur reçoit à la fois comme une épreuve douloureuse et comme une source de libération.

4e étape :

Se retrouvant ainsi encore seul avec un déficit énorme de confiance en lui et d'amour de lui-même, l'abandonnique cultive la conviction profonde que ses besoins sont pathologiques et que, pour cette raison, il ne pourra jamais trouver l'amour qu'il recherche. Il nourrit cette pensée déprimante jusqu'à ce qu'une nouvelle rencontre ranime ses espoirs.

3. Les besoins de l'abandonnique

Les trois plus importants besoins de l'abandonnique sont les besoins vitaux d'être aimé et sécurisé et, s'il a souffert d'exclusion, le besoin d'appartenance. Quand ces besoins ne sont pas satisfaits, ils se transforment en exigences subtiles, à cause de la violente douleur psychique causée par le rappel du sentiment de manque affectif et du manque de sécurité vécus au cours de ses expériences relationnelles passées.

Impuissante à réprimer sa souffrance et aux prises avec sa tourmente intérieure, la personne affectée par une blessure d'abandon n'arrive pas à identifier les besoins essentiels à sa survie psychique, encore moins à les exprimer, quand elle se sent abandonnée ou qu'elle a peur de l'être.

Au cours de ce processus relationnel d'ordre affectif, un quatrième besoin apparaît chez l'abandonnique : le besoin d'être respecté. Par son manque d'amour de lui-même, il s'attire, en effet, à plus ou moins long terme, un certain manque de respect de la part de ceux qu'il aime. Pour une période de temps plus ou moins longue, puisqu'il demeure au service de leurs besoins, à son détriment, et qu'il ne s'affirme pas suffisamment en posant des limites claires, il subit souvent une baisse de considération et d'attention. Il en résulte une impression souffrante de non-importance pour l'autre et de non-respect. Plutôt que d'exprimer son vécu, il réagit à ce manque de considération d'une manière défensive. Il cherche ainsi à se déconnecter de sa souffrance. Par conséquent, il ne se rend pas toujours compte de sa part de responsabilité dans la relation. Cette responsabilité réside dans le fait qu'il ne s'occupe pas de ses besoins non satisfaits et, surtout, qu'il n'accepte pas sa sensibilité aux déclencheurs qui rappellent à sa mémoire inconsciente les bouleversements psychiques du passé par rapport à l'abandon.

Quels peuvent être ces bouleversements ?

L'origine du fonctionnement de l'abandonnique

Sont affectés par une blessure causée par l'abandon ceux qui, enfants, ont effectivement été abandonnés, exclus ou rejetés par un parent, un éducateur important ou par leurs pairs.

Cette blessure peut, en effet, se former chez les enfants abandonnés par leur père ou par leur mère au moment d'une séparation ou d'une mortalité ou chez ceux dont les parents vivent une relation fusionnelle dont les enfants sont plus ou moins exclus. Elle se manifeste aussi chez ceux dont les parents se disputent continuellement. Dans ce dernier cas, l'enfant vit constamment avec la peur de perdre son père, sa mère ou les deux.

Les petits garçons et les petites filles de parents malades, absents, narcissiques ; ceux qui naissent sans avoir été désirés ; ceux qui manquent de contacts physiques et de chaleur humaine ; ceux qui subissent la violence physique ou, pire, l'abus sexuel, restent marqués, adultes, par des traumatismes qui influencent toutes leurs relations affectives ultérieures, spécialement leurs relations de couple. De même, les enfants continuellement dévalorisés par des termes avilissants, humiliants, dégradants et obnubilés par la honte de leurs besoins, de leurs émotions, de ce qu'ils sont, de ce qu'ils font et de ce qu'ils disent grandissent avec le sentiment d'être inacceptables, trop laids intérieurement, trop insignifiants, trop stupides pour mériter l'amour.

Les enfants non aimés pour ce qu'ils sont qui reçoivent une certaine forme de considération uniquement lorsqu'ils entrent dans le moule des désirs et des attentes de leurs éducateurs souffrent d'une carence affective importante causée par un manque de reconnaissance de leur valeur.

Parce qu'ils ne sont pas appréciés par ceux qui représentent la vérité à leurs yeux, ces enfants cultivent inconsciemment la conviction qu'ils ne pourront jamais être dignes d'intérêt, d'affection, encore moins d'admiration et qu'ils devront travailler très fort toute leur vie pour être aimés.

Les cas particuliers des « chouchous », exclus par leurs pairs, des moutons noirs, rejetés par certaines autorités parentales ou scolaires et des boucs émissaires, à qui l'on attribue trop souvent les problèmes de la famille, de la classe ou de l'équipe sportive, méritent une mention spéciale. En effet, nous oublions souvent, comme éducateurs, l'impact de nos interventions auprès de ces jeunes qui souffrent d'abandon et qui ne demandent qu'à être acceptés, compris et aimés. C'est le cas de l'enfant modèle qui multiplie les efforts pour plaire à ses parents et à ses professeurs, et de l'enfant rebelle qui, pour attirer leur attention, les fait réagir. S'ils ne reçoivent pas d'amour et de valorisation de la part des personnes responsables de leur éducation, ces enfants risquent d'être sérieusement affectés par une carence affective.

Certains enfants de parents apparemment aimants, bien intentionnés et soucieux de leur bonheur, souffrent de manque affectif à cause d'une incohérence entre le langage verbal et comportemental, et le langage non verbal de leur père, de leur mère ou de leurs substituts. Cela se produit quand ces éducateurs présentent une façade aimante, empathique et douce alors qu'ils ressentent de l'impatience, de la colère ou un sentiment de rejet. Dans ce cas, l'enfant perçoit inconsciemment l'agacement qui se dégage de l'attitude de l'éducateur et se sent inconfortable avec les deux messages contradictoires qui lui sont adressés. Il ressent le même inconfort devant des parents qui se parlent gentiment devant lui, mais qui se détestent. L'effet de ces doubles messages est de semer le doute dans le cœur de l'enfant, de développer le manque de confiance en ses perceptions et, par conséquent, en sa valeur personnelle.

Je n'insisterai jamais assez sur l'importance pour les parents qui aiment leurs enfants de travailler leur relation et de ne pas hésiter à consulter un spécialiste de la thérapie relationnelle pour sécuriser les enfants qui craignent d'être abandonnés quand leur père et leur mère se disputent continuellement ou qu'ils ne se parlent plus.

N'oublions pas le cas des enfants rejetés par leurs pairs à l'école à cause de leur apparence physique ou de leurs différences. Ces situations représentent également des déclencheurs possibles d'une blessure d'abandon, de rejet ou d'exclusion. Ces enfants ridiculisés et humiliés par leurs camarades de classe souffrent énormément. À eux s'ajoutent les adolescents, voire les jeunes adultes abandonnés par leurs premiers amoureux ; ceux qui perdent leurs amis, leurs professeurs et leur milieu scolaire sécurisant au cours d'un déménagement, et qui se sentent seuls et exclus dans leur nouvel environnement et leur nouvel entourage scolaires.

Il existe des déclencheurs d'abandon beaucoup plus subtils. Ceux-là, je vais les représenter par l'exemple suivant :

Dans sa relation avec Marc, Josiane n'était pas heureuse. Pourtant, il était gentil avec elle. C'est elle qui ne l'était pas. Souvent, elle l'agressait d'un ton bourru, lui adressait des reproches pour tout et pour rien, et le culpabilisait sans raison apparente. Après coup, elle regrettait ses paroles impulsives, mais c'était plus fort qu'elle. Malgré sa volonté, elle recommençait à le tarabuster sans trop comprendre ce qui l'incitait à bombarder cet homme d'une manière aussi dure, parfois même méchante.

Un jour, alors qu'elle l'avait harcelé à souhait, il partit sans crier gare. Ce départ inattendu fut catastrophique pour Josiane. Dans les jours qui suivirent, elle était tellement bouleversée qu'elle perdit le goût de la vie. Malgré ses sollicitations et ses excuses, elle ne réussit pas à convaincre Marc de revenir. Elle était consciente d'avoir été odieuse avec lui. Aussi se questionnait-elle jusqu'à l'obsession sur la cause de ces comportements impétueux, inconséquents et ignobles. Les mots que j'utilise pour raconter son histoire sont les siens.

Quand elle m'a consultée, elle avait perdu sa joie de vivre. Elle se demandait pourquoi elle supportait si mal son absence alors qu'elle l'avait elle-même provoquée. Découragée et déprimée, elle était tourmentée par son manque de repères. Il lui semblait qu'elle avait été détestable sans raison, ce qui nourrissait en elle le sentiment d'être une mauvaise personne.

Quelle était la véritable source du problème de Josiane ? Si nous nous limitons à ses comportements, nous aurions tendance à blâmer son manque de respect envers son amoureux et à croire que, étant fautive, elle devait subir les conséquences de son attitude agressive. Une approche des problèmes centrée uniquement sur les comportements et le changement de conduite n'est absolument pas aidante dans un cas comme celui-ci. D'ailleurs Josiane reconnaissait honnêtement ses torts et en éprouvait un incommensurable regret. Une force interne, plus puissante que sa volonté, la poussait à réagir violemment à certains déclencheurs qu'elle n'avait jamais identifiés. Quelle était cette force et à quels déclencheurs réagissait-elle ?

Chaque fois qu'une personne se comporte défensivement à l'encontre de ses propres intentions, elle est toujours mue par une blessure psychique qu'elle n'a probablement jamais identifiée.

L'enfant intérieur de Josiane, meurtri par ses expériences passées, s'agitait en elle pour qu'elle s'occupe de lui et soulage enfin sa blessure. Mais de quelle blessure si intense souffrait exactement cette femme désemparée pour se conduire avec autant de brutalité avec son conjoint ?

Enfant, Josiane avait grandi avec des parents taciturnes, impavides et moroses qui refoulaient leurs émotions et dont le monde intérieur restait impénétrable. Il n'était pas étonnant qu'elle ait été attirée par Marc, qui reproduisait exactement le modèle psychique de ses parents. Devant l'hermétisme et l'impassibilité de cet homme, elle se sentait toujours seule et abandonnée. Cette blessure d'abandon constamment ranimée la faisait énormément souffrir et provoquait ses réactions enflammées. Avec Marc, elle revivait quotidiennement la souffrance de la petite fille, toujours insécure parce qu'elle ne savait jamais ce que cachait le mutisme de ses parents. Elle ressentait de nouveau la souffrance de l'enfant esseulée, coincée avec ses peurs, son anxiété et son insondable peine, qu'elle ne pouvait extérioriser autrement que par des crises de colère incontrôlables.

Le seul fait de comprendre ce qui se passait en elle a contribué à calmer Josiane et lui a fourni une perche pour sortir du puits de sa détresse. Marc était parti, mais au moins, elle émergeait de son chaos émotionnel : elle avait enfin compris pourquoi elle se défendait si brusquement devant son manque de réactions et de feed-back. Réaliser qu'elle n'était pas méchante mais profondément meurtrie par une blessure d'abandon l'a aussi soulagée.

Qu'allait faire Josiane avec cette découverte ? Chose certaine, elle ne pouvait pas changer Marc. S'il lui revenait, elle devait l'accepter tel qu'il était et composer avec cette réalité ou faire le deuil de cette relation. La poursuite du travail sur elle-même allait lui donner sa réponse.

Cela dit, connaître la source d'une blessure causée par l'abandon, l'exclusion ou le rejet satisfait les besoins de la conscience rationnelle de l'adulte aux prises avec cette blessure. Cette prise de conscience a souvent pour effet de rassurer la personne, qui se croit anormale devant tant de vulnérabilité aux déclencheurs d'abandon. Cependant,

> **si l'abandonnique se sert de son passé pour se victimiser, justifier ses défensives, exiger la prise en charge et forcer la compréhension, il ne règle pas son problème parce que, en se victimisant, il perd le pouvoir sur sa vie et s'attire ce qu'il craint le plus : l'abandon et le rejet.**

La connaissance de son histoire passée doit plutôt le motiver à se responsabiliser quand sa blessure est déclenchée dans l'ici et maintenant. Elle doit favoriser l'accueil de l'enfant blessé qui l'habite et inciter l'adulte qu'il est devenu à écouter sa souffrance sans s'apitoyer sur son sort. Libérer ses douleurs refoulées en présence d'une personne de confiance ou d'un thérapeute, comme l'a fait Josiane, est particulièrement souhaitable dans ces circonstances. Se confier à quelqu'un qui n'est pas *sauveur* s'avère souvent nécessaire avant de s'adresser à la personne qui a réveillé la blessure. L'expression de son vécu à une tierce personne compétente et non concernée par l'offense met de l'ordre dans le chaos émotionnel intérieur de celui qui souffre d'une peur de rejet ou d'abandon. Par son empathie, sa congruence et sa capacité à le refléter fidèlement, l'aidant véritable ouvre à l'abandonnique une porte sur lui-même qui favorise la prise de conscience, l'acceptation et la remise en question de ses comportements défensifs avec le déserteur, sans ajouter de confusion émotionnelle qui aggraverait sa situation plutôt que de l'éclairer. Cependant, si une personne est en relation affective avec un abandonnique, le besoin de savoir comment agir avec lui se pose inévitablement à un moment ou l'autre de leur histoire relationnelle.

Comment aider l'abandonnique ?

Comme la personne affectée par une carence affective se sent *anormale*, il est fondamental qu'elle sache qu'elle n'a rien de déviant et que sa souffrance résulte d'une blessure d'abandon. Ces prises de conscience auront pour effet de la rassurer au sujet de sa santé mentale, de diminuer ses tensions intérieures, d'adoucir la honte causée par son sentiment d'anormalité et de favoriser l'acceptation de sa grande vulnérabilité aux déclencheurs qui réveillent sa blessure. Cette acceptation lui ouvrira aussi les portes de la compréhension, du respect et de l'amour d'elle-même. Cependant, ce travail ne sera possible que si l'aidant se montre congruent, qu'il se laisse toucher et qu'il donne des feed-back aux confidences de l'abandonnique, sans quoi ce dernier se sentira encore seul et abandonné.

L'abandonnique bien accompagné retire de nombreux avantages à accueillir son vécu présent sans jugement et à donner à ce vécu plus d'importance qu'aux faits passés qui sont à l'origine de sa blessure ainsi qu'aux déclencheurs actuels qui le rendent malheureux. Pour ce faire, il est important que la personne qui veut l'aider reformule ses émotions, notamment son insécurité, sa peur de déplaire, d'être rejeté, abandonné ou exclu et son intense peur de perdre ceux qu'il aime. Il est aussi fondamental que l'aidant lui apprenne à identifier ses besoins d'amour et de sécurité, et à trouver des moyens de les satisfaire sans verser dans l'irresponsabilité, sans essayer de changer l'autre et sans attendre d'être deviné et pris en charge. De plus, celui qui veut aider l'abandonnique doit l'encourager à poser ses limites, particulièrement dans les cas de non-respect, d'envahissement ou d'abus.

Le rôle d'un bon aidant est de motiver la personne qui souffre de la blessure d'abandon à agir par amour pour elle-même et à risquer de perdre plutôt que de se perdre en devenant le pantin de ceux qu'elle aime pour garder leur amour.

L'abandonnique doit intégrer le fait que seuls l'authenticité et le respect de lui-même lui attireront l'amour et le respect durables des êtres qu'il aime parce que, s'il ne prend pas la responsabilité de son bonheur, il s'attirera indéfiniment des déserteurs.

Le déserteur

Le déserteur est un être qui résiste à s'abandonner à l'amour parce qu'il a très peur de souffrir. Pour se protéger contre cette peur, il garde un pied dans la relation et l'autre en dehors. Cette personne est donc constamment déchirée intérieurement.

Le déserteur ne supporte pas la dépendance affective de l'abandonnique, mais, en même temps, il a besoin de son amour. Comme il est coincé entre ses peurs et ses besoins, une partie de lui veut rester dans la relation et l'autre veut partir.

Aussi, parce qu'il préfère abandonner l'autre plutôt que d'être abandonné par lui, nous pouvons affirmer sans nous tromper que le déserteur est aussi un abandonnique. Comme ce dernier, le déserteur est une personne profondément blessée et impuissante à adoucir sa souffrance quand ses blessures sont réveillées. Pour mieux le comprendre, voyons ce qui caractérise son fonctionnement psychique.

Le fonctionnement psychique du déserteur

Quels sont donc les blessures, les défensives et les besoins du déserteur qui créent un fonctionnement répétitif qui lui attire un abandonnique ?

1. Les blessures du déserteur

Affecté par des lésions causées par l'abandon et même parfois par la trahison, la domination, la culpabilisation, surtout par la surprotection et la possession, le déserteur a très peur de s'engager dans une relation affective. Ses expériences passées ont semé en lui la peur de perdre l'être aimé, de ne pas être à la hauteur de ses attentes et principalement la peur de perdre sa liberté.

Dès qu'il sent une atteinte à sa liberté si précieuse, dès qu'une personne s'accroche à lui, quémande son amour, le questionne sur ses allées et venues, dépend de lui d'une manière ou d'une autre et attend de lui qu'il la rende heureuse, le déserteur sent un poids insupportable sur ses épaules, il étouffe et il part.

La souffrance chronique qu'il ressent quand il est blessé par l'être aimé ou qu'il craint de l'être nourrit son sentiment d'incompétence sur le plan affectif. Devant ses échecs relationnels, il développe la croyance qu'il n'est pas fait pour la relation amoureuse. Comme l'abandonnique, il se croit parfois tellement indigne d'amour que, lorsque l'être aimé lui adresse des reproches, sa conviction de ne pas mériter l'amour s'ancre davantage dans son cœur. Les critiques répétées par rapport à ce qu'il est et à ce qu'il fait, justifiées ou non, ont un effet dévastateur sur le déserteur. À cause de ses expériences passées, il ne les tolère pas. Se sentant déjà incorrect dans sa manière d'être ou d'agir et impuissant à composer avec son vécu, il s'évade pour échapper aux mécanismes défensifs d'emprise de l'abandonnique étant généralement inconscient de ses propres moyens de défense pour éviter de souffrir.

2. Les mécanismes de défense du déserteur

Le principal mode réactionnel des déserteurs contre leur peur d'être abandonnés et de perdre leur liberté est la fuite. Selon leur histoire de vie, ils ont adopté différentes formes de fuite. Certains s'échappent de leur réalité par la fermeture et le silence en s'exilant dans leur monde imaginaire. D'autres trouvent un refuge protecteur devant la télévision ou l'ordinateur. Quand ils sont déclenchés dans leurs blessures, certains déserteurs s'empressent à chercher un mieux-être auprès de leurs amis ou en trompant leur conjoint pour se garder une porte de sortie s'ils sont abandonnés. Ils peuvent aussi pratiquer intensément et fréquemment un sport ou se consacrer frénétiquement à des activités culturelles ou humanitaires de toutes sortes. Quand ces moyens de fuite ne les satisfont pas, ils quittent la relation définitivement. Toutefois, dans ce cas ultime, leur sentiment de délivrance reste de courte durée, car un sentiment pesant de solitude s'enracine petit à petit au cœur de leur psychisme. Étant aussi des abandonniques, leur manque affectif s'accroît devant leurs rêves d'amour brisés. S'ensuit une autodévalorisation qui amplifie leur peur de s'engager de nouveau. Pour justifier leur départ et émerger de leur sentiment insupportable de ne pas être assez aimables pour mériter l'amour, certains responsabilisent directement ou subtilement l'abandonnique de leurs malheurs et continuent leur route la mort dans l'âme.

Les déserteurs vagabondent d'un conflit à l'autre, voire d'une personne à une autre, et ce, tant qu'ils n'ont pas compris qu'ils désertent pour ne pas perdre leur liberté et ne pas être abandonnés, et qu'ils sont abandonnés et perdent leur liberté parce qu'ils désertent.

Aussi longtemps qu'ils ne prendront pas conscience de leurs besoins, ils demeureront des errants à la recherche d'une parcelle de bonheur.

3. Les besoins du déserteur

L'un des plus grands besoins du déserteur est le besoin insatiable d'amour. À cause de cette quête inconsciente, il s'attire un abandonnique, c'est-à-dire une personne qui, comme lui, a été mal aimée et qui a tellement manqué d'affection qu'elle lui en donnera à profusion dans l'espoir inconscient d'en recevoir autant de sa part. Si, au début de la relation, son besoin de sécurité affective est largement comblé, la satisfaction du déserteur reste éphémère, car l'amour que lui offre l'abandonnique est souvent un amour possessif qui l'asphyxie. Se sentant contrôlé et même vampirisé, il lutte constamment pour satisfaire son besoin considérable de liberté. Écartelé entre ces deux exigences psychiques, il n'arrive pas à faire le choix qui le libérerait de sa tourmente intérieure. C'est alors que, difficilement et progressivement, il se désinvestit et prend une distance pour se protéger de l'envahissement psychique qui l'étouffe et le prive de sa liberté.

Le désengagement du déserteur ne se manifeste pas seulement par une mise à distance physique, mais surtout par l'absence psychique. En effet, il craint de plus en plus de livrer son vécu et d'exprimer son amour. Son cœur se refroidit et s'assèche contre son gré. Il refoule ses besoins viscéraux d'affection pour enlever à l'abandonnique son emprise psychique sur lui. Il voudrait bien s'abandonner à l'amour, mais il n'est plus capable de le recevoir. Sa peur d'être emprisonné par l'attachement possessif freine tous les élans d'un cœur qui ne demande qu'à satisfaire son besoin d'être aimé et d'aimer, mais qui ne peut plus s'abandonner à l'amour.

Comme l'abandonnique, le déserteur n'est donc jamais satisfait. S'il reste, il étouffe et s'il part, il se résigne à une solitude qu'il supporte difficilement. Nous pouvons nous demander ce qui, dans son histoire de vie, a pu rendre ses relations affectives si douloureuses.

L'origine du fonctionnement du déserteur

Comme le déserteur est un abandonnique qui s'ignore, l'une ou l'autre des causes, développées précédemment, qui sont à l'origine du fonctionnement d'abandonnique, peuvent s'appliquer à lui. Toutefois, ce qui le caractérise et le distingue de l'être avec lequel il crée un système relationnel dysfonctionnel, c'est son mécanisme de défense. En effet, alors que l'abandonnique s'agrippe à lui lorsqu'il a peur de perdre, le déserteur fuit pour ne pas perdre sa liberté.

Ce mécanisme défensif de fuite a évidemment pris racine dans son histoire relationnelle passée. Le déserteur peut avoir subi la dépendance et l'insécurité affectives d'un parent abusif, contrôleur et surprotecteur ou, au contraire, d'un parent-enfant qui, incapable d'assumer les conséquences de ses choix et de ses décisions, a placé son fils ou sa fille devant des responsabilités beaucoup trop lourdes pour son âge. À cela peut s'ajouter l'éducateur totalement inconséquent et victime qui a attribué la responsabilité de ses malaises et de ses besoins non satisfaits à ses enfants.

Le petit garçon et la petite fille entourés de soins disproportionnés et protégés à l'excès, élevés par des parents insécures qui ne leur font pas confiance, se sentent limités dans leur désir naturel de voler de leurs propres ailes. Comme des oiseaux aux ailes attachées, ils espèrent grandir rapidement pour se libérer de leurs liens, quitter le nid familial et trouver la liberté. Cette même quête outrancière d'autonomie se retrouve chez ceux qui, enfants, ont dû prendre en charge des éducateurs immatures et inconscients.

Avec des expériences oppressantes et qui ont étouffé leur pulsion créatrice, il n'est pas étonnant que, devenues adultes, ces personnes demeurent sensibles à tout déclencheur susceptible de les priver de leur inestimable liberté d'être et d'agir. Leur mécanisme de désertion apparaît tout à fait compréhensible. Il n'en reste pas moins que ce même moyen de défense les libère d'une part, mais les emprisonne d'autre part dans le carcan de leur incapacité à choisir entre leur besoin d'amour et leur besoin de liberté dans leurs relations affectives. Cette paralysie psychique, parce qu'elle les fait trop souffrir, peut les pousser à chercher de l'aide pour sortir de la captivité qui les dépouille de ce dont ils ont le plus besoin pour ouvrir leur cœur à l'amour.

Comme avec toutes les personnes affectées par des blessures psychiques, l'aide au déserteur consiste d'abord et avant tout à l'accompagner dans la prise de conscience de son vécu, de ses besoins et de ses modes réactionnels. Cette prise de conscience a pour but de lui procurer le pouvoir de prendre sa vie en main. Par elle, il peut découvrir que, par son mécanisme de fuite, il insécurise l'abandonnique, qui s'accrochera davantage à lui pour ne pas le perdre. S'il n'assume pas cette part de responsabilité dans ses relations affectives, il nourrira sa souffrance et sera le propre créateur de son malheur. Ses non-dits et ses mises à distance nourriront perpétuellement le sentiment d'insécurité de l'abandonnique qui, blessé par ses fuites répétées et par ses silences prolongés et embarrassés, deviendra envahissant et possessif.

Si le déserteur répète ainsi indéfiniment ses réactions défensives issues de ses expériences douloureuses du passé et qu'il ne les questionne pas, il n'arrivera jamais à composer avec les marques qu'elles ont laissées dans son psychisme. Il se créera alors, sur le plan affectif, des systèmes relationnels dysfonctionnels qui le confirmeront dans sa croyance erronée et néfaste en son incapacité de vivre à deux et qui lui serviront à justifier ses fuites. Malheureusement, ses justifications l'empêcheront de réaliser que, en réalité, la seule personne au monde qu'il fuit, c'est lui-même.

Le plus important mécanisme de retrait du déserteur est la fuite de lui-même. Il ne s'éloigne pas de l'abandonnique mais de sa propre souffrance. Il croit, à tort, qu'en s'éloignant de l'autre, il se libérera de son angoisse. Malheureusement pour lui, son soulagement ne sera qu'illusoire et temporaire.

En vérité, il sera déclenché éternellement dans sa blessure tant qu'il ne l'aura pas accueillie et acceptée comme partie intégrante de lui-même. Alors, au lieu de partir, il sera en mesure d'exprimer ses besoins d'amour, de liberté et de sécurité.

Le déserteur doit savoir qu'un abandonnique dont le besoin de sécurité affective est satisfait lui laissera sa liberté, pour peu que les deux soient bien engagés dans leur relation et que le déserteur accepte

d'affronter, sans partir, les obstacles que rencontre normalement un couple investi sur le chemin de l'amour.

Le schéma visuel suivant facilitera la compréhension du système abandonnique/déserteur. Je rappelle que la partie droite du cercle décrit le fonctionnement de l'abandonnique et la partie gauche, celui du déserteur. Dans l'explication des contenus des éléments qui composent le schéma, vous constaterez encore une fois que la source réelle de leurs problèmes relationnels n'est pas *l'autre*, mais les émotions que cet *autre* déclenche en eux et surtout leurs besoins psychiques non satisfaits parce que non exprimés dans la relation. C'est pourquoi ces besoins sont situés au cœur du cercle qui, lui, représente la dynamique du système.

Pour finir, il est fondamental d'ajouter que

dans un système relationnel abandonnique/déserteur, parce que les deux ont peur de perdre, il est très fréquent que l'abandonnique devienne déserteur, et vice versa. Autrement dit, si l'un fuit, l'autre s'accroche et si l'un s'accroche, l'autre fuit.

Le système relationnel abandonnique/déserteur

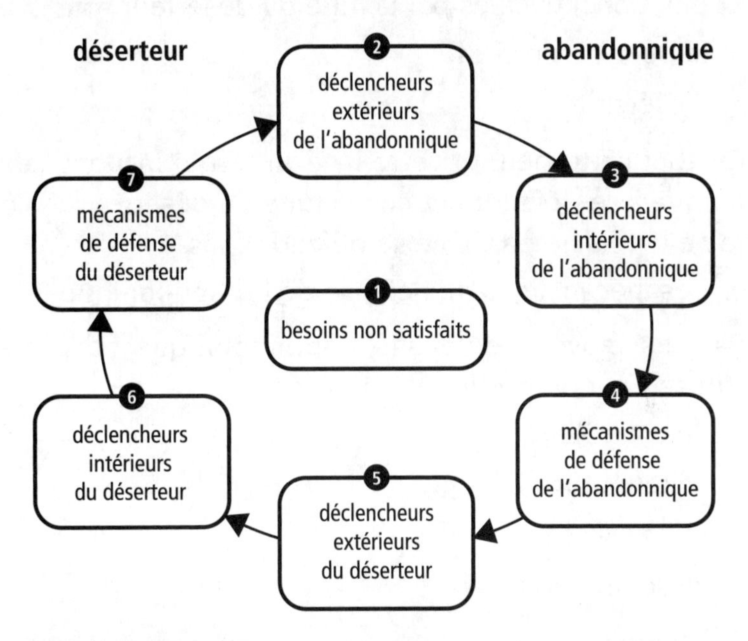

1. Les besoins de l'abandonnique

- être aimé
- être sécurisé

2. Les besoins du déserteur

- être aimé
- être libre

3. Les déclencheurs extérieurs de l'abandonnique

Les déclencheurs extérieurs de souffrance chez l'abandonnique sont les mécanismes de défense du déserteur, soit :

- la fuite de l'être aimé
- la fuite de lui-même

4. Les déclencheurs intérieurs de l'abandonnique (ses émotions) éveillés par la fuite du déserteur sont :

- la peur de perdre
- l'insécurité

Ce sont cette peur et cette insécurité qui incitent l'abandonnique à se défendre et non la fuite du déserteur. Si cette fuite ne le touche pas, il ne se défendra pas.

5. Les mécanismes de défense de l'abandonnique

Par ces moyens défensifs, l'abandonnique se protège contre sa peur de perdre et son insécurité.

- le contrôle
- la fermeture
- la tolérance
- la soumission
- l'enquête
- la provocation
- le harcèlement
- l'envahissement

6. Les déclencheurs extérieurs du déserteur

- Tous les mécanismes de défense de l'abandonnique décrits précédemment déclenchent le déserteur.

7. Les déclencheurs intérieurs du déserteur

Ces déclencheurs le poussent à fuir.

- la peur de l'engagement
- la peur de perdre sa liberté

8. Les mécanismes de défense du déserteur

Parce qu'il craint l'engagement et a peur de perdre sa liberté, le déserteur se défend par :

- la fuite
- le refoulement

Encore une fois, observez que ce qui déclenche les émotions souffrantes du déserteur, c'est-à-dire ce que j'appelle les déclencheurs intérieurs, ce sont les mécanismes de défense de l'abandonnique, et réciproquement. Ces mécanismes de défense enclenchent le système dysfonctionnel abandonnique/déserteur parce qu'ils ne sont pas conscientisés et qu'ils ne sont pas considérés pour ce qu'ils sont, soit des portes d'entrée sur le vécu et les besoins des deux personnes qui forment le système. Ce manque d'accueil et d'acceptation de soi est aussi à l'origine du système manipulateur/manipulé.

Chapitre 7
Le système manipulateur/manipulé

Exemple d'Adrien et Stéphanie

Adrien et Stéphanie se sont rencontrés lors d'une fête organisée par une amie commune à la campagne. Ils se sont plu instantanément. Envoûtée par son charme et son regard enveloppant, c'est avec plaisir que Stéphanie a consacré cette soirée à parler et à danser avec lui. Pour sa part, Adrien était tellement fasciné par la beauté, l'élégance et l'intelligence de cette femme qu'il ne voulait pas partir ce soir-là sans prendre un rendez-vous galant avec elle. Par la suite, ils se sont revus une ou deux fois par mois, ce qui ne plaisait pas du tout à Adrien. Épris d'elle, il rêvait de l'avoir près de lui plus souvent. Malgré son attirance pour cet homme séduisant, Stéphanie, très occupée par la rédaction d'une thèse de doctorat qu'elle devait déposer avant la fin de l'année académique, ne pouvait le fréquenter autant qu'elle se souhaitait.

Elle avait déjà consacré plusieurs années à ses études supérieures. Son projet d'obtenir un doctorat en philosophie datait de ses études collégiales, époque où elle s'était découvert une passion pour la pensée des philosophes. Pour réaliser son objectif, elle avait investi énormément de temps et d'énergie, et avait retardé l'actualisation de son deuxième rêve : vivre en couple et fonder une famille.

Lorsqu'elle avait rencontré Adrien, elle était à quelques mois de la réalisation de son premier projet. Âgée alors de vingt-sept ans et investie à fond dans sa recherche, elle ne désirait pas s'engager dans une relation amoureuse avant la soutenance de sa thèse. Cependant, particulièrement attirée par les délicatesses d'Adrien à son égard, elle devait reconnaître qu'elle était amoureuse de lui et qu'elle ne voulait pas le perdre. Aussi, quand il lui a reproché gentiment de ne pas dédier suffisamment de temps à leur relation à cause de ses études, elle s'est sentie déchirée entre son amour pour lui et son engagement envers elle-même. Elle tentait du mieux possible de le satisfaire, même si cela lui demandait de travailler tard le soir et que cela la stressait considérablement.

Un jour, alors qu'elle lui avait refusé une sortie en lui expliquant la situation, il lui a raccroché au nez sans même lui dire au revoir. Elle s'est sentie tellement malheureuse qu'elle l'a rappelé. Le voyant vraiment peiné de ne pas la voir assez souvent, elle a accédé à sa demande, se disant qu'elle mettrait les bouchées doubles après leur rencontre.

Plus la date du dépôt de sa thèse approchait, plus elle était tendue. Lorsqu'elle confia à son amoureux sa peur de ne pas terminer à temps et sa profonde anxiété, il ne manifesta aucune sensibilité à ses préoccupations. Pour résoudre le problème, il lui proposa d'emménager dans son appartement. Ils allaient ainsi se voir tous les jours et elle pourrait s'adonner à la rédaction de sa thèse autant qu'elle le souhaitait.

Stéphanie n'était pas prête à partager à temps plein la vie d'Adrien. Elle souhaitait plutôt terminer son doctorat et prendre le temps de le connaître davantage avant de vivre le quotidien avec lui. Lorsqu'elle lui exprima ses réticences, il lui répondit que, à trente-cinq ans, il ne pouvait plus se permettre d'attendre. Il ajouta qu'il était convaincu qu'elle était la femme de sa vie et qu'il n'avait jamais rencontré de fille aussi extraordinaire qu'elle auparavant. Il ne manqua pas de lui rappeler qu'il avait manifesté beaucoup de patience à son égard et que, si elle l'aimait vraiment, elle devait aussi faire preuve de bonne volonté. Se sentant coupable, Stéphanie accepta la proposition d'Adrien, à la condition de pouvoir consacrer le temps nécessaire à la rédaction de sa thèse au cours des premiers mois de leur vie commune. Il acquiesça sans hésitation.

Tout se passa relativement bien au cours de la première semaine de cohabitation. Adrien s'occupait des repas et du ménage pendant que Stéphanie travaillait à sa recherche. Au début de la deuxième semaine, il commença à lui reprocher quotidiennement son manque de disponibilité et d'investissement. Lorsqu'elle lui rappela que la situation était temporaire et qu'il avait accepté la condition qu'elle avait posée pour déménager chez lui, il lui rétorqua qu'il était convaincu qu'elle ne l'aimait pas vraiment, étant donné qu'elle faisait passer ses études avant lui.

Habitée par une grande culpabilité, elle commença à douter d'elle-même. Peut-être avait-il raison. Peut-être devait-elle demander à son directeur de recherche la permission de reporter la date du dépôt de sa thèse de quelques mois. Pourtant, elle sentait bien au fond d'elle-même que cette alternative manquait de justesse. Elle aimait Adrien, mais elle ne voulait pas sacrifier un projet pour lequel elle s'était donnée corps et âme pendant des années. Après mûre réflexion, elle décida de lui expliquer sa décision de poursuivre sa démarche, non sans le rassurer sur l'amour profond qu'elle éprouvait pour lui. Elle lui remémora l'importance pour elle de la réalisation de ce rêve et lui avoua que, si elle ne l'actualisait pas, elle lui en garderait rancune, ce qu'elle ne voulait à aucun prix.

Visiblement très contrarié, Adrien la traita d'égoïste, d'insensible et d'irresponsable. Il lui demanda même de choisir entre son doctorat et lui, et la menaça de la quitter si elle n'arrêtait pas son choix en sa faveur. Profondément blessée par des qualificatifs qu'elle avait entendus de son père lorsqu'elle lui désobéissait, et coincée par les menaces de son amoureux, Stéphanie était tellement bouleversée qu'elle n'arrivait même plus à voir clair en elle. Allait-elle poursuivre ses études et accepter de le perdre ou céder à son chantage ?

Adrien et Stéphanie nous offrent un exemple concret du système manipulateur/manipulé qui fait l'objet de ce chapitre. Comme l'abandonnique et le déserteur, ils sont tous les deux prisonniers de leur peur viscérale de perdre dont ils se défendent différemment. Pour se libérer de ce système étouffant, chacun d'eux doit d'abord prendre conscience du rôle qu'il joue dans la disharmonie du couple. Pour aider les personnes coincées dans ce système, voyons ce qui caractérise chacun de ceux qui le composent, en commençant par le manipulateur.

Le manipulateur

Certains voient des manipulateurs partout et ne se rendent pas compte qu'ils le sont eux-mêmes, alors que d'autres se laissent inconsciemment manipuler par ceux qui vivent près d'eux physiquement et affectivement. Qui sont ces manipulateurs chroniques ?

Il existe deux types de manipulateurs : les agressifs et les insidieux. Les premiers sont brusques, directs et menaçants. Ils exercent leur pouvoir en provoquant la peur. Par exemple, ils diront, *Si tu demandes le divorce, je t'empêcherai de voir les enfants* ou, pour prendre l'exemple d'Adrien, *Tu n'es qu'une égoïste insensible et irresponsable. Que préfères-tu, ton doctorat ou moi ? Si tu ne me choisis pas, je te quitte.*

Les manipulateurs insidieux se caractérisent par plus de subtilités. Ce sont des malins, qui obtiennent ce qu'ils veulent par la culpabilisation raffinée. *Tu ne peux pas me refuser ce petit service après tout ce que j'ai fait pour toi* ou, comme le disait à Stéphanie notre amoureux de l'exemple précédent, *Tu ne m'aimes pas, parce que tu fais passer tes études avant moi.*

Le fonctionnement psychique des manipulateurs

Qu'ils soient agressifs, insidieux ou les deux, comme Adrien, tous les manipulateurs partagent les mêmes caractéristiques en ce qui concerne les blessures, les réactions défensives et les besoins qui composent leur structure psychique. Par la connaissance de leur fonctionnement psychologique, nous découvrirons qu'ils ne sont pas nécessairement les *méchants* du système, mais des êtres humains profondément blessés qui, comme les manipulés, méritent notre compréhension.

1. Les blessures du manipulateur

Comme l'abandonnique, le manipulateur est marqué par une blessure profonde d'abandon ou de rejet et une blessure causée par le contrôle. Ces blessures le rendent incapable de surmonter son insécurité affective, sa peur viscérale de perdre et sa peur d'être régenté. Sa forte angoisse de séparation le porte à se centrer sur lui-même à un point tel que, lorsqu'il éprouve ces sentiments, il devient insensible à la souffrance qu'il fait subir aux autres par ses menaces et ses mécanismes de contrôle.

Gentil quand il arrive à ses fins, le manipulateur peut devenir culpabilisant, intimidant, voire redoutable quand il est frustré ou contrarié.

C'est un être dont la vulnérabilité à l'abandon, au rejet et au contrôle est directement proportionnelle à la souffrance de son enfant intérieur qui a connu des expériences pénibles sur ce plan, comme nous le verrons plus loin. La plupart du temps inconscient de ce qui se passe en lui, il n'a développé qu'une façon de s'occuper de sa souffrance : s'en défendre.

2. Les mécanismes de défense du manipulateur

Nous pouvons résumer en un seul mot les mécanismes de défense du manipulateur : le CONTRÔLE. Le manipulateur, qu'il s'agisse d'un conjoint, d'un parent ou d'un employeur, est un contrôleur, c'est-à-dire un être qui, par manque de connaissance et d'estime de lui-même, prend du pouvoir sur les autres pour obtenir ce qu'il veut.

Le choix de ses moyens de contrôle dépend des points faibles de la personne qu'il manipule. Le manipulateur sait détecter rapidement le talon d'Achille de ses victimes et s'en servir pour les asservir à ses lois. Son mécanisme défensif le plus efficace est le jugement projectif. Ce moyen subtil d'intimidation est d'autant plus puissant qu'il n'en est pas conscient. Également inconscient du phénomène projectif utilisé par son vis-à-vis, le manipulé endosse des caractéristiques qui ne le concernent pas. Lorsque l'autre le traite d'égoïste, d'ingrat, d'irresponsable, de déséquilibré, de névrosé, d'hystérique, d'insensible, d'imbécile ou de complexé, le manipulé doute tellement de lui-même qu'il finit par se soumettre au pouvoir que le manipulateur prend sur lui : il ignore que ces défauts sont des jugements projectifs qui décrivent davantage celui qui les profère que lui-même. Reportons-nous à l'exemple de notre couple d'amoureux. Que fait Adrien lorsqu'il qualifie Stéphanie d'égoïste, d'insensible et d'irresponsable, sinon lui projeter ses propres faiblesses? Il lui reproche exactement ce qu'il montre de lui-même dans l'ici et maintenant.

Un autre moyen puissant utilisé par certains manipulateurs est de se rendre indispensables. Attentifs aux besoins de ceux qu'ils veulent asservir à leurs désirs, ils se présentent comme des êtres généreux et serviables à leur égard. Cependant, leur générosité n'est pas gratuite. Elle a pour but de rendre l'autre redevable.

En réalité, le manipulateur attentionné attend toujours un retour pour son dévouement.

De plus, si sa gentillesse intéressée lui attire des confidences, il s'en servira contre le manipulé en temps propice pour l'assujettir à ses volontés. Son principe est le suivant : *Je te donne tout, tu me dois tout*. C'est ainsi qu'Olivier, qui trompait sa femme, lui a rétorqué lorsqu'elle l'a appris : *Je travaille sept jours par semaine pour t'offrir une vie de princesse, tu n'as aucune raison de te plaindre de mes absences*. Rien ne l'arrête pour arriver à ses fins. Il n'a aucun scrupule à trahir ses promesses quand cela l'arrange. Notre Adrien a accepté sans hésiter les conditions posées par Stéphanie pour qu'elle consente à emménager dans son appartement. Une semaine plus tard, il s'est contredit parce qu'il ne supportait pas la frustration due au fait qu'elle accordait son temps et son attention à un intérêt autre que lui-même.

Quand le jugement, la générosité défensive et les promesses ne lui suffisent pas pour arriver à ses fins, le manipulateur profère des menaces :

Si tu ne fais pas ce que je te demande, je détruirai ta réputation ou *Si tu me quittes, je m'organiserai avec mes avocats pour que tu n'aies absolument rien*. S'il s'agit d'un manipulateur-victime, il menacera de déprimer ou même de se suicider si ses souhaits ne sont pas exaucés. Il rendra même le manipulé responsable de ses problèmes de santé qu'il ne manquera pas de simuler ou d'exagérer pour le culpabiliser et ainsi pour avoir gain de cause.

Ses autres moyens d'intimidation passent par la comparaison défavorable, *Ce n'est pas ta sœur qui serait aussi ingrate*, et l'utilisation de preuves scientifiques, *Il est prouvé scientifiquement que les femmes de carrière ne sont pas de bonnes mères*. À ces mécanismes d'asservissement s'ajoutent : le harcèlement, la culpabilisation, l'intimidation, la punition, le chantage, le reproche, la fermeture, la bouderie et j'en passe. Pour résumer, je dirais que, comme la victime, le manipulateur attribue au manipulé la responsabilité de tous ses déboires. Il agit ainsi parce qu'il a peur, qu'il est contrarié et qu'il n'est pas conscient de ses véritables besoins.

3. Les besoins du manipulateur

Si le manipulateur était à l'écoute de lui-même, il pourrait identifier ses insatiables besoins de sécurité affective, d'amour et d'attention. Il se rendrait compte qu'il cherche à les satisfaire par des moyens défensifs qui, à long terme, lui attirent le contraire de ce qu'il désire vraiment.

À cause de ses expériences passées, sa conception de l'amour est plus ou moins morbide. Comme il souffre d'une énorme carence affective, il asservit l'être aimé à ses caprices pour combler son manque. Il croit que, si son partenaire se soumet à toutes ses exigences, ses dévorants besoins seront comblés. À l'évidence, en décidant à la place du manipulé comment ce dernier doit se comporter pour lui manifester son amour, il ne trouve jamais la satisfaction recherchée. Par sa conduite défensive, il crée de la confusion dans le cœur de sa proie qui, comme Stéphanie, ne sait plus ce qu'elle ressent.

Croyant que, en contrôlant les autres, il peut se sécuriser, le manipulateur n'est pas conscient qu'il ne suscite pas l'amour, mais la peur, la culpabilité et la confusion. Il en résulte que son besoin insatiable d'amour n'est jamais satisfait.

Prisonnier de lui-même, il étouffe et n'arrive jamais non plus à satisfaire son besoin de liberté, car il est constamment dans l'attente que tous ses désirs soient pris en charge par ceux qu'il croit aimer. Cette attitude entretient la dépendance dont il veut s'affranchir. Son impuissance le rend profondément malheureux. En effet, comme il attribue aux autres la responsabilité de ses souffrances et de son bonheur, il se débat en vain, comme un animal sauvage piégé dans une cage, pour se libérer des barreaux de sa prison, dont il est le seul à posséder la clé.

Même s'il se comporte souvent en contrôlant les autres, nous ne pouvons le juger parce qu'il y a en chacun de nous un petit manipulateur qui se pointe dans certaines situations d'insécurité. Comment alors être insensibles à la souffrance de l'enfant, de l'adolescent et du jeune adulte manipulés par des parents qui n'ont jamais appris à s'aimer.

L'origine du fonctionnement du manipulateur

La plupart des manipulateurs ont connu des expériences de pertes et de rejets qui les ont profondément blessés, tant sur le plan affectif que financier ou professionnel. Ces pertes sont à l'origine de leur insécurité chronique et de leur peur viscérale de revivre ces épreuves. En fait, leur peur chronique d'être privé d'amour, de reconnaissance, de liberté ou même de travail ou d'argent provoque leurs réactions de contrôle. Selon Susan FORWARD, dans *Le chantage affectif*, plusieurs manipulateurs ont grandi avec des parents instables qui les utilisaient pour obtenir ce qu'ils voulaient et qui les rejetaient quand ils ne répondaient pas à leurs attentes. Inconscients des souffrances causées par leurs propres blessures, ces parents punissaient leurs enfants d'une manière trop souvent exagérée et les menaçaient constamment, non pour leur bien, mais pour les soumettre davantage à leurs propres besoins insatisfaits dans le passé.

Nous rencontrons aussi des personnes manipulatrices qui, dans leur enfance, ont vécu dans une profonde insécurité affective ou financière. Elles en sont restées tristement marquées, probablement parce qu'elles n'ont pu en parler à leurs éducateurs à ce moment crucial de leur vie. D'autres, au contraire, ont été des enfants-rois, à qui les parents ont donné tout ce qu'ils voulaient pour éviter leurs crises. Ces enfants, en grandissant, ne supportent aucune déception, aucune frustration, aucun manque. Habitués à ce que tout leur soit cédé et concédé, ils restent, dans leurs relations affectives d'adultes, des personnes gâtées qui continuent à manipuler pour arriver à leurs fins, sans vraiment se soucier du vécu et des besoins des autres. En manipulant ceux qu'ils prétendent aimer pour obtenir ce qu'ils veulent, peut-être se vengent-ils inconsciemment des éducateurs qui ont omis de leur manifester de l'amour vrai. N'ayant pas connu cette nourriture vitale et ayant été utilisés, insécurisés et manipulés, ils ne savent combler leur déficit affectif que par la manipulation. Est-il possible alors de les aider?

Comment aider un manipulateur?

Le premier pas à franchir pour aider vraiment les autres est de nous observer nous-mêmes. En quoi nous reconnaissons-nous dans le portrait du manipulateur?

Évidemment, personne ne souhaite s'identifier à ce type psychologique. Nous sommes intéressés à lire ses caractéristiques pour mieux les repérer chez les autres, mais certainement pas avec l'idée de nous y reconnaître un peu nous-mêmes. Pourtant, par nos attitudes contradictoires et par nos mécanismes de contrôle et de culpabilisation, ne nous arrive-t-il pas, comme le manipulateur, de semer parfois le doute et la confusion dans le cœur de ceux que nous aimons? Ne nous arrive-t-il pas, occasionnellement, quand nous souffrons d'insécurité et d'angoisse de séparation, de prendre du pouvoir sur eux par des menaces, de l'intimidation ou une serviabilité défensive? Lorsque nous sommes envahis par la peur de perdre ou d'être dominés, ne nous arrive-t-il pas parfois de les manipuler inconsciemment, en utilisant le charme ou la bouderie, pour satisfaire nos besoins de pouvoir? Ne nous arrive-t-il pas, en certaines occasions, de harceler ou de nous victimiser pour obtenir ce que nous voulons? Dans ce cas, nous ne devons pas oublier que la véritable source de la souffrance qui nous pousse à manipuler se trouve dans l'empreinte qu'ont laissée en nous nos expériences passées. Les personnes que nous aimons ne sont pas les véritables responsables de nos réactions défensives et de nos échecs relationnels. La cause se situe dans nos propres blessures et nos propres besoins non satisfaits.

Inutile de responsabiliser le passé pour soulager nos blessures. La présence et l'accueil sans jugement

de ce qui se passe en nous dans l'ici et maintenant est notre seule véritable source de libération et le meilleur moyen à notre disposition pour accompagner un manipulateur.

C'est en accueillant ses peurs, son insécurité chronique et son besoin constant d'être rassuré que nous réussirons à le libérer progressivement du système emprisonnant qu'il crée avec le manipulé. Par notre ouverture sans jugement, notre compréhension véritable et notre compassion pour la souffrance réelle de son enfant intérieur houspillé, contrôlé et insécurisé, nous pourrons l'aider à se traiter avec respect, douceur et amour. Plus il sera bon envers lui-même, plus il manifestera de considération envers ceux qui, pour être aimés de lui, se laissent manipuler.

Le manipulé

Il est important de ne jamais oublier que, sans manipulés, il n'y a pas de manipulateurs. Les deux personnes forment et entretiennent le système qui les emprisonne et qui les fait souffrir. Si la manipulation est un mécanisme de défense, il faut savoir que le fait de se laisser manipuler s'avère aussi défensif.

Le fonctionnement psychique du manipulé

Quels sont donc les besoins et les blessures inconscientes qui poussent une personne à concéder tant de pouvoir aux autres sur sa vie ?

1. Les blessures du manipulé

Le manipulé souffre de blessures profondes causées par la dévalorisation, la culpabilisation, l'humiliation et par l'abandon. Ses blessures lui enlèvent complètement la confiance et l'amour de lui-même. Il doute constamment de lui, ce qui le rend fragile devant celui qui se défend par la manipulation. Ses peurs viscérales de perdre, d'être rejeté, d'être jugé, d'être humilié et d'être fautif, de même que ses peurs irraisonnées du conflit et du changement le disposent à se soumettre aux menaces et aux moyens de chantage du manipulateur, comme Stéphanie avec Adrien. La confusion déclenchée en elle par les comportements contradictoires de son amoureux l'empêchait de voir clair.

Pas toujours conscient de servir de marionnette au manipulateur, qui lui donne la lune quand il obtient ce qu'il veut et qui la lui retire quand il ne se soumet pas, le manipulé finit presque toujours par abdiquer pour éviter le conflit.

Les attitudes et les propos dominants, incertains et paradoxaux du manipulateur l'embrouillent et l'assujettissent totalement. Non seulement se laisse-t-il subjuguer, mais, rendu plus vulnérable par son extrême sensibilité à la culpabilisation, il finit par endosser les responsabilités que lui attribue son partenaire. Ce sentiment de responsabilité est amplifié parce qu'il se sent facilement fautif, du seul fait de déranger par ses actions, par ses paroles ou par ce qu'il est. Pour ne pas souffrir des projections de son partenaire et pour le calmer, il se prive de la satisfaction de ses propres besoins.

La mauvaise image qu'il a de lui-même empêche le manipulé d'exploiter ses forces, ses talents, son potentiel créateur. Plutôt que de s'affirmer, il cède ou se tait. Il endure et s'éteint plutôt que de réagir et de dénoncer.

Par honte, par culpabilité et surtout par peur du conflit, il agit parfois en contradiction avec ses convictions, ses principes et ses valeurs. Il se trahit et se sabote constamment. Son non-respect et son doute de lui-même lui enlèvent le courage d'affronter ses peurs et de concrétiser ses objectifs de vie. C'est d'ailleurs ce qui risque d'arriver à Stéphanie si, à cause de la confusion que suscitent en elle les menaces d'Adrien, elle choisit de sacrifier son rêve d'être docteur en philosophie. Cette négation perpétuelle de lui-même remplit le manipulé d'amertume. Comme il réprime sa rancune, ses peurs, sa peine, sa culpabilité, sa honte et son angoisse, il est souvent dépourvu d'énergie et devient une proie encore plus facile à contrôler pour le manipulateur. Comment alors se défend-il pour survivre dans ce système aliénant ?

2. Les mécanismes de défense du manipulé

Pour éviter l'abandon, le rejet, le conflit, l'humiliation et la culpabilisation, le manipulé refoule, ment, ménage et fuit. Il pratique la privation quotidiennement. Pour éviter de déclencher des problèmes et de ressentir de la culpabilité, il se prive parfois de plaisirs, de sorties, de bien-être et de réalisations. C'est un roi du sacrifice et de la manipulation par le charme ; un être qui se cache, qui capitule et qui joue la comédie pour avoir la paix. Il prétend que tout va bien quand il angoisse. Il feint l'amour alors qu'il n'aime plus. Il se montre satisfait quand il ne l'est pas du tout. En résumé, comme l'ange, il présente le personnage de la personne compréhensive, compatissante, charmante et sage pour avoir la paix.

La manipulé est prisonnier d'introjections qui le maintiennent sous le pouvoir du manipulateur : *On ne sépare pas ce que Dieu a uni* ou *Un bon parent doit faire passer sa famille avant lui-même* ou bien *Mieux vaut éviter un problème que d'avoir à le résoudre* ou encore *Ce que les autres ignorent ne leur fait pas mal.* Il justifie son impuissance en banalisant sa souffrance et en trivialisant les comportements destructeurs du manipulateur. Comme Atlas, le Géant grec condamné par Zeus à porter la voûte du ciel sur ses épaules parce qu'il avait osé combattre les dieux, le manipulé porte le monde sur ses épaules, mais n'ose pas *combattre les dieux* pour éviter de s'attirer la foudre.

Son altruisme défensif peut en faire un excellent sauveur qui ménage constamment son partenaire, qui se conduit comme le spécialiste des non-dits et qui, par ses silences et ses mensonges, insécurise le manipulateur.

En effet, le manipulé déforme souvent la vérité pour échapper aux conflits. Il tente perpétuellement de ménager la chèvre et le chou et, impuissant, il peut devenir lui-même un remarquable manipulateur pour éviter toute forme d'affrontement. Au fond, le manipulé ne reconnaît pas sa grande vulnérabilité et les peurs qui le privent de courage. Par ses demi-vérités et ses non-dits, c'est lui-même qu'il ménage. Il a donc une importante responsabilité dans la formation du système dysfonctionnel qu'il entretient avec le manipulateur.

De plus, par manque d'estime de lui-même, il projette sur le manipulateur des qualités qu'il ne reconnaît pas en lui et qui sont, en fait, ses propres forces non conscientisées. Ce mécanisme projectif contribue à attribuer plus de pouvoir à celui qui le manipule sans vergogne et à alimenter son propre manque de courage ainsi que son manque de confiance en lui. Par manque d'écoute de sa vérité intérieure, cet être souffre et son besoin d'être écouté dans sa souffrance est incommensurable.

3. Les besoins du manipulé

Le manipulé recherche, d'abord et avant tout, la paix intérieure et la paix extérieure. Comme il ne supporte pas les conflits et les malaises des autres, il se soumet, il ment, il charme ou il se victimise.

Ses grands besoins d'amour et de sécurité l'incitent à pardonner l'impardonnable. En se soumettant, il croit qu'il sera aimé davantage par le manipulateur et qu'il ne sera pas jugé par lui. Malheureusement, il se leurre. Ses efforts ne lui assurent pas la satisfaction de ses besoins, car, en s'aliénant, en ménageant et en mentant, il entretient son insécurité et celle du manipulateur. Sait-il qu'être aimé seulement quand il obéit, ce n'est pas être aimé, c'est *être utilisé*? Sait-il que, par ses ménagements et ses non-dits, il attire les conflits qu'il fuit parce qu'il crée lui-même le doute dans le cœur de ceux qui entretiennent une relation affective avec lui ? Sait-il qu'il insécurise autant qu'il est insécurisé et que ses relations sont douloureuses parce qu'elles nagent en permanence dans une atmosphère destructrice de précarité ?

Si le manipulateur est insécurisé par les non-dits et le ménagement, le sentiment d'insécurité du manipulé vient du fait qu'il ne peut jamais prévoir les réactions excessives, contradictoires, « emberlificotées » impitoyables et insensibles du manipulateur. Rappelons-nous à quel point Stéphanie était ballottée par Adrien. Alors qu'elle croyait avoir été bien entendue et qu'elle était convaincue que le problème était réglé, cet amoureux inassouvissable revenait à la charge pour exiger d'elle encore plus. Avec lui, tout était toujours à recommencer parce que, pour se sécuriser, il l'insécurisait vertigineusement. Dans de semblables situations inextricables, le manipulé est seul avec sa souffrance, d'autant plus que, s'il l'exprime, il craint d'être jugé, rejeté, humilié, voire bafoué. Par-dessus tout, il craint le conflit qu'il ne supporte pas. C'est pourquoi il cherche tant à plaire pour échapper à d'insupportables différends. Il aimerait bien s'affirmer, mais il a trop peur d'en payer le prix. Il craint, avec raison, que ses affirmations se tournent contre lui et réveillent ses blessures.

Par manque de confiance en lui-même, comme l'abandonnique, il modèle ses actions et ses comportements sur le bon vouloir du manipulateur. Si ce dernier approuve ses besoins et ses actions, il sera en paix. Si, au contraire, il le désapprouve, il se sent complètement embrouillé. Comme il prend ses points de référence en dehors de lui-même, le manipulé n'est absolument pas libre. Ses besoins de sécurité, d'amour, d'approbation, de paix, d'affirmation et de liberté ne sont à peu près jamais comblés, car sa peur de perdre, sa peur du conflit et sa peur d'être rejeté et dominé le rendent dépendant de celui qui le manipule. Même s'il affiche un calme extérieur, le manipulé est habité par un tourbillon d'émotions qui l'empêchent de vivre sainement et de croire en lui-même. Son manque de pouvoir sur sa vie date de sa plus tendre enfance.

L'origine du fonctionnement du manipulé

Nous observons un fonctionnement de manipulé chez les adultes qui, dans leur enfance, ont grandi avec des éducateurs qui devenaient colériques devant les contrariétés, qui donnaient ou retiraient leur amour selon le comportement de leur enfant, qui frappaient ou punissaient à la moindre réplique, qui humiliaient ouvertement quand ils étaient déçus ou frustrés, qui rendaient leurs enfants ou leurs adolescents responsables de leur humeur, de leurs malaises, de leur souffrance et qui les manipulaient à volonté par des menaces voilées ou dissuasives. Ces jeunes, hyper responsabilisés, insécurisés et bousculés, se sentaient souvent fautifs et coupables. Pour se racheter et pour prévenir les chocs plus ou moins violents, ils essayaient de présenter à leurs parents l'image de l'enfant ou de l'adolescent qu'ils souhaitaient.

Ces enfants et ces adolescents, ballottés par les contradictions et les inconstances de leurs éducateurs, ont grandi avec la conviction bien enracinée qu'ils devaient absolument répondre aux demandes des parents pour être corrects et aimés. Un reproche, une menace, une colère, une culpabilisation ou une moquerie pouvait les insécuriser et les soumettre instantanément. Habitués à être manipulés, ils sont devenus par la suite très faciles à manier. Dans leur relation affective d'adultes, ils endurent plutôt que de s'affirmer parce qu'ils n'accordent aucune confiance à leurs ressources et qu'ils ont peur de perdre, peur du conflit et peur de se sentir éternellement coupables s'ils brisent la relation.

> **S'il existe une personne qui a besoin d'être aidée pour sortir du système qu'elle entretient par insécurité et par manque d'amour de soi, c'est bien celle qui, pour être aimée, s'est laissé trop longtemps manipuler.**

Comment aider le manipulé?

Blâmer ses éducateurs et le manipulateur est la meilleure manière de victimiser le manipulé et d'ajouter à ses sentiments d'impuissance et d'insécurité déjà bien ancrés dans son psychisme. Il doit plutôt apprendre à identifier et à utiliser ses ressources pour remettre aux manipulateurs leur responsabilité et, surtout, pour s'occuper de la sienne. En effet, le manipulé, qui, comme la victime, se croit trop faible pour s'affirmer gagnerait à prendre conscience de l'énergie qu'il mobilise en tolérant les incohérences et les contradictions de ceux qui tentent de l'influencer de façon insidieuse ou agressive pour arriver à leurs fins. S'il utilisait cette énergie pour exploiter son potentiel créateur et pour s'exprimer, il récolterait des résultats extraordinaires. Cette prise de conscience l'aiderait à réaliser qu'il est doué d'une puissance intérieure illimitée qu'il peut solliciter à volonté pour satisfaire ses besoins et réaliser ses rêves. En fait, nous devons l'encourager à agir pour lui-même, à écouter sa souffrance et à s'en occuper, de manière à briser le système qui l'emprisonne.

Tant que le manipulé continuera à négliger ses blessures, il laissera aux autres le pouvoir de le contrôler, de le subjuguer, de l'influencer et de le manipuler. Il est fondamental qu'il comprenne une fois pour toutes qu'il n'est plus un enfant et qu'il possède assez de force intérieure pour s'affirmer et pour s'occuper lui-même de ses besoins.

Chaque petit pas en ce sens constituera une victoire, puisqu'il le mènera vers les grandes victoires : celles de l'amour de lui-même et du dénouement du système dysfonctionnel qu'il entretient avec le manipulateur.

Il est important de rappeler que ce système, quand il n'est pas identifié, forme un cercle vicieux sans fin, comme celui du persécuteur et du persécuté.

Chapitre 8
Le système persécuteur/persécuté

L'exemple de Raynald et Béatrice

Quand il a rencontré Delphine, Raynald avait trente-trois ans. Encore célibataire, il vivait chez ses parents et gagnait sa vie comme employé dans la quincaillerie qu'ils avaient achetée lorsqu'il était encore enfant. Il a donc grandi dans ce milieu où son père, comme lui, obéissait à une matrone directive, dominatrice et intransigeante qui prenait tous les moyens pour ne pas perdre le contrôle sur son commerce et sur les personnes qui y travaillaient.

Lorsque Raynald a présenté son père et sa mère à Delphine, celle-ci a ressenti tout de suite un malaise en leur présence. D'une part, elle a vite reconnu la force de caractère de Béatrice de même que la souplesse de Philippe et, d'autre part, elle s'est demandé comment son nouvel amoureux pouvait composer avec une mère aussi envahissante et aussi exigeante. En effet, elle donnait des ordres à son fils à tout moment comme s'il avait été son valet. De plus, les heures de travail qu'elle lui imposait à la quincaillerie lui laissaient très peu de temps disponible pour des sorties ou des tête-à-tête avec elle. Delphine voyait que Raynald souffrait de ces limites de temps, mais il ne les remettait pas en question et ne s'en plaignait jamais.

Malgré sa contrariété face à ces restrictions imposées à son amoureux, Delphine ne pouvait s'empêcher de poursuivre sa relation avec Raynald parce qu'elle appréciait grandement sa générosité et son dévouement, et qu'elle l'aimait vraiment. Cependant, un problème sérieux compromettait ses rapports avec lui. Cet homme foncièrement bon sacrifiait depuis toujours sa vie pour répondre aux besoins de sa mère. Il avait négligé ses amoureuses précédentes et les avait toujours fait passer au second rang dès que sa mère manifestait une forme quelconque de contrariété ou exprimait quelque besoin que ce soit. Delphine se demandait comment cette femme pouvait réussir à exercer autant d'emprise sur son fils et sur son mari malgré ses comportements rébarbatifs. Elle cherchait à connaître la raison pour laquelle ces deux hommes restaient à son service sans protester, même si manifestement ils ressentaient de l'impuissance et qu'ils étaient privés de considération.

Ce n'est qu'après quelques mois de fréquentations que Delphine a identifié le système dysfonctionnel qui liait son amoureux à sa mère. Cette femme asservissait ses hommes par la manipulation, la culpabilisation et par une attitude de victime parfois subtile, parfois évidente qui éveillait à volonté leur âme de sauveur. De plus, s'ils tentaient d'échapper à son contrôle, elle pouvait devenir très méchante avec eux. En vérité, Raynald et Philippe avaient peur de Béatrice. Ils ne se seraient permis d'aucune façon de la contrarier, d'autant moins qu'elle souffrait physiquement d'arthrite, de maux de tête et de diabète. Elle s'en plaignait d'ailleurs quotidiennement et ne se gênait pas pour en attribuer la responsabilité à leur présumé manque de collaboration et d'attention à son égard. Ainsi se sentaient-ils tout le temps coupables.

Raynald était conscient que sa mère se dévouait corps et âme, tant à la maison qu'à la quincaillerie. Elle consacrait des heures à diriger cette entreprise et travaillait parfois tard le soir jusqu'à épuisement, et ce, malgré sa souffrance. Il savait que, toute sa vie, elle lui avait donné tout ce qu'elle pouvait, à sa manière, pour qu'il ne manque de rien. Il se sentait très redevable et éprouvait une certaine compassion pour sa souffrance. Aussi, quand Delphine lui fit remarquer un jour qu'il se laissait manipuler par Béatrice, non seulement il ne voulut pas l'entendre, mais il se plaça spontanément en fidèle défenseur de celle qui avait besoin de lui. Parce qu'elle était réellement éprouvée par la douleur physique et qu'elle lui avait tant donné d'elle-même, il ne voulait, à aucun prix, lui causer des ennuis supplémentaires en entravant ses désirs.

À la suite de cet échange, Delphine a compris qu'elle ne pourrait jamais briser ce système dysfonctionnel qui unissait la mère et le fils. Comme elle ne voulait pas s'engager dans un triangle relationnel dans lequel elle aurait eu à se battre pour avoir sa place, elle a pris la décision, non sans peine, de quitter Raynald. Ce dernier a été sincèrement blessé par cette rupture. Cependant il n'a aucunement remis en question les liens névrosés qu'il entretenait quotidiennement avec la femme qui lui avait donné la vie.

L'histoire de Raynald et Béatrice peut paraître invraisemblable à première vue, spécialement dans notre monde occidental où règne le culte de la liberté individuelle et où les enfants se libèrent assez tôt de l'autorité parentale. Elle n'en reflète pas moins la réalité de certains couples et de certaines autres relations affectives. Cette triste expérience illustre parfaitement le système qui fait l'objet de ce chapitre, celui du couple persécuteur/persécuté.

Le persécuteur

Stephen KARPMAN[11] présente un portrait particulièrement intéressant du persécuteur dans sa description du triangle relationnel victime/sauveur/persécuteur. Ce portrait et, surtout, mes expériences cliniques m'ont inspirée dans l'élaboration des caractéristiques de ce type psychologique. Cependant, j'établis une différence importante entre le persécuteur et le bourreau, que j'ai présentée au chapitre 3. Le bourreau réagit à ses blessures par la colère défensive et par la violence verbale, non dans le but de dominer, mais pour se défendre contre son impuissance et ses besoins d'amour et de reconnaissance non satisfaits.

De leur côté, bien qu'ils soient des maîtres du contrôle et du pouvoir, le persécuteur et le manipulateur se distinguent l'un de l'autre par ce qui motive leurs réactions défensives. Le manipulateur agit afin de combler ses carences affectives en contrôlant le manipulé pour qu'il satisfasse tous ses désirs et tous ses besoins. Pour sa part, le persécuteur se défend vigoureusement pour que personne ne le fasse souffrir et ne l'anéantisse comme il l'a été dans le passé. Il tente de construire l'estime de lui-même que ses éducateurs ont détruite en prenant du pouvoir sur son entourage affectif. Alors que le manipulateur cherche à satisfaire son besoin d'amour en exigeant des autres qu'ils lui accordent tout ce qu'il veut, le persécuteur, à l'instar de Béatrice, les domine pour ne pas être dominé. Dominer est donc pour lui fondamental pour assurer sa survie psychique et pour assouvir son besoin vital d'exister. C'est pourquoi il ne supporte l'autorité de personne : il ne veut surtout pas être anéanti de nouveau.

11 Stephen KARPMAN est un psychologue états-unien, élève d'Éric Berne qui, en 1968, a ajouté deux éléments importants à l'analyse transactionnelle : le triangle dramatique et la formule K.

Cela dit, le persécuteur ne se montre pas toujours exécrable. Quand il ne sent pas son pouvoir menacé, il peut même se révéler très agréable. Dans ces moments-là, on le reconnaît comme un leader appréciable, un propulseur incomparable, voire une source intarissable de remise en question. La manifestation constructive de ses ressources est illimitée quand il n'est pas habité par la peur d'être démoli. Par contre,

> **lorsque son autorité est contestée et qu'il perd le contrôle, le persécuteur peut devenir méchant. Le pouvoir est la trousse de survie de son enfant blessé. Dans son expérience, se départir de ce pouvoir correspond à se mettre à nu et à prêter le flanc aux attaques potentielles de son entourage.**

Comment alors exerce-t-il son contrôle quand il se trouve en position de trop grande vulnérabilité ?

Quand il se sent menacé, le réflexe de domination du persécuteur s'extériorise automatiquement. Il domine en donnant des ordres, en décidant pour les autres, en corrigeant leurs erreurs sans jamais reconnaître les siennes ni en prendre conscience. Il domine en n'acceptant aucun manquement à la satisfaction de ses exigences et en défoulant subtilement ses pulsions agressives sur les autres de façon véhémente et astucieuse. Il domine en faisant payer par le rejet, la culpabilisation ou le silence réprobateur et oppressant ceux qui questionnent ou contestent son hégémonie. Par sa voix tranchante et sèche, son ton péremptoire et son attitude parfois méprisante, il crée la peur et la soumission. Parfois, ce sont ses paroles, son sourire et son air mielleux qui créent un malaise.

Comment alors un tel type psychologique peut-il entretenir des relations affectives avec les autres Comment expliquer que certains êtres humains peuvent être attirés par lui ?

Le fonctionnement psychique du persécuteur

Pour mieux comprendre la souffrance des persécuteurs, penchons-nous sur leurs blessures et sur leurs modes réactionnels.

1. Les blessures du persécuteur

Le persécuteur est, à mon avis, le type psychologique non psychotique le plus affecté par des blessures psychiques tant en nombre qu'en profondeur. Il souffre réellement de lésions traumatiques causées par le contrôle, l'humiliation, la dévalorisation, la culpabilisation, la trahison, l'incompréhension, le rejet, l'abandon et l'infériorisation. Gravement meurtri, cet être est possédé par une peur incontrôlable d'être blessé de nouveau dans ses relations. Il se caractérise donc par une sensibilité à fleur de peau et une extrême vulnérabilité qui font de lui un être fondamentalement souffrant. Tout déclencheur qui rappelle à son enfant intérieur ses expériences éprouvantes de domination vécues dans le passé serait reçu comme une flèche qui lui causerait une douleur aiguë, lancinante et insupportable s'il ne s'en défendait pas. C'est pourquoi il se blinde par un nombre incalculable de mécanismes de pouvoir pour qu'aucun être ne déclenche sa souffrance.

En réalité, plus une personne a été affectée par des blessures psychiques dans son enfance, plus elle sera défensive dans ses relations affectives ultérieures si elle n'a pas accueilli son enfant intérieur blessé.

Dans le cas du persécuteur, nous constatons que, par ses mécanismes de défense, il s'est construit au fil des ans une façade d'oppresseur pour museler complètement sa vulnérabilité intérieure. Il a trop souffert dans le passé en se montrant vulnérable. Par conséquent, il réprime et domine pour étouffer ses émotions. Autrement dit, il agit avec les autres comme il se comporte avec lui-même. Quelles sont donc les défensives du persécuteur?

2. Les mécanismes de défense du persécuteur

Mis à part les personnes qui ont inconsciemment choisi le clivage pour ne plus sentir la souffrance intolérable causée par leurs blessures, il n'existe pas, à ma connaissance, de type psychologique non pathologique plus défensif que le persécuteur. Contrairement au psychotique, qui a perdu totalement le contact avec la réalité extérieure et avec sa réalité intérieure, le persécuteur dont il est question dans cet ouvrage n'est pas coupé de son monde émotionnel. Il ressent sa souffrance psychique et il tente constamment de la juguler parce qu'elle est insupportable. En réalité, cet être reste un enfant profondément meurtri qui n'a pas grandi psychologiquement. Même adulte, il se sent constamment menacé. Il voit son entourage comme une source potentielle de prise de pouvoir sur lui et, donc, de souffrance infernale.

Perpétuellement aux aguets, le persécuteur se dote d'un arsenal défensif pour intimider et se protéger. Il veut paraître brave et invincible alors que, au fond de lui-même, il est fragile et sans défense. Son apparence de confiance en soi et de puissance dissimule un être psychiquement sensible, effrayé et désarmé.

Vigilant, il sait adapter ses modes réactionnels aux situations et aux personnes impliquées. Sa réaction inconsciente devant ses pairs étant toujours de dominer, ses mécanismes de contrôle se multiplient presque à l'infini. Il adapte ses procédés défensifs en fonction des circonstances et de l'intensité de ses blessures dans l'ici et maintenant. Parfois, il soumet les autres par la dévalorisation, l'humiliation, la culpabilisation, la morale, la critique destructive, l'infériorisation, la menace, l'insulte, le mensonge, le harcèlement, la provocation, la rébellion, le complot ou la dérision. Quand ces moyens ne fonctionnent pas, il prend spontanément, comme Béatrice, le rôle défensif du sauveur, de la victime, de la vierge offensée, du manipulateur, de l'ange, du faux repentant ou verse dans la reconnaissance et la gratitude affectées. En réalité, il change rapidement de mécanismes défensifs, motivé inconsciemment par son vécu et par la décision prise à un certain moment de sa vie d'empêcher coûte que coûte tout être vivant de déclencher en lui la souffrance de son enfant intérieur dévasté et dont les besoins ont presque toujours été insatisfaits.

3. Les besoins du persécuteur

Cet être, parfois rigide, parfois doucereux, en apparence, se pose et s'impose dans ses relations affectives pour s'occuper de ses besoins inconscients d'exister et d'être aimé. Comme son moi est très fragilisé par ses expériences passées d'abus, qu'il a honte de sa vulnérabilité et qu'il veut impérativement, comme tout être humain, exister pour les autres et être important pour eux, il ne connaît pas d'autre manière pour arriver à ses fins que de les dominer comme il a été dominé.

Évidemment ses comportements défensifs ont des causes traumatiques. L'enfance de ces êtres lourdement affectés les a marqués considérablement. Ce serait donc faire preuve d'un manque notable de compassion que de les condamner et de les juger sans chercher à comprendre ce que cache leur comportement parfois lamentable.

Origine du fonctionnement de persécuteur

Ioan était le deuxième enfant de Fabien et Noémie. Il avait quatre ans lorsque sa sœur aînée est décédée d'une leucémie aiguë lymphoblastique. Lourdement affectés par la perte de leur fille adorée, les parents de Ioan, gravement déprimés, se sont fermés à l'amour pour leur fils par peur inconsciente que la vie le leur ravisse également. Pendant des mois, Ioan a grandi avec des parents zombis qui répondaient à ses besoins physiques sans lui procurer d'affection. Cet enfant représentait pour eux une source potentielle de souffrance. Ils voulaient donc s'en détacher parce que leur attachement inconditionnel à leur fille aînée les avait plongés dans une extrême détresse après sa mort et parce qu'ils n'arrivaient pas à émerger de l'enfer dans lequel ils étaient engloutis. Ils avaient tous les deux perdu goût à la vie.

Un jour, Fabien, qui voyait sa fille partout et en ressentait constamment le manque, a décidé de déménager, de changer de travail et de recommencer sa vie dans un nouvel environnement. Motivé par son désir de recontacter sa pulsion de vie, il a même proposé à Noémie d'avoir un autre enfant. Toutes ces transformations ont produit un effet bénéfique sur leur vie et sur celle de Ioan, qui a repris sa place dans le cœur de ses parents. Tout s'est déroulé merveilleusement bien pour lui jusqu'à la naissance de Macha. Portrait physique de Sara, leur aînée, les parents ont cru que Dieu leur rendait leur fille décédée. C'est ainsi que cette enfant est devenue pour eux plus précieuse que la prunelle de leurs yeux. C'est également à partir de ce moment-là que la vie infernale de Ioan a commencé. Ses parents, au lieu de se détacher de Macha par peur de la perdre, se sont, au contraire, accrochés à elle comme à une bouée de sauvetage. Elle était leur raison et leur joie de vivre. Encore une fois abandonné et négligé, Ioan, jusque-là plutôt sage et réservé, s'est transformé en enfant rebelle et provocateur pour exister aux yeux de son père et de sa mère. Au lieu de s'attirer leur amour, par son comportement, il s'est mérité le rejet, l'humiliation, la culpabilisation et la dévalorisation. Constamment comparé défavorablement à sa sœur, la merveilleuse Macha, il n'arrivait pas à trouver sa place dans le triangle qu'elle formait avec ses parents. Les années passant, il se sentait toujours exclu et fondamentalement malheureux. Toujours considéré fautif quand il se disputait avec Macha, il écopait de punitions sévères, disproportionnées, humiliantes et injustes. Profondément blessé psychiquement, et pétri de honte, de culpabilité, de sentiments d'infériorité et d'inanité, Ioan s'est créé en vieillissant une carapace extérieure pour se protéger contre toutes les personnes réelles ou imaginaires qui pouvaient l'attaquer. De persécuté qu'il avait été dans sa famille, il est devenu le modèle parfait du persécuteur.

Comment un enfant qui grandit dans de telles conditions peut-il s'en sortir indemne psychologiquement et affectivement ? Comment un être innocent et sans défense peut-il réagir normalement avec autant de blessures ? Le persécuteur, c'est l'enfant ou l'adolescent qui a accumulé tellement de frustrations par rapport à la satisfaction de ses besoins fondamentaux que, une fois adulte, tout comme Ioan, il fait payer inconsciemment aux autres toute la souffrance qui l'habite quand elle est déclenchée par des situations, des paroles ou des gestes réels ou imaginaires qui rappellent à son enfant intérieur les meurtrissures causées par les traitements abusifs subis dans le passé. Aussi insignifiants que paraissent ces déclencheurs pour le regard extérieur, ils n'en restent pas moins terriblement souffrants pour lui. Ses réactions défensives semblent démesurées, alors qu'elles restent le seul langage qu'il connaît pour exprimer au monde la virulence de sa souffrance et son impuissance à s'en libérer.

Comment l'aider?

Si le persécuteur domine, c'est qu'il a été dominé; s'il dévalorise, c'est qu'il a été dévalorisé; s'il humilie, c'est qu'il a été humilié. En réalité, il est prisonnier de ses réactions spontanées et de leurs conséquences sur ses relations. Souvent coincé comme Ioan et Delphine dans le triangle victime/sauveur/persécuteur, il ne connaît pas la liberté et la paix dont il aurait tant besoin pour être heureux. Il recrée continuellement le système dans lequel il a grandi parce qu'il n'a pas d'autres expériences de l'amour et de la relation affective. Existe-t-il une porte de sortie à ce labyrinthe dans lequel il se débat pour voir enfin la lumière de la libération? Est-il possible de l'aider?

Tant qu'une personne peut contacter ses émotions, tant qu'elle peut ressentir sa souffrance, aussi subtile ou aussi intense soit-elle, il est toujours possible de l'aider.

Cependant, pour qu'un persécuteur se laisse aider, il est essentiel d'avoir une approche non directive avec lui afin de créer un climat de confiance et de compassion réelle qui lui permettra d'ouvrir son cœur. Toute directivité le rebute parce qu'elle lui rappelle ses expériences douloureuses du passé. Reconnaître sa force intérieure et ses talents de créateurs l'encourage également à faire confiance. Valoriser ses qualités de leader et lui faire voir, à partir de ses comportements dans l'ici et maintenant, la différence entre le leadership et la domination défensive lui procurent un éclairage sur la cause de ses difficultés et de ses échecs relationnels ainsi qu'une raison valable de poursuivre le travail sur lui-même. Si, en plus, il sent que nous sommes sincèrement touchés par sa souffrance, il peut, petit à petit, lever le voile sur sa vérité profonde.

L'important, pour aider un persécuteur, est de ne jamais tomber dans l'enseignement et les explications rationnelles de son fonctionnement. En effet, par la suite, il se servirait de ces connaissances comme matériel défensif de justification, d'intellectualisation de son vécu et, par conséquent, de domination. Toute approche centrée sur le savoir pour le savoir, toute forme de conseil et tout comportement autoritaire renforcent sa nature défensive. Seule la reformulation sans jugement de son vécu, de ses paroles et de ses comportements peut l'aider. L'intervention qui favorise l'acceptation s'avère incontestablement appropriée à la complexité de ce type psychologique. À aucun moment, il ne doit se sentir fautif et honteux en notre présence. Si nous le jugeons, il nous est alors absolument impossible de l'aider.

Lorsque nous jugeons une personne, quelle qu'elle soit, nous nous plaçons automatiquement au-dessus d'elle, ce qui rend impossible toute forme de relation avec elle, que cette relation soit amoureuse, amicale, professionnelle ou thérapeutique.

Avec un persécuteur, l'expression authentique de notre propre sensibilité à sa souffrance le réconforte parce qu'il se sent compris. Notre but comme aidant ne doit jamais être de le changer, mais de le révéler à lui-même par l'acceptation et la compréhension. De toute manière, un bon aidant ne travaille, sous aucun prétexte, à changer ceux qu'il accompagne dans leur cheminement.

C'est le souci du thérapeute formé à l'ANDC de respecter la nature véritable de l'aidé. Pour ce faire, il ne fait passer aucun test, ne pose jamais de diagnostic et ne propose aucun traitement parce qu'il n'aborde pas son client comme un malade, mais comme une personne souffrante. Son rôle est d'aider, au moyen de la relation authentique, les personnes aux prises avec des difficultés relationnelles à se connaître, à s'accepter et, par son écoute attentive et chaleureuse, à prendre soin de leurs blessures et de leurs besoins.

Il le fait par une approche non directive respectueuse de leur vérité intérieure qui convient parfaitement aux persécuteurs. Les seuls objectifs de changement, s'ils existent, sont mis en place par l'aidé lui-même, jamais par le thérapeute. Ce dernier sait que la relation authentique qu'il établit avec son client fait vivre à celui-ci une expérience transformatrice des affects négatifs, créés par ses relations passées, en affects positifs.

Tout objectif de changement de la part de l'aidant s'avère dangereux pour l'aidé, qui risque d'être dirigé sur des théories psychologiques ou sur la route de l'histoire personnelle de son thérapeute plutôt que sur la sienne.

Pour libérer un persécuteur du système qu'il entretient malgré lui avec le persécuté, il importe donc de l'aimer, de l'écouter patiemment, de le comprendre, de l'accepter et de refléter sa vérité intérieure sans la déformer et surtout sans le ménager. Cette relation vraie et saine lui apprend, par influence inconsciente, à harmoniser sa relation avec le persécuté.

Le persécuté

Dans plusieurs endroits du monde existent des femmes persécutées, parce qu'elles sont de sexe féminin ; des hommes persécutés, parce qu'ils s'opposent au gouvernement de leur pays ; des journalistes persécutés, parce qu'ils dénoncent la violence, l'injustice, la corruption ; des enfants persécutés, parce qu'ils sont sans défense ; des peuples persécutés, parce qu'ils sont différents. Bien qu'elle ne laisse personne indifférent, il n'est pas question dans cet ouvrage de cette forme de persécution pathologique, mais de celle qui existe entre certains conjoints, entre des parents et leurs enfants et entre des patrons et leurs employés. On trouve des persécutés dans les pays les plus civilisés, là où les droits de l'homme semblent le plus respectés.

Qu'est-ce donc qu'un persécuté et pourquoi s'attire-t-il des persécuteurs ?

Dariane était une femme remarquée pour son élégance, son intelligence, son sourire et surtout pour l'attention qu'elle accordait aux autres. Médecin généraliste, elle était grandement appréciée et recherchée pour son écoute et sa compassion. Sur le plan professionnel, elle se réalisait merveilleusement bien. Elle aimait son travail et elle se rendait toujours avec le même enthousiasme chaque matin à son cabinet. D'ailleurs, elle ne comptait jamais son temps. À l'observer si épanouie dans son milieu professionnel, personne n'aurait pu se douter que, dans sa relation de couple, cette professionnelle accomplie était une persécutée.

Marc-Antoine n'était pas son premier amoureux, mais comme pour tous les autres avant lui, ce qui l'avait attirée chez ce charmant blond aux yeux pers, ce n'était pas tant sa beauté que sa souffrance. Si un homme avait été abandonné par ses parents, s'il souffrait d'une maladie quelconque ou s'il rencontrait des problèmes relationnels qui le rendaient malheureux, que ce soit avec son père, sa fille, son ex-conjointe, son frère ou son patron, un sentiment affectueux très fort s'éveillait automatiquement dans le cœur de Dariane et réveillait spontanément son intérêt pour lui. Même si, dans la vie quotidienne, cet homme lui manquait parfois de respect, même s'il lui faisait des promesses non tenues, même s'il manquait parfois de considération pour elle et même si elle souffrait énormément de son ingratitude et de ses comportements persécuteurs, sa compassion pour la souffrance de cet homme était plus forte que tout. Plus il se montrait malheureux, plus elle s'attachait à lui.

Dariane incarne parfaitement les caractéristiques dominantes d'une personne persécutée. Contrairement à ce qu'on pourrait croire, ce n'est pas surtout par des comportements défensifs de victime que se distingue ce type psychologique, mais par ses côtés sauveur et masochiste.

Un mot mobilise l'énergie, l'attention et toute la vie psychique d'un persécuté, le mot *souffrance*. Comme le Christ qui a subi le chemin de la croix et a été crucifié pour sauver les hommes, le persécuté a intégré la croyance inconsciente que la libération de la souffrance des autres repose sur son sacrifice à lui, sur sa propre souffrance. Il prend même inconsciemment sa valeur et, paradoxalement, sa part de bonheur dans le fait d'être persécuté. Être le sauveur des malheureux et des victimes est sa principale mission de vie.

Il est prêt à endurer des traitements inacceptables par compassion pour la souffrance des autres.

Par conséquent, de tous les types psychologiques décrits dans cet ouvrage, le persécuté est le plus facile à manipuler. Les persécuteurs saisissent rapidement ses failles et profitent de lui allègrement. Il leur suffit de raconter leurs malheurs et de se montrer victimes, rejetés ou abusés pour réveiller son âme de sauveur. Ils savent que, devant leur souffrance feinte ou réelle, il s'oublie complètement. Faire marcher un persécuté est aussi facile pour un persécuteur que de faire obéir un chien bien dompté, aussi choquante que puisse paraître cette comparaison.

Même si le persécuté affirme détester la souffrance, il n'en reste pas moins qu'il s'en nourrit. Elle est son carburant. Pour rester fidèle à sa nature de sauveur et de masochiste, il attire les persécuteurs, les victimes, les manipulateurs comme s'il les avait cherchés. Il se laisse influencer, séduire, asservir, utiliser par leurs belles paroles, leurs mensonges éhontés, leurs plaintes exagérées et leurs déformations intéressées de la réalité. Parce qu'entendre la souffrance des autres, réelle ou inventée, le coupe de son ressenti et de son intuition, il croit fermement ces abuseurs et perd toute forme de discernement. Il accepte de subir pour les écouter, les accompagner et leur manifester sincèrement sa compassion et sa compréhension. Comme le sauveur, il défendra bec et ongles ses persécuteurs, au risque de faire souffrir énormément ceux dont se plaignent les persécuteurs pour soulager leur supposée souffrance. Donnant à la souffrance de son persécuteur toute la place, le persécuté accepte de souffrir et de faire souffrir pour l'aider.

D'une façon ou d'une autre, par sa nature masochiste et son côté sauveur, le persécuté se met tout le temps *dans la gueule du lion*, comme le dit si bien Paul-Laurent Assoun. *C'est là*, ajoute-t-il, *qu'il acquiert ses grades de champion*[12].

C'est, en effet, très valorisant pour le persécuté de souffrir et de sauver le monde. Même à son détriment, même s'il endure beaucoup, il n'a pas trouvé de façon plus satisfaisante de se rendre utile et d'être fier de lui. Non reconnu par ses persécuteurs, il l'est par son entourage. On l'admire, on l'adule, on le trouve fort, courageux, résilient, extraordinaire. On en fait presque un héros ou un ange. Son entourage lui offre toute la reconnaissance gratuite qu'il aimerait tant recevoir de ses persécuteurs mais qu'il n'obtient que lorsqu'ils le manipulent pour satisfaire leurs désirs. Parce qu'il en a besoin, ceux qui l'adulent l'encouragent involontairement à souffrir davantage pour être encore plus aimé et plus reconnu. C'est un cercle vicieux dont il ne sort pas, car il est inconscient de son rapport morbide à la souffrance. Il n'est pas conscient non plus d'en avoir besoin parce qu'il s'en nourrit pour exister, pour se donner une certaine importance à ses propres yeux et aux yeux des autres. Centré exclusivement sur la douleur psychique et physique de son entourage affectif, voire professionnel, il néglige ses propres blessures.

Le fonctionnement psychique du persécuté

Ce fonctionnement, comme nous le savons, résulte de la conjonction de ses blessures, de ses mécanismes de défense et de ses besoins.

12 Paul-Laurent Assoun. *Leçons de psychanalyse sur le masochisme*. p. 39

1. Les blessures du persécuté

Je tiens d'abord à préciser que le masochiste dont il est question ici n'est ni un pervers sexuel ni un névrosé mais une personne qui gâche son bonheur, son plaisir et son travail en s'organisant pour les rendre souffrants. Même s'il change de milieu professionnel, il continue à souffrir. Il agit comme s'il se refusait au bonheur tout en le recherchant. Il se crée donc indéfiniment des situations qui entraînent de la souffrance et il s'attire, sur le plan affectif, des personnes qui déclenchent ses blessures.

Le persécuté peut souffrir atrocement pendant toute sa vie s'il ne réalise pas le mal qu'il se fait à lui-même. Affecté de blessures causées par la culpabilisation, l'humiliation, la comparaison et, dans certains cas, la persécution, il avance dans la vie avec sa douleur comme s'il était normal de souffrir autant. Quels moyens prend-il pour supporter aussi dignement cette souffrance ?

2. Les mécanismes de défense du persécuté

Le fonctionnement de sauveur est le principal mécanisme de défense du persécuté de même que ses introjections inconscientes par rapport à la souffrance. Voyons d'abord quelles sont ces introjections et d'où elles viennent.

a) Ses introjections

Qu'il ait été influencé par l'éducation parentale ou scolaire, il ne serait pas étonnant que des relents religieux négatifs aient teinté la formation de la personnalité du persécuté. Notons que la religion n'a pas toujours des effets néfastes sur l'être humain, mais reconnaissons que c'est souvent le cas. Quoi qu'il en soit, il a intégré tellement solidement la croyance qu'il faut souffrir pour *gagner son ciel* qu'il se comporte pour donner raison à sa croyance. Ce fonctionnement n'est pas nouveau dans les relations humaines. Depuis des siècles, la littérature abonde de phrases influencées par ces introjections. À preuve, citons :

« *La force de l'amour paraît dans la souffrance.* »

Pierre Corneille (1606-1684).

« *L'homme est un apprenti. La douleur est son maître.* »

Alfred De Musset (1810-1857).

« *Je suis la plaie et le couteau ! Je suis le soufflet et la joue. Je suis les membres et la roue. Et la victime et le bourreau.* »

Charles-Pierre Beaudelaire (1821-1867).

« *L'amour c'est que tu sois pour moi le couteau avec lequel je fouille en moi.* »

Franz Kafka (1883-1924).

« *Les chances de souffrir sont d'autant plus grandes que seule la souffrance révèle l'entière glorification de l'être aimé.* »

Georges Bataille (1897-1962).

« *Ma souffrance est ma vengeance contre moi-même.* »

Albert Cohen (1895-1981).

Combien de religions, d'auteurs, d'éducateurs ont glorifié la souffrance ! Combien d'enfants ont grandi en intériorisant des principes moraux qu'on leur a répétés à souhait, du genre de ceux-ci :

« *Il faut souffrir maintenant pour être heureux quand tu seras grand.* »

« *Il faut souffrir pour réussir dans la vie.* »

« *Il faut souffrir pour être aimé.* »

« *Il faut souffrir pour être beau, intelligent et prospère.* »

À cause de ces introjections, de nombreuses personnes ont souffert toute leur vie dans l'espoir d'être au moins libérées dans l'au-delà. Convaincues que, pour mériter cette récompense ultime, elles doivent subir des malheurs ici-bas, elles se conditionnent inconsciemment pour continuer à souffrir. Leur principal moyen de nourrir leur souffrance est de prendre en charge celle des autres.

Son comportement de sauveur

Nous retrouvons sous ce titre toutes les caractéristiques du sauveur décrites au chapitre 4. Cela dit, le persécuté ne *sauve* pas seulement pour juguler la souffrance causée par ses croyances coercitives, mais aussi pour dissoudre sa culpabilité et son sentiment de médiocrité. Par ce mécanisme défensif, pour se protéger contre sa propre douleur psychique d'inférieur, de honteux et de fautif, il s'arroge le pouvoir de soulager la souffrance des autres. Ainsi, il n'est plus minable ni mauvais ni envahi, mais tout-puissant. En contrôlant les personnes de son entourage affectif pour les empêcher de souffrir, il se place en position de supériorité pour ne plus ressentir sa propre souffrance tout en l'entretenant. Il présente ainsi à son regard et à celui des autres un être bon, généreux, efficace et omnipotent.

Si le persécuteur domine par la manipulation, la culpabilisation et l'autoritarisme, le persécuté contrôle les autres en prenant en charge leur douleur psychique réelle, imaginaire ou potentielle.

> **Lorsque le persécuté se sent coupable et de moindre valeur, il se considère comme un sous-homme ; lorsque, supporté par ses introjections, il *sauve l'humanité*, et qu'il en souffre, il se transforme automatiquement à ses yeux en surhomme détenteur d'une puissance infinie.**

Comme tous les autres types psychologiques, le persécuté n'est pas conscient de son fonctionnement défensif. Il ignore qu'il nourrit sa propre souffrance en ne s'occupant pas de ses blessures. Il ignore qu'il les projette sur les autres et que, en prenant soin d'eux, il tente de se soulager d'une manière détournée et incontestablement nocive à sa santé psychique et relationnelle. Il ne sait probablement pas non plus qu'il a une part importante de responsabilité dans la création des systèmes dysfonctionnels et souffrants qu'il forme avec ses persécuteurs. Il en résulte que, lorsqu'il en quitte ou en perd un, il s'en attire fatalement un autre. Il ignore que son immense besoin d'être reconnu et aimé ne sera jamais satisfait. Sa confiance en sa valeur sera toujours ébranlée tant et aussi longtemps qu'il ne conscientisera pas ses introjections étouffantes et oppressantes par rapport à la douleur et qu'il se contentera de la reconnaissance qu'on lui manifeste pour son mécanisme de défense de sauveur prodigieux de la veuve et de l'orphelin. La connaissance de la cause de son fonctionnement pourra peut-être l'aider à tourner le regard vers son enfant intérieur qui attend d'être enfin vu dans ses véritables blessures.

Origine du fonctionnement de persécuté

En plus des introjections qui ont hypothéqué leur droit au plaisir et au bonheur dans l'ici et maintenant, certains persécutés, qui ont grandi avec des parents qui ne s'entendaient pas ou avec un parent malade ou dépressif, ont pu se sentir responsables, pour une raison ou pour une autre, de leur souffrance. Ces sentiments de responsabilité et de culpabilité ont pu les pousser à vouloir se libérer de l'affliction dans laquelle cela les plongeait. Par la suite, ils ont pu développer le même comportement avec leurs frères et sœurs.

Il est possible aussi que le sentiment d'infériorité et de médiocrité du persécuté ait pris naissance dans sa comparaison avec un père ou une mère ou un autre éducateur significatif qu'il admirait pour son intelligence, sa perspicacité, sa détermination, son leadership, son audace, ses habiletés relationnelles ou ses réalisations personnelles et professionnelles. Cette admiration peut l'avoir incité à s'imposer des exigences de performance et de perfectionnisme. Ces contraintes le faisaient souffrir, car elles ne respectaient pas nécessairement sa véritable nature et dépassaient continuellement ses limites physiques, psychiques et intellectuelles. Au lieu de chercher ses points de référence en lui-même, il les a pris dans ce modèle qu'il aimait et qu'il admirait, ce qui ne lui a valu que de la souffrance.

Certains persécutés ont, au contraire, établi leurs points de comparaison sur une base négative. Au lieu de souhaiter ressembler à un parent qu'ils considéraient remarquable, ils ont tenté de s'en démarquer à tout prix. Touchés et concernés par certains comportements qu'ils réprouvaient chez leur père ou leur mère, ils ont voulu, par culpabilité, sauver la relation sans s'identifier à eux. Cette situation a généré un déchirement intérieur insupportable. Coincés entre leur sentiment de culpabilité causé par l'ingratitude et leur désir de se distinguer, c'est par le mécanisme défensif de *sauveur* qu'ils se sont donné bonne conscience. En se montrant magnanimes avec ce parent pour ne pas le blesser, ils ont nourri leur propre souffrance et ils ont avancé dans la vie comme des équilibristes qui s'accrochent à leur balancier de sauveur pour éviter de tomber.

À ceux-là s'ajoutent les enfants dont les éducateurs parentaux véhiculaient des valeurs religieuses d'abnégation, de don inconditionnel de soi, de rachat des fautes par la souffrance. Ces enfants ont vu probablement un de leurs parents sacrifier sa vie pour se pencher sur la douleur physique ou psychique de l'autre ou sur celle de son entourage affectif, à son détriment. Pour empêcher les autres de souffrir, ce parent qui valorisait sa souffrance n'accordait pas de place à son vécu ni à ses besoins. Il tirait sa valeur de la prise en charge des problèmes de ses proches. Il souffrait énormément de son sacrifice et du peu de gratitude que lui témoignaient en retour ceux qu'il s'acharnait à soutenir dans leurs épreuves. Ces persécutés qui ont grandi avec un tel éducateur ont admiré sa puissance et envié la reconnaissance qui lui était manifestée par l'entourage de ceux qu'il protégeait. En s'identifiant à lui, ils ont intégré non seulement son côté sauveur du monde, mais aussi le côté masochiste qui lui était inextricablement lié. Avec un passé aussi lourd de conséquences, la question pertinente qui se pose ici est : comment aider les persécutés sans les sauver ?

Comment aider un persécuté ?

Pour l'aider, il serait bénéfique de faire voir au persécuté que sa véritable puissance ne se trouve ni dans sa recherche de souffrance ni dans sa perche de sauveur, mais à l'intérieur de lui-même. Pour rester des semaines, des mois, voire des années dans une relation dysfonctionnelle dans laquelle il n'est ni reconnu ni aimé, mais persécuté, il est loin d'être minable intérieurement. Il doit comprendre que, malheureusement, à cause de sa culpabilité, de son infériorité et de ses introjections masochistes, il utilise un moyen pour être aimé qui l'empêche d'exploiter sa véritable puissance et de tirer profit de ses ressources infaillibles que sont le ressenti, l'intuition et la perspicacité.

Il est impératif que le persécuté déterre et conscientise les certitudes délétères et inconscientes qu'il a introjectées lorsqu'il était enfant et qu'il se libère des croyances suivantes : il faut souffrir pour

être heureux; en se sacrifiant pour les autres, on les soulage de leur douleur; en s'octroyant la responsabilité de délivrer tous ceux qu'on aime de leur souffrance, on satisfait leurs besoins.

Si le persécuté ne prend pas conscience que ses besoins ne seront jamais assouvis tant qu'il ne s'aimera pas assez et qu'il ne se reconnaîtra pas suffisamment pour se libérer de ce masochisme oiseux, autodestructeur et destructeur, il nourrira sa souffrance.

Un changement se produira dans ses relations lorsqu'il comprendra qu'en voulant aider les persécuteurs, il leur nuit considérablement et les enfonce dans leur fonctionnement parce qu'il les infantilise et crée avec eux une dépendance qui augmente sa propre souffrance, entretient son masochisme et nourrit son comportement de sacrifié.

Se dégager de ses défensives est loin d'être une démarche banale pour celui qui, comme Dariane et Ioan, souffre de persécution. Comme le persécuté a toujours satisfait tant bien que mal ses besoins d'amour et de reconnaissance en se penchant sur la souffrance des autres à son désavantage, il a peur, s'il questionne ce fonctionnement défensif, de perdre l'amour et l'admiration qu'il fait naître autour de lui par ses capacités d'endurance, de tolérance, de résilience, de compassion et par ses talents de sauveur fabuleux.

Que deviendra-t-il sans son balancier ? Qu'est-ce qui l'empêchera de tomber dans le gouffre de ses sentiments d'infériorité et de culpabilité ? Pour l'aider dans son travail d'équilibriste, il faut remplacer sa perche habituelle par une autre plus délicate, mais tellement plus puissante, celle de l'écoute de son enfant intérieur blessé par ses comportements destructeurs. En écoutant cet enfant meurtri, en accueillant sa blessure et en lui vouant autant de compassion, de compréhension et d'amour qu'il en a toujours accordé à la souffrance des autres, il sera conduit vers ses véritables ressources et vers la résolution de ses difficultés relationnelles. Enfin il pourra entendre le langage de son ressenti et de son intuition, et orienter sa vie vers le plaisir et la liberté intérieure. Il se dégagera ainsi progressivement du système dysfonctionnel persécuteur/persécuté et, par le fait même, du système supérieur/inférieur qui fera l'objet du prochain chapitre.

Chapitre 9
Le système supérieur/inférieur

Exemple de Kevin et Agathe

Kevin a grandi avec un père qui, bien que non dépourvu d'intelligence, n'avait pas eu la chance de fréquenter l'école très longtemps. Ce père, doué d'une intelligence du cœur et d'un gros bon sens exceptionnel, était simple, bon, juste, travailleur et dévoué à sa famille. Cependant, vu son manque d'instruction, il s'infériorisait par rapport à Agathe, son épouse, qui, quand il l'avait connue, enseignait à l'école du rang où il vivait[13]. *Durant toute son enfance et toute son adolescence, Kevin a été témoin du système dysfonctionnel qui unissait ses parents. Sa mère, dernière d'une famille de neuf enfants, avait des origines très modestes. Elle avait été élevée dans la pauvreté et, dans sa famille, les repas étaient fréquemment composés uniquement de pâtes. Comme elle avait souffert de fréquentes privations et qu'elle en avait honte, elle avait souhaité, très*

13 Avant les années 60 au Québec, les écoles de campagne étaient fréquentées surtout par les filles, les garçons devant aider leur père à la ferme. De plus, l'enseignement était dispensé par des jeunes filles célibataires que le Département d'Instruction Publique obligeait à quitter leur emploi si elles se mariaient.

jeune, devenir institutrice pour sortir de ce milieu misérable. Grâce à un travail acharné, elle avait pu réaliser son rêve.

Quand elle a épousé René, elle avait la ferme intention de ne pas revivre ce qu'elle avait vécu. Elle ne voulait surtout pas que ses enfants connaissent la misère qu'elle avait connue. Elle souhaitait leur épargner la honte qu'elle avait ressentie pendant toute son adolescence par rapport à l'analphabétisme de ses parents et aux conséquences de cet illettrisme sur toute la vie de la famille. Par-dessus tout, elle avait l'intention ferme que ses enfants ne souffrent jamais de pauvreté. Kevin reconnaissait d'ailleurs que sa mère s'était donnée corps et âme pour qu'il ne manque de rien. Cependant, comme elle ne voulait pas offrir au monde extérieur l'image d'une famille misérable comme la sienne, elle accordait une priorité aux apparences. Ses enfants devaient être impeccables et surtout instruits. Elle méprisait le manque d'instruction de son mari et ne manquait pas une occasion de se servir de son diplôme et de son savoir pour se supérioriser par rapport à lui.

Souhaitant cacher ses origines, elle fréquentait peu sa famille. Pourtant Kevin avait un attachement particulier pour ses grands-parents maternels, mais Agathe avait tellement peur que ses enfants manquent d'ambition dans la vie qu'elle s'organisait pour que ceux-ci voient le moins possible son père, sa mère et sa fratrie. Pour elle, ils représentaient toute la souffrance qu'elle avait refoulée dans le passé. Son attitude de supériorité envers sa famille et envers René, de même que sa flagrante fausseté dérangeaient Kevin, d'autant plus qu'il n'aimait pas l'école et qu'il ne souhaitait d'aucune façon être le professionnel qu'Agathe avait décidé qu'il devienne. À l'adolescence, il la confrontait par son désintérêt pour le travail intellectuel et sa passion pour la mécanique automobile. Il exécrait ses airs de grande dame et ses allures affectées. D'une part, il se sentait coupable de la décevoir, mais, d'autre part, il préférait s'identifier à son père, parce qu'il réprouvait totalement la mégalomanie de sa mère. Toujours comparé défavorablement à son frère, qui avait choisi le droit, et à sa sœur, qui s'orientait vers la médecine, il éprouvait un sentiment profond d'infériorité et de honte du fait que ses résultats scolaires étaient déplorables.

Quand Kevin m'a raconté son histoire, il se préparait à quitter sa troisième conjointe. Il venait de réaliser que les femmes qu'il avait aimées se montraient toutes supérieures à lui, comme sa mère, et qu'il avait reproduit avec elles le même système supérieur/inférieur que celui de ses parents. Il se sentait prisonnier de ce fonctionnement, qui condamnait ses relations amoureuses à l'échec et à la souffrance.

Qu'est-ce qui caractérise le type psychologique *inférieur* et qui explique l'attraction des personnes comme Kevin pour ceux qui se placent en position de supériorité dans la relation ?

L'inférieur

L'inférieur est un être qui, généralement, souffre d'un manque de confiance en lui-même, tout comme la victime, mais sans nécessairement en être une. Il doute constamment de lui et a une énorme difficulté à reconnaître ses talents, ses qualités et son potentiel. Comme il se compare toujours défavorablement, il se dévalorise et se diminue en permanence. Pour parler de lui, il utilise des mots qui sont rarement positifs. Parce qu'il ne se sent jamais à la hauteur, il a tendance à idéaliser les autres et à les envier, ce qui nourrit son sentiment d'infériorité. Dans bien des cas, c'est un perfectionniste, comme le coupable, qui n'ose pas passer à l'action par peur de se tromper, d'échouer et, conséquemment, d'être jugé, rejeté ou critiqué. Comme il a honte d'être si timoré, il s'affirme peu et il est anxieux devant la compétition. Quels que soient ses efforts, il est convaincu qu'il sera perdant s'il rivalise avec quelqu'un. Sa tendance à se dévaloriser continuellement le prive très souvent de la motivation nécessaire au passage à l'action.

Il y a dans le psychisme de l'inférieur un saboteur qui l'empêche de s'occuper de ses besoins et de réaliser ses rêves.

Dès qu'il se fixe un objectif, ce saboteur lui répète incessamment : *Surtout, ne rêve pas en couleur, tu sais que tu n'es pas à la hauteur, que tu es un incapable, que d'autres peuvent réaliser ce projet mieux que toi.* S'il ose entreprendre une action pour actualiser son rêve, la petite voix intérieure devient plus insistante : *Tu vas échouer, c'est sûr. Pourquoi te démènes-tu autant alors que tu sais très bien que tu es nul et que tu es un raté ?*

Même si l'intention de ce saboteur psychique est de le protéger contre la souffrance, il n'en reste pas moins que si l'inférieur lui donne trop d'importance, il laissera mourir ses rêves et deviendra un être frustré, déçu et de plus en plus en accord avec ce saccageur d'aspirations. Quelles sont les blessures passées qui ont donné naissance à cet intrus qui empoisonne la vie d'un grand nombre de personnes ?

Le fonctionnement psychique de l'inférieur

Encore une fois, ce fonctionnement global résulte de ses blessures d'enfant, de ses besoins non satisfaits et de la manière dont il se défend de sa souffrance.

1. Les blessures de l'inférieur

Le manque d'amour de soi, la honte, l'envie, le ressentiment, les frustrations et le sentiment d'incompétence vécus par l'inférieur reflètent parfaitement ses blessures profondes causées par l'humiliation, la dévalorisation et la comparaison.

Comme son père, Kevin se sentait petit psychologiquement, par rapport au reste de sa famille. Convaincu d'être dépourvu d'intelligence parce qu'il n'était pas professionnel comme son frère et sa sœur, il avait sur lui-même un regard négatif qui le rendait malheureux. Même s'il adorait son métier de mécanicien et qu'il était manifestement très compétent en ce domaine, il ne pouvait s'empêcher de croire qu'il était le raté de la famille. Ses échecs amoureux amplifiaient d'ailleurs sa croyance. Il se considérait comme un faible, un poltron, un être absolument indigne de considération et d'amour. Il en voulait énormément à sa mère et, comme elle, il visitait rarement sa famille mais pour des raisons opposées à celles qui animaient Agathe. Cette dernière se positionnait au-dessus des siens, alors que lui se plaçait en dessous. C'était sa manière de se défendre contre le sentiment de nullité insoutenable qu'il ressentait en leur présence.

2. Les mécanismes de défense de l'inférieur

Le mécanisme de défense le plus destructeur de ce type psychologique est l'infériorisation, causée par la comparaison dévalorisante. Kevin n'est pas le seul à en souffrir.

> **Dans nos sociétés, tant à la maison, à l'école qu'ailleurs, on mesure trop souvent la valeur d'un être humain en fonction de son apparence et de ses performances sans valoriser ses qualités de cœur, ses forces relationnelles et ses capacités d'intériorisation.**

Même le dépassement de soi et le plaisir que procure cette démarche sont dédaignés au profit d'une recherche de dépassement des autres. Les enfants qui, comme Kevin, ont grandi dans une famille où l'éducation reposait sur la comparaison fondent leurs relations sur ce mécanisme de défense et ignorent où se trouve leur véritable valeur.

Comment le phénomène de l'infériorisation se produit-il ?

L'inférieur ayant été comparé défavorablement lorsqu'il était enfant et adolescent, a introjecté les paroles de l'autorité paternelle ou maternelle qui l'infériorisaient. De cette manière, devenu adulte, il n'a pas besoin de ses parents pour nourrir son sentiment d'infériorité. En effet, les paroles introjectées par rapport à l'autorité lui rappellent constamment, au moyen de la petite voix intérieure du saboteur, qu'il sera toujours, quoi qu'il fasse, un inférieur.

C'est pourquoi il se rabaisse, se dévalorise et s'isole fréquemment. Sa relation avec les personnes de son entourage est continuellement ébranlée par la comparaison. Il a tendance à idéaliser les autres et à leur prêter des qualités et des talents qu'il ne se reconnaît pas parce qu'il prend ses points de référence à l'extérieur plutôt qu'à l'intérieur de lui-même. Tellement convaincu de son infériorité, il n'est pas en contact avec ses propres capacités créatrices et projette sur son entourage l'image qu'il entretient de lui-même. Autrement dit, il imagine que les autres le trouvent nul et insignifiant, et il fonde sa relation avec eux sur cette croyance.

Il existe évidemment certains points communs entre l'inférieur et le honteux. Il en sera question au chapitre 11. Ce qui les rapproche, notamment, est leur manque d'écoute incontestable de leurs besoins psychiques fondamentaux.

3. Les besoins de l'inférieur

Quels besoins un être blessé comme Kevin doit-il satisfaire pour émerger de son sentiment chronique d'infériorité ?

Tous les Kevin du monde souhaitent consciemment ou non être aimés, vus et reconnus pour ce qu'ils sont et non en comparaison avec qui que ce soit. En fait, ils ont besoin de prendre conscience de leur unicité et de ressentir leur singularité. Avec eux, le mot *particularité* convient mieux que le mot *différence* qui, lui, implique une certaine forme de comparaison. La particularité se définit comme étant un trait spécifique à une personne. Si nous disons à un inférieur *Ta manière d'écouter les autres est vraiment une caractéristique particulière chez toi*, il ne pourra que se sentir unique. Par contre, si nous lui disons qu'il écoute différemment, il lui viendra spontanément à l'esprit, à la suite de cette remarque, la question suivante : *différemment de qui* ?

Le mot « différence » comporte inévitablement une comparaison. Avec une personne qui ne souffre pas d'infériorité chronique, l'utilisation de ce vocable n'a pas la même portée sur le plan psychique qu'avec un inférieur qui, à cause de son histoire de vie, a besoin que son originalité soit reconnue comme une valeur incomparable, spéciale, inimitable, unique.

L'origine du fonctionnement d'inférieur

Plusieurs facteurs peuvent être à l'origine du fonctionnement psychique d'inférieur. Nous le trouvons chez les personnes qui ont été comparées désavantageusement et qui ont manqué de reconnaissance, de valorisation et d'encouragement. Comme la comparaison infériorisante comporte généralement une forme de jugement négatif et du fait que ces personnes se considèrent *moins* que les autres, elles sont habitées par une peur d'être jugées.

Le type psychologique *inférieur* a grandi avec des éducateurs qui, pour la plupart, attendaient de lui qu'il performe et qu'il soit non seulement *bon*, mais *le meilleur.* Cet enfant, comme Kevin, a appris très jeune à évaluer sa valeur en prenant les autres comme instruments de mesure et à conformer ses comportements et ses choix à ce qu'il pensait que son entourage considérerait remarquable.

Le drame de l'inférieur est qu'il est persuadé de ne jamais atteindre l'envergure des attentes qu'il suppose aux autres à son égard pour être reconnu et aimé.

En ce sens, il ressemble à un athlète du saut en hauteur qui fait toujours tomber la barre quand il saute et qui n'arrive jamais à remporter le concours parce qu'il y a toujours dans la compétition une personne meilleure que lui. Avec cette façon d'aborder la vie, il n'est jamais tranquille et souvent déçu, démotivé, parfois même désespéré.

L'inférieur peut aussi avoir été élevé par un parent qui représentait pour lui un idéal de perfection qu'il n'a jamais réussi à atteindre. Une fois devenu adulte, il idéalise encore ses éducateurs et se vit forcément inférieur à eux. Comme l'idéalisation, contrairement à l'admiration, est un mécanisme de défense qui consiste à déformer la réalité, la personne continuera à utiliser cette défensive dans ses relations affectives pour fuir sa réalité intérieure et pour anesthésier sa souffrance dans le but d'échapper à son sentiment d'infériorité. En idéalisant, par exemple, son conjoint, il le placera tellement haut et le considérera tellement parfait qu'il peut, en se reconnaissant inférieur, justifier son inaction. Ainsi, l'autre pouvant tout, étant tout, il ne sert à rien pour l'inférieur de développer son potentiel, car il n'arrivera jamais à la cheville de son conjoint. L'idéalisation, si elle n'est pas conscientisée, peut isoler l'inférieur, l'empêcher d'exploiter sa créativité et le priver de relations affectives satisfaisantes.

Chercher l'homme idéal, la femme idéale ou l'amour idéal mène nécessairement à la désillusion et à la solitude.

Si, à l'opposé, l'inférieur cultive la croyance que, pour être quelqu'un, il doit être *le meilleur*, il sera aussi très malheureux lorsqu'il n'atteindra pas cet objectif. Par quel moyen alors peut-il trouver une voie qui l'apaisera intérieurement et qui l'empêchera de s'attirer des supérieurs ?

Comment aider l'inférieur ?

L'inférieur doit d'abord prendre conscience de l'image négative qu'il a de lui-même et qu'il projette sur les autres, et des pensées autodestructrices qui en découlent. Il doit réaliser aussi que, en idéalisant les autres, il nourrit son infériorité et attire vers lui les personnes de type *supérieur*. En effet, ces dernières ont besoin d'être reconnues et adorent être idéalisées. Elles ne se rendent pas compte qu'elles ne sont pas vues telles qu'elles sont par l'inférieur, mais telles que celui-ci souhaiterait qu'elles soient. Un système dysfonctionnel se crée alors qui rend leur relation difficile à vivre.

Ce problème d'idéalisation se pose fréquemment dans les relations qu'établissent les inférieurs avec certaines personnes en position d'autorité, particulièrement celles qui les écoutent et reconnaissent leur valeur. Ces autorités, qui représentent le parent idéal qu'ils ont rêvé d'avoir un jour, ne sont pas vues telles qu'elles sont par lui, ce qui crée forcément une relation avec elles de type inférieur/supérieur. Dans ce cas, la personne idéalisée ne doit jamais rentrer dans le jeu transférentiel du personnage du père idéal, de la mère idéale ou du thérapeute idéal. Il est fondamental qu'elle continue à offrir son écoute attentive chaleureuse sans ménager. Rester soi-même avec un inférieur et tout autre type psychologique est essentiel pour qu'il s'accepte aussi comme un être humain normal et aimable avec ses forces et avec ses limites.

Pour rehausser chez l'inférieur l'opinion qu'il entretient de lui-même, notre reconnaissance de ce qu'il est et de ce qu'il réalise revêt une importance capitale. Elle peut l'aider à s'attribuer de la valeur et à cesser de se mesurer aux autres et de les idéaliser. Cependant, trois conditions sont essentielles pour que cette reconnaissance soit efficace :

1. Elle doit être impérativement sincère.
2. Elle doit être juste, c'est-à-dire jamais démesurée par rapport à la réalité. Sans cette condition, elle n'est pas crédible et agit comme un coup d'épée dans l'eau.
3. Elle doit impérieusement être en lien avec une situation qui se produit dans l'ici et maintenant. La reconnaissance décrochée d'une circonstance ou d'un événement présent ne nourrit pas vraiment. Au contraire, à la longue, elle crée le doute dans l'esprit de l'inférieur parce qu'elle ne s'appuie sur rien de tangible à ses yeux.

Vicky se plaignait souvent du manque de gratitude et de valorisation de son conjoint à son égard. Pourtant Cédric la reconnaissait dans des occasions spéciales, comme son anniversaire, et seulement en présence d'autres personnes, jamais en privé. Elle ne comprenait pas pourquoi, dans ces situations particulières, elle n'arrivait pas à se nourrir de ses belles paroles ni même à le croire, alors que ses amies l'enviaient d'avoir un amoureux qui la comblait de tant d'éloges. Quand je lui ai expliqué que la reconnaissance exprimée à une personne uniquement devant un auditoire et jamais en tête-à-tête était un moyen qu'utilisaient certains supérieurs pour être reconnus eux-mêmes, elle a cessé de se penser anormale. Je fais une parenthèse ici pour mettre en garde le lecteur par rapport au danger de la généralisation et pour lui certifier qu'un grand nombre de reconnaissances publiques, verbales ou écrites, sont bien ressenties et parfaitement sincères. Même ceux qui, comme Cédric, se servent de cette tactique pour être reconnus ne sont, comme nous le verrons plus loin, ni malhonnêtes ni de mauvaise foi. Cédric était en réalité affamé de valorisation à cause de son histoire passée. Aussi se gavait-il des louanges qui lui étaient adressées quand il reconnaissait sa conjointe publiquement. Vicky ne pouvait recevoir avec satisfaction les compliments de son amoureux parce qu'aucune des trois conditions énumérées ci-dessus n'était respectée dans le discours de Cédric.

C'est donc dire que, si nous voulons aider un inférieur, il ne faut surtout pas tricher ni le sauver en manquant de justesse dans nos propos dans le but bien intentionné de lui porter secours. Nous devons plutôt lui refléter sa manière unique d'être et d'agir, et l'encourager fortement à identifier ses rêves et à passer à l'action. Puisqu'il est convaincu d'être un incapable et de ne pas pouvoir réussir, seul l'établissement d'étapes claires et de réalisations concrètes de ces étapes lui inculquera petit à petit la confiance en ses capacités. Il suffit de lui apprendre à se fixer des objectifs réalistes et non utopistes et à avancer un pas à la fois à la mesure de ses aptitudes physiques et psychiques et de ses limites, dans le respect total de ce qu'il est, et ce, sans le comparer à personne. Ainsi, devant ses victoires, un sentiment de fierté surgira dans son psychisme. Ce sentiment éveillera sa confiance en lui-même et l'encouragera à poursuivre sa démarche, à son rythme, pour atteindre son but.

Comme l'inférieur est soit un athlète du saut en hauteur qui se démène pour sauter par-dessus la barre sans la faire tomber ; soit un vaincu qui n'ose plus agir ni s'affirmer par peur de se tromper, d'échouer ou d'être infériorisé, il est souvent épuisé et désabusé. Dans les deux cas, il n'a pas souvent accès au plaisir.

En s'acharnant pour performer, avec la peur constante de l'échec, ou en s'écrasant devant les défis de la vie, il n'arrive pas à toucher la joie de vivre. Étant donné que, trop souvent, il n'arrête pas ses choix en fonction de ce qu'il aime, mais en fonction de l'opinion des autres, il met toujours l'accent sur les résultats plutôt que sur le processus. C'est le cas du marcheur du dimanche. Dans un parc magnifique, au lieu de profiter de la beauté de la nature, de s'imprégner de son calme et de sa fraîcheur, de jouir d'un temps de détente, de savourer le moment présent, il se stresse parce qu'il n'a pas terminé son rapport. Craignant de ne pas être à la hauteur de ses collègues, il s'inquiète et rentre chez lui plus tôt que prévu pour parfaire son travail, au point de le complexifier au lieu de le simplifier. Malgré son acharnement, il n'accède pas à la satisfaction recherchée. Préoccupé excessivement par les résultats, il perd contact avec lui-même dans le présent, ce qui l'empêche, par conséquent, d'être à l'écoute de ses véritables besoins. Plutôt que de se pencher sur son enfant intérieur meurtri, au lieu d'agir dans le plaisir et d'exploiter ses inépuisables richesses intérieures sans les comparer, il se défend contre une souffrance non entendue en s'activant avec lassitude et en s'infériorisant. Par son manque de reconnaissance de lui-même, il s'attire, sur le plan relationnel, des personnes de type *supérieur* qui alimentent son sentiment d'infériorité et avec lesquelles il crée le système inférieur/ supérieur décrit dans ce chapitre.

Le supérieur

On retrouve chez ce type psychologique plusieurs traits caractéristiques à l'inférieur, tout simplement parce que le supérieur est en réalité un inférieur inconscient de sa blessure d'infériorité.

À l'instar de celui-ci et malgré les apparences, il manque aussi de confiance en lui-même et ne s'accepte pas tel qu'il est parce qu'il a aussi souffert des conséquences dévastatrices de la comparaison.

Le fonctionnement psychique du supérieur

Comme la plupart des types psychologiques prisonniers d'un système relationnel dysfonctionnel, l'inférieur et le supérieur partagent des points communs psychiquement. Ils se distinguent surtout par leur manière de se défendre contre leurs blessures et leurs besoins non assouvis.

1. Les blessures et les besoins du supérieur

Le supérieur souffre d'un sentiment intense d'insécurité. Sa perpétuelle peur d'être rabaissé, humilié, comparé défavorablement le soumet, à l'instar de l'inférieur, au regard du monde extérieur qui représente pour lui un danger d'infériorisation permanente. Comme il a introjecté la croyance que, pour être aimé, il se devait de performer pour atteindre partout la première place, il cherche par tous les moyens à dépasser les autres, tant par son savoir, son intelligence, ses talents que par ses réalisations.

Contrairement à ce que nous pourrions croire, ce n'est pas tant le besoin de reconnaissance qui motive le supérieur que le besoin d'amour. Pour lui, l'équation est simple et sans équivoque : s'il dépasse les autres et qu'il est reconnu, il récoltera inévitablement de l'amour.

Dépasser les autres et être reconnu
= être aimé.

Ne pas dépasser les autres et ne pas être reconnu
= être privé d'amour.

Cette croyance inconsciente bien ancrée dans leur psychisme explique la raison pour laquelle un grand nombre de supérieurs désirent constamment obtenir les avantages dont jouissent les personnes qu'ils n'ont pas réussi à surpasser. Ils considèrent alors ces personnes comme des compétiteurs, voire comme des ennemis.

Étant donné que pour eux être supérieur signifie être aimé, ils jalousent ceux qui leur ravissent la première place et ils se placent en compétition avec eux. Pour les supérieurs la vie est une série de concours qu'ils doivent gagner pour se mériter le premier prix, un prix qui se nomme amour et qui n'est attribué qu'aux meilleurs.

Comme Agathe, ils sont viscéralement convaincus que, s'ils ne se positionnent pas au-dessus des autres, ils perdront de la valeur et seront relégués au rang des inférieurs, qu'ils jugent et regardent de haut. Se voir eux-mêmes dans cette position, qu'ils jugent dégradante vu leur histoire de vie, est insupportable. Dans leur expérience psychique inconsciente, l'infériorité est synonyme de déconsidération et de mépris. Leur interprétation de leur réalité se transforme alors en projection. En effet, ils projettent sur le monde extérieur le regard méprisant qu'ils portent sur eux-mêmes quand ils se sentent inférieurs. Selon eux, le monde est composé exclusivement de supérieurs et d'inférieurs. Pour se classer dans la première catégorie et ne pas souffrir d'infériorité, ils réagissent constamment par la défensive.

2. Les mécanismes de défense du supérieur

La souffrance du sentiment d'infériorité et d'inanité est tellement forte chez le supérieur qu'il s'en défend quotidiennement par la supériorité pour ne pas la ressentir. Il tente continuellement de se prouver à lui-même et de prouver aux autres qu'il est *quelqu'un*. Par sa fausse attitude de confiance en lui, il cherche fréquemment à montrer qu'il *peut* ce que les autres ne peuvent pas et qu'il sait ce que les autres ne savent pas. Par exemple, cette personne préfère affirmer sans vergogne n'importe quoi plutôt que de dire simplement : *Je ne sais pas.* Prononcer une telle phrase représente un danger pour elle. N*e pas savoir*, c'est reconnaître son infériorité et, par conséquent, ne plus être aimée. Elle n'hésitera donc pas à se vanter, à mentir ou à en imposer et elle cherchera à améliorer sa position sociale et son train de vie pour rester au-dessus de la mêlée. Pour elle, l'autre est souvent un instrument de mesure de sa valeur. S'il est au-dessus d'elle, elle le jalouse ; si elle le dépasse, elle s'adresse à lui avec condescendance, sous des dehors de politesse et de déférence feintes. Dans sa position de supériorité, il n'est pas rare que ce type psychologique devienne le *juge* décrit au chapitre 11. Toutefois, avant de verser dans le jugement par rapport à lui, essayons de comprendre l'origine de ses cuisantes blessures.

L'origine du fonctionnement de supérieur

La plupart du temps, le supérieur souffre d'une blessure d'infériorité parce qu'il a connu, enfant, des expériences scolaires et familiales semblables à celles de l'inférieur. La différence entre les deux se manifeste par le choix inconscient de leurs mécanismes de défense. Les deux ont subi les effets dommageables de la comparaison, mais l'un s'en est défendu en s'infériorisant, comme Kevin, et l'autre, en se supériorisant, comme Agathe. Lorsqu'il se rabaisse ou se place au-dessus des autres, aucun de ces deux types psychologiques n'entre en contact avec sa vérité intérieure, sa vulnérabilité et ses blessures. Tout ce qu'ils veulent, c'est de ne pas ressentir la souffrance causée par le sentiment d'infériorité.

Les personnes habitées par ce sentiment chronique ont généralement été éduquées par des parents prisonniers du système supérieur/inférieur ou ont vécu à l'école un sentiment lancinant d'infériorité causé par leurs difficultés d'apprentissage ou par l'attitude méprisante de leurs camarades de classe à leur égard. Ces personnes passent leur vie à se comparer.

Comme il nourrit une image négative de lui-même, l'inférieur cultive le sentiment d'être moins que ceux à qui il se compare. Ce sentiment le porte à sous-exploiter son potentiel. Par contre, le supérieur, qui veut toujours être le meilleur, se démène toute sa vie pour se hisser au-dessus de ses semblables sans être attentif à la voix de son ressenti et de son intuition.

Cela a été très souvent le cas de Gabriel.

Lorsque sa sœur a rencontré Yannick et qu'elle l'a présenté à sa famille, Gabriel a vite éprouvé de l'admiration pour ce jeune homme beau, élégant, intelligent et qui s'exprimait magnifiquement bien. Rapidement il s'est identifié à lui pour ensuite se comparer et tenter de prouver qu'il possédait autant de capacités et de talents que l'amoureux de sa sœur.

Yannick, qui ne souffrait pas d'une blessure d'infériorité, avançait dans la vie en suivant sa voie intérieure. Cet homme établissait ses projets de vie à partir de son ressenti sans se comparer à personne et, grâce à sa nature volontaire et disciplinée, il réalisait tous ses rêves. Leader incontesté et professionnel compétent, il était toujours celui à qui ses employeurs offraient les meilleures opportunités de travail à l'étranger. Comme il aimait voyager et qu'il avait soif d'apprendre des autres cultures, il profitait pleinement de ses séjours prolongés où avec sa famille il vivait des expériences enrichissantes et exaltantes.

Gabriel jalousait ce beau-frère, qu'il considérait favorisé par la vie, et voulait lui aussi vivre dans un pays étranger. Aussi, quand la compagnie où il travaillait afficha un poste de directeur des opérations dans sa succursale bolivienne, il postula immédiatement sans consulter sa conjointe et sans se demander si ce poste lui convenait et si ce choix improvisé était en accord avec son ressenti. Sa seule motivation était de vivre une expérience aussi captivante que celle de Gabriel qui, à l'évidence, s'épanouissait dans son travail. Même s'ils étaient trois candidats intéressés par cette fonction, et comme la compétition ne le rebutait pas, il s'engagea ardemment dans cette aventure pour arriver à ses fins. Comme ses « adversaires » se désistèrent après avoir pris des informations sur les conditions de travail et de vie dans ce pays inconnu d'Amérique du Sud et après en avoir longuement discuté avec leur famille, Gabriel obtint le poste convoité. Dans son enthousiasme, il s'engagea pour une période de trois ans. Il en était tellement content qu'il ne manqua pas de se vanter de la reconnaissance de sa compétence de la part de ses employeurs. Pour souligner sa promotion et son départ, il organisa une grande fête en son honneur.

Le séjour de Gabriel et de sa famille ne dura que six mois. Sa faible connaissance de la langue espagnole, sa tendance à se supérioriser, ses conflits de personnalité avec ses supérieurs, l'incapacité de sa famille à s'intégrer dans ce pays, les conséquences de leurs problèmes d'adaptation sur sa relation de couple et les relations familiales le forcèrent à revenir au pays, penaud, vaincu et profondément humilié.

À quoi est dû l'échec de Gabriel? À son caractère? À ses comportements de supérieur? La vraie cause de son insuccès se trouve dans sa blessure d'infériorité non identifiée et non accueillie par lui et dont il s'est défendu par la supériorité et la vantardise. Parce qu'il n'était pas en contact avec sa vérité intérieure, il n'a pas écouté son ressenti. Il a saisi l'occasion offerte pour imiter son beau-frère et prouver sa capacité d'aller vivre et travailler à l'étranger. En agissant ainsi, Gabriel, victime d'une éducation fondée sur la comparaison, a tout simplement voulu satisfaire le besoin d'amour incommensurable de son enfant intérieur blessé. En effet, ayant été considéré comme un instrument de comparaison par ses parents, il n'avait jamais été reconnu pour ce qu'il était comme personne. Toute sa vie, il s'est battu pour exister et pour mériter l'amour, non conscient que les moyens pris pour l'obtenir repoussaient cet amour plutôt que de l'attirer.

Quand un enfant est vu comme un objet par ses parents, il est automatiquement abandonné comme être humain.

L'adulte qui se défend de cette blessure d'abandon par la supériorité porte un enfant intérieur qui veut naître à ce qu'il est. Cet enfant blessé souhaite qu'une grande personne prenne soin de sa souffrance, s'occupe de ses besoins et entende ses cris de désespoir. En négligeant cet enfant, le supérieur continue à l'abandonner. Pourtant lui et lui seul a le pouvoir d'orienter son enfant intérieur vers *son* chemin de vie et non vers celui des autres. Comment amener cet adulte psychiquement écorché à tourner son regard vers sa source intérieure de libération ?

Comment aider un supérieur?

Malheureusement, il n'est pas rare qu'un événement dramatique de la vie descende le supérieur de son piédestal. À la suite de son expérience, Gabriel a perdu le sens de sa valeur. Il a sombré dans une dépression sévère qui lui a fait toucher, pour la première fois de sa vie, son sentiment profond d'infériorité. Loin de fanfaronner et de plastronner, il ne cherchait plus qu'à se cacher et souhaitait de tout cœur être oublié.

Étant donné que le supérieur n'est en réalité qu'un inférieur qui s'ignore, la cruelle adversité subie par Gabriel l'a plongé directement au cœur de sa vérité intérieure. Il ne pouvait plus fuir ni échapper à sa réalité ni négliger l'enfant qu'il avait toujours abandonné pour éviter de souffrir. Son sentiment d'échec lui a fait réaliser toute la douleur qu'il s'était infligée à lui-même en luttant pour dissimuler une vérité qu'il refusait de voir parce qu'il ne l'acceptait pas. Seule l'acceptation de sa vulnérabilité et de sa blessure d'infériorité pouvait donner naissance au vrai Gabriel et lui apprendre à s'aimer tel qu'il était.

Cette acceptation pouvait enfin lui permettre de montrer sa véritable nature, son authentique valeur, sa beauté intérieure. Elle pouvait aussi lui donner les clés des portes jusque-là fermées de l'attachement, de l'intimité, de la relation affective harmonieuse. Enfin elle avait le pouvoir de le sortir du système supérieur/inférieur qu'il avait entretenu toute sa vie dans ses relations interpersonnelles. Grâce à cette acceptation, d'autres systèmes relationnels dysfonctionnels tout aussi pénibles à vivre se sont dissous, par exemple celui que créent bien involontairement l'envahisseur et l'envahi.

Chapitre 10
L'envahisseur et l'envahi

Exemple de Jennifer et Xavier

Jennifer avait douze ans quand sa mère est morte d'une atroce maladie neuro dégénérative : la sclérose latérale amyotrophique. Les deux années précédant sa mort avaient été pour elle et pour son père les plus éprouvantes de leur vie. Assister impuissants au dépérissement de cette femme terrifiée avait été pénible pour eux. Xavier, son père, avait tout tenté pour la sauver. Il refusait d'être séparé pour toujours de cette femme dont il avait toujours été follement amoureux.

Après le décès de Caroline, le comportement de cet homme dévasté a changé avec sa fille. Comme elle ressemblait singulièrement à sa mère physiquement, il a projeté sur elle toutes les caractéristiques de la femme qu'il avait aimée et qu'il aimait toujours. Ce n'est pas Jennifer qu'il voyait en elle, mais une deuxième Caroline. Quand il parlait de sa fille, il énumérait les qualités de sa mère. Il prétendait tout savoir de ses états d'âme, de ses goûts et de ses aspirations. Il transposait sur elle les rêves de son épouse et il la définissait comme s'il savait plus qu'elle ce qui se passait dans son monde intérieur.

Un jour, alors qu'elle était au collège, il entra dans sa chambre et trouva son journal personnel qu'il lut du début à la fin. Elle y avait écrit, notamment, qu'elle souhaitait devenir vétérinaire vu son attachement particulier pour les animaux. Le lendemain, il lui demanda, d'une manière détachée, dans quelle voie professionnelle elle désirait se diriger après son cégep[14]*. En fait, son but était de lui imposer le rêve de Caroline, qui, secrétaire dans une école primaire, avait nourri depuis qu'il la connaissait le projet de poursuivre ses études universitaires en enseignement. Aussi, lorsque Jennifer répondit à Xavier qu'elle deviendrait vétérinaire, il lui répondit que, la connaissant, il savait qu'elle se trompait d'orientation, qu'elle ne serait pas heureuse dans ce milieu d'hommes et qu'il la voyait dans l'enseignement. Il se mit à vanter les avantages de cette orientation professionnelle tout en énumérant les nombreux inconvénients que comportait la profession de vétérinaire. La vérité est que Caroline n'affectionnait pas particulièrement les animaux. Aussi, comme il la voyait dans sa fille, il ne pouvait imaginer qu'elle leur consacre sa vie professionnelle.*

L'attitude de son père agissait de deux façons sur le psychisme de Jennifer. D'une part, elle commença petit à petit à douter d'elle-même, à questionner ses intérêts et ses perceptions. D'autre part, elle étouffait dans cette relation et ressentait de plus en plus d'antipathie pour cet homme qui ne cessait d'envahir sa vie. Elle se sentait de moins en moins sûre d'elle et ne voulait pas blesser son père. De plus, elle se sentait affreusement coupable d'éprouver envers lui de tels sentiments qu'elle jugeait méprisables. Elle décida donc, pour quitter la maison le plus vite possible, de se trouver du travail dans le but, lui mentit-elle, de réfléchir à ses propositions et d'économiser son argent pour payer ultérieurement ses études. Cette solution temporaire parut raisonnable à Xavier, qui lui dénicha un poste de

14 Le cégep est, au Québec, le Collège d'Enseignement Général Et Professionnel dont le niveau d'enseignement se situe entre le secondaire et l'université.

réceptionniste dans l'un des CPE[15] *les mieux cotés de Montréal. Par ce choix de travail qu'il avait fait pour elle, il était convaincu que sa fille prendrait conscience de son intérêt pour l'enseignement. Il souhaitait, par ce moyen, qu'elle réalise le rêve de sa mère.*

C'est à ce moment que, environ six mois plus tard, Jennifer connut Carl qui amenait chaque matin son fils à la garderie et le ramenait en fin de journée. Au grand désespoir de Xavier, cette relation amoureuse prit tellement d'ampleur que, après quelques mois de fréquentations, sa fille de dix-neuf ans emménagea dans la maison de cet homme de douze ans son aîné.

Cependant Jennifer ne se sentait pas chez elle dans ce nouveau domicile, d'autant moins que son amoureux, habitué à vivre seul avec son fils, occupait tout l'espace et se chargeait de toutes les responsabilités qu'impose l'entretien d'une maison. Envahie encore une fois, elle répéta avec lui le système qui s'était créé entre son père et elle, celui d'envahisseur/envahi.

Pour mieux comprendre le lien pernicieux qui unissait Jennifer à Xavier et à Carl, le portrait de chacun des types psychologiques impliqués dans ces relations nous éclairera. Commençons par découvrir les caractéristiques d'un envahisseur.

L'envahisseur

L'envahisseur est un être qui ne respecte pas les territoires physique, psychique, intellectuel et professionnel des autres. Il ne manifeste aucune considération pour leurs limites et les frustre dans la satisfaction de leurs désirs et de leurs besoins au

15 Centre de la Petite Enfance

profit des siens. Quand il envahit, il ne tient compte de personne d'autre que de lui-même.

Le monde est rempli d'envahisseurs. Il suffit de lire les journaux pour s'en convaincre. Toutes les guerres, les révoltes, les actes terroristes sont nés d'un problème d'envahissement. Non respectés dans leurs croyances, leurs particularités, leur besoin de liberté, des peuples entiers sont envahis par des armées dirigées par des chefs politiques ou par des meneurs de clans idéologiques. Ceux-ci imposent leurs valeurs, leurs croyances religieuses et leurs lois. Pour satisfaire leur soif de contrôle, de possession ou de pouvoir, ils s'infiltrent dans la vie des gens par la manipulation, par des promesses fallacieuses et démagogiques ou tout simplement par la force. Ils s'arrogent des droits qui ne respectent en rien les personnes et s'approprient, d'une manière modérée ou violente, des espaces, des objets, voire des corps qui ne leur appartiennent pas et dont, pourtant, ils s'emparent sans honte et sans culpabilité.

Ces comportements pour le moins choquants, mais loin d'être le fruit de notre imaginaire, se retrouvent à des degrés plus ou moins révoltants dans certaines relations de couples, certaines relations parent/enfant et même certaines relations employeur/employé. L'exemple de Xavier, Carl et Jennifer n'est pas déconnecté de la réalité. Le système dysfonctionnel envahisseur/envahi envenime bel et bien quotidiennement de nombreuses relations, plus que nous pourrions le croire.

Dans ses relations, l'envahisseur, homme ou femme, ne supporte pas les limites. Pour lui, elles n'existent que pour être transgressées. Le limiter ou restreindre son accès à un territoire, qu'il soit d'ordre physique, psychique, intellectuel ou professionnel, lui

est insupportable parce que c'est faire obstacle à son moyen défensif de satisfaire ses besoins et de panser ses blessures.

Cependant, ne le condamnons pas trop vite. Il n'empiète pas sans raison sur la vie et la sphère des autres. Il le fait inconsciemment parce qu'il sent son identité menacée. D'ailleurs, le principal problème de l'envahisseur est sans contredit un problème d'identité. À preuve, il vit les limites qu'on lui pose et les frontières qu'on lui impose comme une provocation, un signe incontestable d'exclusion d'un monde auquel on lui refuse l'accès, auquel il ne peut appartenir parce qu'il ne le mérite pas, parce que quelque chose d'extrêmement crucial manque à sa personnalité. En fait, la raison pour laquelle l'envahisseur réagit plus ou moins comme un rebelle devant les limites des autres est qu'elles le mettent face à ses propres limitations, qu'il refuse d'accepter parce qu'il voit en elles la cause de ses blessures et de l'insatisfaction de ses besoins d'enfant.

Le fonctionnement psychique de l'envahisseur

Les composantes de ce fonctionnement décrivent bien le monde intérieur de chaque type psychologique parce que c'est au cœur de l'être que résident les blessures qui le poussent à se défendre.

1. Les blessures et les besoins de l'envahisseur

L'envahisseur souffre de blessures d'exclusion et de rejet. Ces blessures ont engendré en lui un problème important d'identité. À cause de cela, il cherche constamment à satisfaire son besoin viscéral d'appartenance. Il voit les frontières comme une porte fermée sur un monde qui l'exclut comme s'il était pestiféré. Ses expériences passées l'amènent à interpréter les limites qu'on lui pose comme un rejet de sa personne même, un jugement négatif sur une tare ou une faiblesse qu'il porterait et qu'il n'a pas identifiée par peur de l'inconnu qui l'habite. Cette croyance que quelque chose en lui provoquerait le rejet cause précisément ses crises d'identité. Pour bien comprendre sa dynamique interne, voyons d'abord à quoi servent les limites et les frontières.

Une personne établit son territoire et définit ses limites précisément pour préserver son identité, c'est-à-dire ce qui la distingue et la rend unique et incomparable, dans le cas de l'identité personnelle, et ce qui assure son appartenance à une communauté, dans le cas de l'identité familiale, culturelle, religieuse, sociale ou nationale.

Le Petit Robert définit l'identité comme le caractère de ce qui demeure identique à soi-même. Elle résulte de notre conscience de nous-mêmes, de la conscience de notre unicité et de notre singularité. Autrement dit, elle est la manifestation de ce que nous sommes, même si elle est souvent confondue avec la fonction. Cette confusion tient pour preuve la réalité suivante : lorsqu'on nous demande de nous décrire ou qu'on nous pose la question, *Qui êtes-vous*? nous répondons spontanément, *Je suis professeur, infirmière, électricien, chanteur* et *tutti quanti*. Nous limitons au *faire* l'infini, l'invisible et l'ampleur des caractéristiques qui nous constituent.

Nous nous décrivons comme étant figés dans un métier ou une profession et négligeons de considérer à sa juste valeur la grandeur de notre *être* en constante évolution, avec son potentiel infini de renouvellement et de créativité, avec ses qualités, ses

forces, sa vulnérabilité, ses ressources spirituelles, son enfant intérieur blessé, avec son infinitude.

L'identité d'une personne se manifeste par son caractère subjectif et mouvant, et se modèle sur le sens qu'elle donne à sa vie. Selon KAUFMAN, nous affirmons subjectivement notre identité en nous inventant et réinventant nous-mêmes, l'identité étant définie par lui comme *une invention permanente qui se forge avec du matériau non inventé*[16]. Il n'en reste pas moins que de nombreux facteurs extérieurs contribuent à influencer le processus incessant de réinvention : la famille, la culture, la religion ainsi que la réalité sociale et politique. C'est à partir de cet échange extérieur/intérieur que se crée notre identité. Le champ d'exploration de nous-mêmes est illimité. Les seules véritables frontières et les seules véritables limites à nos réinventions se trouvent à l'intérieur de nous. Notre travail consiste donc à nous créer perpétuellement dans le respect de notre identité et à laisser aux autres la liberté de se créer en respectant leurs croyances, leurs frontières, leurs limites et leur singularité.

Si nous sommes intérieurement illimités, à quoi servent alors les limites et les frontières ?

Nous sommes illimités par notre potentiel infini d'invention, de réinvention et de créativité, mais limités par nos blessures et par la recherche de satisfaction de nos besoins psychiques fondamentaux. À cause d'eux, notre réflexe naturel est de nous protéger pour que nos lésions psychiques ne soient pas constamment réveillées et pour que nos besoins soient satisfaits.

16 Claude KAUFMAN. *L'invention de soi : une théorie de l'identité*. p. 102

Une plaie que nous grattons ne guérit pas. Elle risque même de s'infecter et d'aggraver notre souffrance. Si nous ne voulons pas que nos plaies psychiques soient contaminées, l'un des moyens de nous protéger pour éviter d'être envahis dans notre territoire psychique, comme le faisait Xavier avec Jennifer, est de fixer des limites claires et de les faire respecter.

Comme l'envahisseur a vécu fréquemment des expériences souffrantes d'exclusion et de rejet, et qu'il ne pouvait satisfaire adéquatement le besoin commun à tout être humain d'appartenir à une famille, à un groupe d'amis ou à un groupe sportif, sa recherche normale d'identité a été sérieusement perturbée. Instinctivement il veut appartenir à tout prix à un couple, à une famille, à une communauté. Pour atteindre ses fins, il envahit. Il transgresse les territoires et les limites des autres parce qu'elles représentent l'obstacle majeur à la satisfaction de ses besoins d'appartenance et de reconnaissance, et, par conséquent, à sa recherche d'identité. Malheureusement, il s'attire ainsi exactement le contraire de ce qu'il veut : l'exclusion et le rejet. Par ses mécanismes défensifs, il nourrit lui-même ce cercle vicieux.

2. Les mécanismes de défense de l'envahisseur

Pour les raisons expliquées précédemment, il est clair que le mécanisme de défense dominant de ce type psychologique est l'envahissement. La question que d'aucuns peuvent se poser ici est : *Qu'envahit la personne affectée par une blessure d'exclusion, un problème d'identité et un besoin d'appartenance et de reconnaissance ?*

Sur le plan physique, la principale forme d'envahissement, probablement la plus ignoble et assurément la plus lourde de conséquences psychologiques, est le viol. Cette forme d'envahissement n'existe malheureusement pas seulement chez certains terroristes, qui se servent de ce moyen de pouvoir comme instrument de guerre pour asservir non seulement la femme, mais aussi sa famille et sa communauté, mais de manière plus subtile et cachée, dans certaines relations de couple. Le viol, ainsi que toutes les formes d'envahissement du corps comme la torture, l'homicide volontaire et l'emprisonnement pour restreindre la liberté d'expression sont des moyens de domination qui ont pour origine la haine de soi et, par conséquent, des autres, la recherche d'identité et le besoin d'appartenance et de reconnaissance. La preuve en est que

> **de nombreux jeunes à travers le monde s'engagent dans des mouvements terroristes parce qu'ils y découvrent enfin un lieu d'appartenance qu'ils ne trouvent pas dans la famille, la religion et leur pays d'origine. Ce besoin est tellement fort, de même que leur soif d'identité, que certains acceptent de se laisser manipuler et de sacrifier des valeurs fondamentales pour épouser des idéologies extrémistes et accomplir des actes effroyables sans mesurer la portée des conséquences délétères de ce choix sur eux-mêmes, sur leur famille et sur la société.**

Physiquement et à l'échelle qui nous intéresse ici, nous envahissons aussi quelqu'un par le vol de ses possessions ou par l'utilisation, sans les lui demander, de ses instruments de travail ou de biens qui lui appartiennent, par exemple ses vêtements, ses bijoux, ses livres, son ordinateur ou sa voiture.

Sur le plan intellectuel, le vol d'idées et de droits d'auteurs, comme l'a subi si malhonnêtement et si injustement Claude Robinson[17], est une forme subtile et non suffisamment reconnue d'envahissement de territoire.

Quand nous parlons d'envahissement, le monde psychique est complètement escamoté, probablement parce qu'il est invisible. Pourtant, c'est ce monde qui est le plus fréquemment, le plus subtilement et certainement le plus considérablement affecté par les envahisseurs. Le meilleur exemple d'envahissement psychique que je puisse apporter est celui de la relation de Jennifer avec son père. En lisant son journal personnel sans sa permission, en prétendant la connaître plus qu'elle-même, en décidant de ses objectifs de vie, en calquant ses besoins sur ceux de Caroline, cet homme inconscient manifestait un grave manque de respect du monde intérieur de sa fille. Il lui volait sans le vouloir sa personnalité et la condamnait à souffrir d'un problème d'identité.

La violation de territoire se rencontre aussi chez tous ceux qui coupent la parole aux autres pour parler d'eux ; chez ceux qui s'imposent à tout moment sans s'annoncer dans la vie des autres, sans respect de leur emploi du temps ; chez ceux qui, dans leur milieu de travail, s'immiscent dans l'exécution de responsabilités qui sont confiées à d'autres et chez ceux qui manipulent par la serviabilité, la disponibilité et les compliments pour transgresser les limites qui leur

17 Claude Robinson est un auteur québécois à qui la Cour suprême a donné entièrement raison après plus de vingt ans de batailles juridiques sur sa propriété intellectuelle du personnage de Robinson Sucroé qui avait été plagié de son œuvre *Robinson Curiosité*, d'abord par CINAR puis par un consortium international de l'animation. (D'après Pierre St-Arnaud, journaliste de La Presse canadienne publié le 24 janvier 2014.)

sont imposées et franchir des territoires qui leur sont interdits.

Au lieu de fuir la menace de perte d'identité par le retrait et la fermeture, l'envahisseur affronte et cherche à s'approprier à l'extérieur de lui-même ce qu'il croit ne pas avoir à l'intérieur. Cette attitude lui attire l'exclusion et le rejet. D'où vient cette peur irraisonnée d'exclusion et de rejet qui pousse des personnes à envahir pour être reconnues et pour avoir le sentiment d'exister?

L'origine du fonctionnement de l'envahisseur

Lambert a commencé ses études secondaires au début des années 60, à l'époque où, au Québec, les cours d'éducation physique et de création artistique ont été intégrés dans les programmes du ministère de l'Éducation. Parce qu'il était particulièrement doué pour le dessin, il s'est inscrit au cours d'art pictural dispensé par un peintre connu de la métropole. Comme les cours d'art n'étaient fréquentés en général que par les filles, il était le seul garçon de sa classe. Cette situation lui valait des quolibets de la part de ses camarades, qui le ridiculisaient ou le traitaient de fif, de fillette, de tapette ou autres moqueries du genre. À plusieurs reprises, il a voulu se retirer de ce programme, mais ses parents s'y opposaient fermement parce que, selon son professeur, il était réellement doué pour le dessin, la peinture et la création artistique, et parce qu'il aimait cette discipline. Il y consacrait tous ses temps libres à la maison. D'ailleurs, il a fait de ce talent sa carrière professionnelle. Quand il m'a raconté ses expériences d'adolescent, il était professeur d'arts plastiques au cégep. Revenons à son histoire.

Pour s'intégrer à sa classe régulière, il s'inscrivit à des activités sportives, mais chaque fois les jeunes se moquaient de ses piètres performances et finissaient par l'inciter à se retirer de l'équipe. Ainsi *rejeté et exclu dans sa classe d'art par les filles, exclu par ses camarades, qui le considéraient trop efféminé, et exclu à la maison par ses frères aînés qui le jugeaient trop jeune pour comprendre ou pour jouer avec eux,* Lambert *grandit avec le sentiment qu'il lui manquait quelque chose d'important pour être aimé et considéré.* Ce *n'est qu'au milieu de ses études secondaires qu'il commença à se rebeller, influencé par un nouveau venu d'origine étrangère dans sa classe. Les deux jeunes, se sentant frappés d'ostracisme à cause de leur différence, se mirent à jouer aux durs pour exister aux yeux de leurs compagnons, pour attirer l'attention. Ils s'imposaient dans les petits groupes aux récréations, s'introduisaient dans leurs conversations, s'amusaient à leurs dépens pour provoquer leurs réactions, leur dérobaient un livre, un crayon, un lunch, une paire de mitaines*[18] *ou tout autre objet qui leur appartenait pour les embêter.* Autrement *dit, ils envahissaient dans le but bien inconscient de satisfaire leur besoin d'appartenance.*

Certaines personnes souffrent d'identité défaillante parce que, enfant, elles ont été exclues par des parents qui entretenaient une relation fusionnelle ou qui étaient trop occupés ou préoccupés par leurs problèmes personnels pour s'occuper d'eux adéquatement. D'autres, comme Lambert, ont subi l'exclusion de leur fratrie, de leurs camarades ou de leur école. Privés d'attention et de reconnaissance, ces enfants affectés ont grandi avec une blessure qui a influencé leurs relations affectives par la suite.

On observe également un problème d'identité chez certaines femmes ou certains hommes élevés par des éducateurs trop permissifs. Ces éducateurs, influencés par

18 Mitaine est le terme québécois employé pour désigner une moufle.

le Dr Spock[19], appliquaient ses théories sur la permissivité. Manquant de discernement, ils ont *fabriqué* un enfant-roi en cédant à tous ses caprices parce qu'ils ont centré leur attention exclusivement sur leur enfant au détriment d'eux-mêmes. En l'absence de frontières et de limites, ces enfants, qui n'ont pas été reconnus pour ce qu'ils sont, ont développé une tendance à croire que tout leur était permis. Par la suite, cette tendance s'est traduite par un manque de respect du territoire et des limites des autres.

À l'opposé, certains envahisseurs ont connu des parents trop sévères, qui intervenaient auprès d'eux avec un autoritarisme abusif, qui imposaient péremptoirement leurs croyances morales, leurs principes rigides et leurs valeurs étriquées, qui punissaient à la moindre incartade et qui manquaient totalement de respect de leur vie privée. Comme Jennifer et Lambert, il n'est pas étonnant que ces enfants deviennent envahisseurs ou envahis et que leurs relations affectives d'adultes se déroulent à l'intérieur du système dysfonctionnel envahisseur/envahi. Existe-t-il des moyens de les aider à sortir de leurs prisons personnelles et relationnelles ?

Comment aider l'envahisseur ?

La première étape d'un travail de libération est toujours la prise de conscience. L'envahisseur, inconscient de son mécanisme de défense et de ce que cache intérieurement sa défensive, ne peut que continuer à s'attirer l'exclusion et, dans ses relations affectives, des envahis.

19 Le Dr Benjamin Spock (1903-1998) était un pédiatre états-unien, auteur du livre *Comment soigner et éduquer son enfant* qui devint un best-seller mondial (plus de 50 millions d'exemplaires vendus à sa mort, traduits en 39 langues). En tant que *père de la permissivité*, il influença, pour le meilleur et pour le pire, deux générations de parents qui ont suivi ses conseils éducatifs.

Comme nous sommes des êtres non seulement émotifs et spirituels, mais aussi rationnels, c'est par la participation de toutes nos dimensions que nous pouvons assurer notre évolution intérieure. Identifier ce qui se passe dans notre chaos psychique et mettre des mots sur ce vécu est essentiel pour le démystifier et comprendre comment agir sur lui.

C'est pourquoi, devant toute forme de rejet, l'envahisseur doit pouvoir nommer son problème d'identité, ses besoins d'appartenance et de reconnaissance, sa blessure d'exclusion et sa vulnérabilité. Cette conscience de lui-même lui permettra de se connaître et lui ouvrira les portes de l'acceptation. S'il se sent accepté par nous, il deviendra progressivement conciliant envers lui-même et cessera de se croire amputé psychiquement. Il traversera ainsi les étapes nécessaires à son processus de transformation intérieure. De plus,

il est fondamental que, dans notre relation avec un envahisseur, nous fassions respecter nos limites et que nous ne le laissions jamais, et sous aucun prétexte, franchir nos territoires psychique, physique, intellectuel et professionnel.

J'ai moi-même épousé un envahisseur et je suis très consciente que, par peur du conflit et par peur de perdre son amour, je me suis trop longtemps laissé envahir. D'ailleurs, dans une relation affective, les deux personnes impliquées ont leur part de responsabilité et j'assume parfaitement la mienne. Cela dit, j'ai commis l'erreur de croire qu'exprimer mon malaise suffirait pour régler mon problème. C'était faire preuve de peu de connaissance du fonctionnement psychique d'un être humain, lequel est bien ancré dans son psychisme.

Nos réactions défensives à nos blessures se produisent spontanément parce que, quand nous sommes blessés, la mémoire inconsciente supplante invariablement la conscience rationnelle.

L'enfant intérieur meurtri de l'envahisseur se souvient de ses expériences d'exclusion et de rejet. Il s'est donc doté d'un pilote automatique qui se déclenche spontanément quand ses blessures sont éveillées, que ses besoins de reconnaissance et d'appartenance ne sont pas satisfaits ou quand sa soif inconsciente d'être *quelqu'un* pour son entourage se pointe au cœur de lui-même. Il est donc utopique de penser que nous pouvons changer une personne du jour au lendemain par la seule expression de nos émotions et de nos besoins, surtout si cette personne a trouvé dans son mécanisme de défense un moyen efficace de se protéger contre sa souffrance d'enfant meurtri. Au fil des ans, j'ai donc découvert des moyens d'actions concrètes qui ont contribué à dénouer le système que, en tant qu'envahie, j'entretenais avec mon conjoint. Je développerai ces moyens dans la description du prochain type psychologique qui forme avec l'envahisseur un système disharmonieux : l'envahi.

L'envahi

On ne respecte un homme que s'il se respecte lui-même.
Honoré DE BALZAC

L'envahi est une personne qui, dans ses relations affectives, ne pose généralement pas de limites, ne délimite pas son territoire, n'arrête pas de choix, ne prend pas de décisions, ne manifeste pas sa singularité par manque de connaissance d'elle-même et

surtout par peur de perdre l'amour de ceux qu'elle aime.

C'est souvent un abandonnique qui tolère parfois l'insoutenable pour éviter d'être abandonné. Il laisse la clé sur la porte de sa maison et de sa vie pour garder l'amour de l'autre et pour qu'on daigne lui accorder une certaine importance. Il se trahit quotidiennement, au sens où il néglige ses besoins et refoule ses émotions pour éviter de souffrir de rejet et pour s'attirer l'affection de son entourage. Paradoxalement, il exclut de sa vie son enfant intérieur blessé pour satisfaire de manière défensive son besoin d'inclusion et d'appartenance. L'envahi se caractérise aussi par une blessure d'infériorité dont il se défend différemment du supérieur et de l'envahisseur. Il ne reconnaît pas sa valeur et, du fait qu'il ne se respecte pas et ne se protège pas en posant ses limites et en établissant ses frontières, il attire l'envahissement.

1. Les blessures et les besoins de l'envahi

Ce type psychologique se caractérise par une grave blessure causée par le manque de respect de ses éducateurs à son égard. C'est pourquoi, toute sa vie, il recherche la bienveillance, la douceur, la considération. En laissant aux autres le pouvoir de chevaucher à volonté ses mondes psychique, physique, intellectuel et professionnel, il trahit continuellement son besoin d'être aimé pour ce qu'il est. Sa peur de perdre l'amour le prive de la satisfaction de ses besoins d'affirmation, de respect ainsi que de la liberté d'être et de partager ou non son espace vital, de poser ses limites et de protéger son enfant intérieur blessé.

J'insiste sur la liberté d'être soi, car c'est elle qui conduit à l'affirmation et qui mérite à l'envahi le respect de son entourage. Sans cette liberté d'être soi, les relations affectives sont disharmonieuses et créatrices de systèmes relationnels dysfonctionnels, comme le système envahisseur/envahi précisément. En effet, sans cette forme ultime de liberté, l'envahi demeure incapable de s'attirer le respect dont il a tant besoin pour s'épanouir comme un être humain à part entière.

Aucun être humain ne peut se targuer d'aimer s'il ne respecte pas. L'amour et le respect sont absolument, incontestablement, inconditionnellement indissociables, autant l'amour et le respect de soi que l'amour et le respect des autres.

Se respecter d'abord pour mieux respecter les autres ; s'aimer d'abord pour mieux aimer les autres sont des leitmotivs qu'on ne nous servira jamais assez pour que notre enfant intérieur les intègre et qu'il s'en convainque au point de ne plus les oublier.

J'ai mis l'accent sur le respect des limites, des frontières et de la liberté d'être. Cependant d'autres éléments s'avèrent tout aussi importants : le respect des promesses, de la parole donnée, des blessures, de la dignité humaine, du sacré en l'être humain, de la vie et de la mort, de la ponctualité, de la fidélité, de l'environnement, des fonctions sociales, des règles et des lois justes. En réalité, le respect rassemble et l'irrespect divise, tant un couple, une famille qu'une société. Chaque fois qu'un envahi, un abandonnique, un inférieur sont privés de considération d'une manière ou d'une autre, la mémoire de leur enfant blessé se réveille et un mécanisme de défense apparaît spontanément dans leur psychisme pour les protéger contre les souffrances de l'irrespect accumulées dans le passé.

2. Les mécanismes de défense de l'envahi

Le mot *respect* est tiré du latin *respectumus* qui signifie « égard », « considération ». Donc, éprouver un sentiment de considération envers quelqu'un et lui manifester notre égard par nos comportements, c'est le respecter. Toutefois le manque d'égard récurrent et la souffrance qu'il entraîne incitent les envahis à se défendre, qu'ils soient abandonniques, inférieurs, honteux, manipulés ou persécutés. Certains réagissent à l'envahissement par la rébellion, poussés par la rage et la haine. Ces sentiments sont souvent ressentis à juste titre par ceux dont on viole les biens, le corps, le cœur, l'esprit ou l'être tout entier. D'autres refoulent, procrastinent, fuient, se victimisent ou endurent par peur de s'affirmer de façon aussi violente que l'est l'intensité de leur douleur psychique et par peur d'être rejetés par la suite, ce qu'ils ne supportent pas.

Comme l'envahissement correspond à une annihilation de l'existence de l'autre, il est normal que l'envahi lutte, du moins avec lui-même, pour survivre physiquement ou psychiquement à cette agression. Il suffit d'avoir vécu des expériences souffrantes d'envahissement pour comprendre à quel point la douleur ressentie est cuisante. Lorsque l'intégrité et l'identité sont en cause, il est parfaitement normal que l'envahi soit bouleversé, voire tétanisé devant toute tentative d'envahissement.

Qu'est-ce qui, dans son histoire de vie, a pu ébranler aussi fortement la tranquillité psychique de l'enfant affecté par une blessure causée par l'invasion de ses propriétés physiques et psychiques ?

L'origine du fonctionnement d'envahi

La plus crapuleuse, la plus répugnante et la plus méprisable cause de la blessure d'un envahi est l'inceste. Prendre possession du corps d'un enfant innocent et sans défense est d'une ignominie innommable tellement ce comportement s'avère lourd de conséquences dans la vie d'un jeune être humain qui commence son parcours sur Terre. Être abusé sexuellement par une personne en qui il a mis toute sa confiance affecte toutes les facettes de la personnalité et de la vie de l'enfant victime de cet abus. L'inceste anéantit l'estime de soi, provoque un blocage émotionnel, engendre la méfiance et l'anxiété permanente. Cela crée un impact inévitable sur toutes ses relations affectives ultérieures. Il n'est pas rare que des adultes, trop affectés psychiquement par cet acte *barbare* se retrouvent aux prises avec des problèmes de dépendance à l'alcool et aux drogues, des troubles alimentaires et des difficultés relationnelles récurrentes. Je condamne inconditionnellement ces comportements abusifs. Toutefois je ne peux m'empêcher d'essayer de découvrir quelles expériences de vie horribles ont pu subir ces analphabètes du cœur pour se comporter d'une manière aussi monstrueuse envers un enfant. Il faut nécessairement avoir beaucoup souffert pour imposer autant de souffrance physique et psychique à un être candide, naïf et pur. L'envahissement du corps d'un adolescent ou d'un adulte par le viol est aussi odieux.

Sur un plan moins dramatique, on peut considérer toutes les causes tirées de l'histoire de vie des personnes comme Jennifer et Lambert de même que les expériences de tous ceux qui ont manqué de respect pour les raisons énumérées ci-dessus. Existe-t-il des moyens d'aider ces personnes pour que leurs relations deviennent une source de soulagement plutôt qu'un geyser de tourments ?

Comment aider l'envahi ?

S'étant laissé envahir de tous les côtés, l'envahi a laissé aux autres des pouvoirs sur sa vie qu'il doit reprendre s'il veut retrouver sa dignité.

La question des droits acquis se pose ici. Dans le cas qui nous intéresse, le droit est un pouvoir, une permission que l'envahi accorde à son entourage pour être aimé et par peur de s'affirmer. Si ce droit est concédé pendant une longue période de temps, l'envahisseur prend pour acquis qu'il peut occuper, sans limites, les territoires physique, psychique, intellectuel ou professionnel de celui ou de celle qui, par son manque d'affirmation, lui a laissé le champ libre sur sa vie. Souvent l'envahi ne commence à réagir que lorsqu'il réalise qu'il n'a plus de place dans sa propre *maison*. Quand il prend conscience de ne pas exister pour l'autre, qu'il se retrouve face au néant qui l'habite et que cette souffrance occupe tout son être, alors la pulsion de vie se trace un chemin en lui, si étroit soit-il, et l'incite à s'indigner.

L'étape la plus difficile à traverser pour un envahi qui veut sortir du système qu'il a lui-même contribué à créer avec l'envahisseur est celle de l'acceptation de perdre. On se dégage, en effet, très difficilement de son fonctionnement d'envahi sans perdre quelques relations.

Les envahisseurs, habitués à s'étendre sur son terrain, ne se retirent pas automatiquement dès qu'il en exprime le désir. Ils ne renoncent pas sans protester à ce qu'ils croient fermement être *leurs* droits. N'oublions pas que c'est leur manière défensive de s'occuper de leur besoin d'appartenance. Tout un travail intérieur se doit donc d'être accompli pour que l'envahi reprenne son espace. Un travail de respect et d'estime de lui-même s'avère nécessaire pour entreprendre son processus d'affirmation. La conscience de sa vulnérabilité devant sa blessure, ses peurs, ses besoins et ses limites doit précéder le passage à l'action qui lui redonnera sa place au cœur de lui-même.

Grâce à mon expérience personnelle et à ce qu'elle m'a apporté d'incontestablement bénéfique, j'ai découvert des moyens concrets d'agir avec *mon* envahisseur préféré, une fois franchies les étapes de prise de conscience, d'acceptation et de responsabilité. Ces moyens promeuvent l'estime de soi et la confiance en soi dont a besoin l'envahi pour accomplir son processus de libération. Je vous les partage non seulement parce qu'ils m'ont aidée, mais parce qu'ils ont aussi secouru un grand nombre de personnes perturbées par les mêmes difficultés. Si donc vous êtes un envahi comme moi, voici des propositions pour vous épauler dans le cheminement vers votre affranchissement.

1. <u>Précisez à votre envahisseur ce qui déclenche votre malaise et exprimez-lui votre vécu et votre besoin sans verser dans l'accusation, la morale ou le reproche quand vous êtes envahi par lui.</u> Dites par exemple : *J'étais en train de parler et tu m'as coupé la parole* (déclencheur). *J'ai peur de ne pas t'intéresser* (vécu) *et j'aimerais vraiment que tu m'écoutes jusqu'au bout avant d'intervenir* (besoin). *Ça te va*? Surtout ne dites pas, pour exprimer votre vécu : *Je sens que tu n'es pas intéressé.* Une telle affirmation risque de provoquer la défensive chez votre envahisseur parce qu'elle parle de lui plutôt que de vous.

2. Faites preuve de constance. Ne laissez jamais passer une forme quelconque d'envahissement sans intervenir. Comme un enfant que nous couchons à n'importe quelle heure, votre enfant intérieur non encadré, ignorera vos limites si vous êtes instable avec lui, parce que sa mémoire inconsciente trop marquée par la souffrance du passé supplantera vos désirs, qu'elle prendra pour des caprices. Une forte ténacité et une grande persévérance de votre part, bien qu'exigeant beaucoup de vous, sont d'un secours inestimable pour vous dégager du système envahisseur/envahi. Quand vous cessez de solliciter ces ressources par lassitude, ce n'est pas votre envahisseur que vous abandonnez mais vous-même.
3. Répétez patiemment vos demandes comme si c'était la première fois en vous assurant chaque fois que vous avez été bien entendu. Ne dites jamais : *Ça fait 20 fois que je te le dis. Il serait temps que tu comprennes.* Dites plutôt : *J'apprécierais que tu m'écoutes avant de parler. Tu veux bien* ? ou *J'aimerais que tu me le demandes la prochaine fois que tu auras besoin de ma calculatrice. D'accord* ? Avant de passer à autre chose, attendez toujours la réponse et assurez-vous qu'elle n'est pas machinale.
4. Soyez compréhensif. Ne brusquez pas son enfant intérieur. Mais restez ferme.
5. Acceptez-le tel qu'il est. N'agissez pas pour le changer, mais pour vous changer vous-même. N'oubliez jamais que vous avez votre part de responsabilité dans le maintien de ce système et que, si vous voulez en sortir, vous devez vous occuper de votre besoin d'être respecté.
6. Posez des limites explicites et faites-les respecter au moyen de conséquences réalistes si l'approche douce décrite précédemment ne donne pas de résultats. Il ne s'agit pas de brandir des menaces, la menace ayant pour but inconscient de changer l'autre. Par contre, la conséquence a pour objectif d'agir par respect et amour

de vous-même. Tout se passe au niveau de l'intention et vous seul savez si vous intervenez avec le projet de prendre du pouvoir sur l'envahisseur ou si vous le faites par respect de ce que vous êtes. Soyez clair avec vous-même parce que, si vous menacez au lieu de tirer des conséquences de vos limites, vous ne passerez pas à l'action ou, si vous le faites, ce sera pour punir l'autre plutôt que par respect de vous-même. Dans ce cas, votre envahisseur perdra confiance en vous et vous manquera davantage de respect. Par contre, si vous soupesez les conséquences de vos limites pour qu'elles soient justes et appropriées à la situation et que vous les appliquez quand vos frontières ne sont pas respectées, vous aurez aussi à assumer les exigences et le vécu qu'entraîne l'actualisation de ces conséquences. C'est pourquoi, avec nos enfants, notre conjoint ou une autre personne, il est fondamental d'y penser avant d'ajouter des conséquences au non-respect des frontières établies parce que, ce faisant, nous nous engageons inconditionnellement à les faire respecter.

Supposons que votre conjoint vous coupe constamment la parole quand vous vous exprimez afin de parler de lui. Dans ce cas, vous pouvez d'abord lui exprimer votre malaise et votre besoin d'être écouté. Vous pouvez, par la suite, répéter votre demande plusieurs fois, sans reproche, comme si c'était la première fois. S'il ne manifeste alors aucun effort pour vous écouter, deux choix s'imposent à vous : ou vous abandonnez votre requête et l'acceptez sincèrement dans cette forme d'envahissement ou vous posez une limite avec conséquence. Vous dites, par exemple : *Quand tu m'interromps pour ramener la conversation sur toi, je ne me sens pas importante pour toi. J'ai besoin que tu m'écoutes jusqu'au bout et que tu me donnes un feedback quand je m'exprime. À l'avenir, par respect pour moi-même, je ne t'écouterai que lorsque tu m'auras entendu et que tu auras*

> *réagi à mon message*. Quelle que soit la conséquence, il est évident que si vous ne la faites pas respecter, il ne tiendra aucunement compte de vos besoins dans le futur. Ce n'est certainement pas facile de vous faire respecter, mais si vous persévérez, les résultats seront définitivement encourageants.

Oui, j'ai épousé un envahisseur et pour rien au monde je le changerais pour un autre, surtout depuis que j'ai compris que, en tant qu'envahie et en travaillant sur moi-même, j'ai le pouvoir de me changer. Par le fait même, je peux dénouer un à un les fils du système dysfonctionnel qui me liait à lui. Comme les personnes que nous attirons dans nos vies nous font évoluer, j'ai pu travailler avec lui à dénouer aussi le système juge/coupable qui sera le dernier décrit dans cet ouvrage.

Chapitre 11
Le système juge/coupable

Exemple d'Alice et Joëlle

Alice et Joëlle ne sont pas des jumelles identiques. Physiquement, elles ne se ressemblent pas. Alice est brune, grande et mince alors que sa sœur est blonde, petite et costaude. Malgré sa petite taille, Joëlle n'en est pas moins la jumelle dominante. Sportive, musclée, aventureuse et téméraire, elle fonce dans la vie comme un taureau dans l'arène. À la regarder, on pourrait croire de l'extérieur que rien ne la perturbe. Cependant, lorsque nous sommes témoins de son fonctionnement relationnel avec sa jumelle, le doute s'installe en nous.

Dès sa plus tendre enfance, Alice attirait la sympathie par son sourire charmeur. Adolescente, elle séduisait tous les garçons par sa beauté, sa féminité et sa finesse. Malgré ses atouts, elle était inconsciente de son sex-appeal, de son élégance et de sa grâce. Alice n'avait en réalité aucune confiance en elle. Plus elle avançait en âge, plus elle se retirait du monde et devenait morose. Sa spontanéité et sa sociabilité naturelles ont fait progressivement place à une taciturnité qui la rendait malheureuse.

Très vulnérable, elle se laissait impressionner par Joëlle, qu'elle admirait beaucoup pour son intelligence rationnelle, ses performances sportives et son estime d'elle-même. Comme Alice réussissait moins bien à l'école que sa jumelle et qu'elle n'aimait pas le sport, elle avait tendance à lui laisser toute la place tant dans leur établissement scolaire qu'à la maison.

Qu'est-ce qui a transformé Alice de l'enfant ouverte et plaisante qu'elle était en une jeune femme éteinte et mélancolique ?

Plusieurs facteurs sont intervenus dans son histoire de vie, mais l'élément le plus significatif est sans contredit sa relation avec sa sœur, particulièrement quand elles ont commencé à fréquenter l'école. De nature très vive et douée d'une intelligence rationnelle développée, Joëlle saisissait facilement les matières transmises par ses professeurs. Pour sa part, Alice, plutôt douée d'une intelligence artistique, n'avait pas la facilité de sa jumelle pour comprendre rapidement le langage abstrait et cartésien qui caractérisait le contenu et les méthodes pédagogiques de l'enseignement dispensé dans son milieu scolaire. Elle devait travailler trois fois plus que sa sœur pour réussir.

Ces faits n'auraient eu aucune conséquence déplorable si chacune d'elles avait été valorisée dans ses particularités et si les deux s'étaient mutuellement aidées. Cela n'a pas été le cas. Les comparaisons en faveur de Joëlle exprimées par leurs enseignants, leurs parents et même certains camarades ont rendu celle-ci suffisante et centrée sur elle-même. Ainsi infériorisée, Alice est devenue victime de sa sœur qui, se croyant supérieure, était encline à la juger, voire à la mépriser. « Tu manques d'attention, *a reproché Alice un jour à sa jumelle.* On croirait que tu n'es pas intelligente. Tu retardes les autres. Sans toi, je ne perdrais pas mon temps à réentendre des explications que je sais par cœur. À cause des cours que tu dois prendre après les heures de classe, je suis forcée de t'attendre. »

Exaspérée par la lenteur de sa sœur à saisir les concepts théoriques et abstraits des matières principales, Joëlle la culpabilisait, l'humiliait devant ses camarades et, parfois même, la repoussait avec rudesse. Se sentant constamment coupable, Alice s'autopunissait en s'enfermant dans sa chambre. Son comportement de victime culpabilisante rendait Joëlle encore plus revêche. Cependant, au moment de l'adolescence, quelque chose a changé pour Alice. Elle a réalisé qu'elle plaisait à tous les garçons de l'école. Ils recherchaient sa présence, la valorisaient pour sa beauté et sa féminité et l'invitaient à différentes activités récréatives et artistiques. Habituée à capter l'attention et à être constamment félicitée pour ses performances sportives, Joëlle souffrait vraiment de ne pas obtenir le même succès que sa sœur auprès des garçons. Elle jalousait Alice et, comme elle avait honte de cette émotion, elle s'en défendait en traitant sa jumelle de « fille superficielle et frivole », *ce qui, en fait, était le contraire de la réalité.* « Si tu t'occupais de tes études plutôt que d'aguicher les garçons, tu serais peut-être un peu plus intelligente », *lui avait-elle lancé un jour par dépit.*

Quoiqu'elle fasse, Alice se sentait toujours fautive avec sa jumelle. Malgré tous ses efforts pour s'améliorer, elle ne se sentait jamais conforme à la norme. Perfectionniste et travaillante à l'excès, elle se donnait corps et âme pour cacher sa honte. Trop souvent jugée insignifiante par sa sœur, elle se croyait médiocre, sans intérêt et définitivement mauvaise. Joëlle, de son côté, était bien consciente qu'elle ne possédait pas les qualités relationnelles et humaines de sa jumelle. Très jeune, elle avait compris qu'Alice était vraiment maître dans l'art de plaire, non seulement par son apparence physique, mais surtout par sa délicatesse, son charme naturel et sa douceur. Joëlle enviait les talents artistiques et relationnels d'Alice et compensait ses manques dans ces domaines en développant encore plus ses aptitudes rationnelles et en s'impliquant davantage dans des compétitions sportives. Elle accumulait les médailles du « faire » *pendant que sa sœur cultivait celles de l'«* être *». L'une se défendait de sa souffrance d'infériorité non conscientisée par le jugement, le blâme et une attitude de supériorité, alors que l'autre se défendait de sa honte et de sa culpabilité par la fermeture, un comportement de victime, le retrait, le perfectionnisme et l'autopunition. Aucune des deux n'était en contact avec ses émotions et ses véritables besoins.*

Allaient-elles un jour se rencontrer authentiquement au niveau du cœur ?

Alice et Joëlle représentent bien le couple juge/coupable. Le système qui régit leur relation peut les laisser prisonnières de ce fonctionnement relationnel toute leur vie si elles ne conscientisent pas ce qui l'entretient. Chacune d'elles porte sa part de responsabilité dans l'insuccès de leur relation. Il est possible que notre âme de *sauveur* nous incite à condamner Joëlle et à appuyer Alice. Ce faisant, nous étiquetterions l'une de *mauvaise* et *méchante* et l'autre de *bonne* et *persécutée*. Ce comportement de *sauveur*, au lieu de les aider, alimenterait le système relationnel dysfonctionnel dans lequel elles se sont enlisées, contre leur gré, au fil des années. En regardant de près, nous constatons qu'Alice a autant de responsabilités que sa sœur dans la dégradation de leur relation.

Pour dénouer le nœud gordien qui les tient captives, une description de chacun des fonctionnements qui forment leur système est nécessaire. En connaissant leurs blessures, leurs modes réactionnels et leurs besoins, et en découvrant ce qui, dans leur histoire de vie respective, est à l'origine de leurs fonctionnements psychiques particuliers, elles pourront transformer leur relation dysfonctionnelle en une relation satisfaisante.

Comme nous sommes tous à la fois plus ou moins *juges* et coupables dans nos relations affectives, une

prise de conscience de notre propre juge intérieur et de notre comportement de coupable nous sera beaucoup plus utile pour améliorer nos relations affectives qu'une lecture orientée vers l'analyse du fonctionnement de ceux qui nous entourent.

Pour faciliter une meilleure connaissance de ces deux facettes de nous-mêmes, dressons d'abord le portrait du juge.

Le juge

Le juge est une personne d'une grande sensibilité qui souffre d'un sentiment d'infériorité inconscient et d'une énorme peur d'être humilié dont il se défend par le jugement et par une attitude de supériorité.

Le juge et le supérieur possèdent d'ailleurs plusieurs traits communs. Si j'ai décidé d'accorder à ce type psychologique un chapitre entier c'est à cause de l'omniprésence du jugement dans les relations humaines. En effet, rarissimes sont les personnes qui peuvent affirmer sans mentir qu'elles ne jugent jamais. Nous sommes tous concernés par ce problème qui perturbe considérablement nos relations affectives.

Par ses jugements sur les situations, les personnes et leurs comportements, le juge s'arroge le pouvoir de décider en tous lieux de ce qui est bien ou mal, bon ou mauvais, beau ou laid, correct ou incorrect, comme s'il détenait la vérité.

Il porte un jugement sur tous ceux qui ne partagent pas ses valeurs, ses opinions et ses croyances. Par exemple, s'il est de droite, il jugera sévèrement les gens qui, politiquement sont de gauche ; s'il est athée, il portera un jugement drastique sur les croyants. Il vous jugera aussi si vous éduquez vos enfants différemment de lui ; si vous n'aimez pas le théâtre alors que c'est sa passion ; si vous voyagez souvent au Mexique alors qu'il déteste ce pays. Pour se donner de la valeur, il a besoin du jugement qu'il porte sur les faits et sur les opinions, les goûts, les croyances, les erreurs et les caractéristiques des autres. S'il arrêtait de juger, il se sentirait minable, car il serait confronté à sa blessure d'infériorité et à sa honte. Il prend donc du pouvoir sur les autres pour éviter de souffrir de ses blessures.

Cependant, qui dit *pouvoir* ne dit pas nécessairement *leadership*. Le juge n'est pas un leader. Si on le suit, ce n'est ni par amour ni par admiration, mais par peur d'être jugé ou par obligation. Selon Thalmann, « *le juge nivèle les personnalités, étouffe les potentialités, réprime la créativité*[20] ».

Si, par ses connaissances et sa capacité à catégoriser les gens selon ses critères, il impressionne certaines personnes qui ne le connaissent pas, il les déçoit souvent à la longue lorsqu'elles se rendent compte que son besoin de juger cache paradoxalement un manque profond de confiance en lui-même.

Nous nous sentons toujours inconfortables en présence d'un juge parce qu'il ne cherche qu'à nous évaluer à partir de ses projections, de ses interprétations, de ses généralisations, de ses frustrations, de ses blessures refoulées et de ses besoins insatisfaits.

Comme il se comporte défensivement pour fuir sa souffrance, le juge n'est pas heureux. Ce qu'il exige des autres, il se l'impose à lui-même au sens où il se juge énormément. Il n'admet pas ses imperfections et ne se pardonne pas

20 Yves-Alexandre Thalmann. *Le non-jugement*. Éd. Jouvence, p. 336.

ses erreurs. Pour cette raison, il les projette sur les autres pour éviter de souffrir. Ce qu'il rejette le plus de lui-même et, par conséquent sur des autres, c'est sa propre fragilité psychique. Cet être blessé fuit sa souffrance dans le jugement. D'ailleurs, c'est ce que nous observons du comportement de Joëlle, qui exige énormément d'elle-même pour se maintenir dans la performance et pour prouver sa supériorité sur sa sœur et, par la suite, pouvoir la chapitrer. Cela dit, malgré cette attitude de supériorité qui nous importune chez Joëlle, il n'en reste pas moins qu'elle porte des blessures refoulées, à l'instar de tous les juges que nous sommes et que nous connaissons, et qui souffrent de blessures dont ils sont, à de rares exceptions près, inconscients.

Le fonctionnement psychique du juge

Quelles sont ces blessures qui rendent les juges si défensifs ?

1. Les blessures psychiques du juge

Avant d'aborder le sujet des blessures, il est important de préciser que j'ai écrit ce chapitre pour que les personnes prisonnières du système juge/coupable prennent conscience que le jugement représente l'une des principales causes de leurs conflits relationnels. Personne n'aime être jugé. Personne ne peut être heureux en présence de quelqu'un qui se place en position de supériorité et de domination par rapport à lui. Cependant je ne veux d'aucune manière juger les juges, sachant que, en tant que mécanisme de défense, le jugement cache un sentiment souffrant plus ou moins intense d'humiliation et d'infériorité. En réalité, la plus profonde blessure du juge est la blessure d'infériorité.

Le juge est un inférieur qui s'ignore. S'il possédait vraiment la confiance en lui-même qu'il affiche, il ne sentirait pas le besoin de se placer en spécialiste de l'évaluation de la valeur des autres et de leurs réalisations. Il ne chercherait pas à prouver qu'il sait pour tout le monde ce qui est acceptable et ce qui ne l'est pas.

Il se contenterait tout simplement d'être lui-même. Il ne serait pas cette personne parfois fausse, apparemment insensible, qui éprouve souvent de la difficulté à vivre une relation affective profonde parce que, cachant sa vulnérabilité, elle ne voit que le négatif chez l'autre pour se donner un sentiment d'importance. Le juge invétéré n'aime pas se montrer vulnérable, car il juge l'expression de l'émotion souffrante comme une faiblesse. À cause de son histoire passée, il croit qu'il ne serait pas aimé s'il se montrait trop affecté par ceux qui déclenchent ses blessures.

Ce blocage par rapport à l'authenticité émotionnelle dissimule une blessure d'humiliation. Comme il a été jugé et peut-être rejeté dans sa nature sensible ou qu'il a été valorisé pour son stoïcisme, il se juge et abandonne son enfant intérieur blessé. Il nie les émotions qui ont été jugées dans son enfance et les réprime quotidiennement. Il agit de la même manière avec celles des autres. Sa peine, sa colère, sa jalousie, sa peur d'être évalué autant qu'il évalue, de même que sa déchirante peur d'être humilié sont refoulées. Il dépense son énergie à les contenir et à se montrer fort, c'est-à-dire invulnérable, pour être digne d'amour et de reconnaissance. Cette honte de lui-même le rend extrêmement sensible à toute forme d'humiliation. Possédé par une peur viscérale d'être jugé, il s'en défend en faisant aux autres ce qu'il refuse qu'ils lui fassent.

Le problème qui se pose est que plus il juge, plus il craint d'être jugé parce que, comme l'affirme si bien Christophe André, il suppose alors que le jugement des autres sera aussi impitoyable et sévère que le sien. Il se sent donc toujours en danger.[21] En réalité, le juge n'est pas libre. Il est enfermé dans ce cycle funeste qui le prive de sa liberté d'être et d'agir. Cela va sans dire que s'il évalue négativement l'habillement, les opinions, les choix de vie des autres, il se sentirait très humilié de changer d'avis et de faire un jour ce qu'il a réprouvé ouvertement pour se donner de la valeur ou par convoitise.

Ce fut le cas de Noémie qui, par jalousie, jugeait ouvertement son beau-frère et sa sœur qui, en tant que propriétaires du restaurant le plus achalandé de la ville, étaient très à l'aise financièrement. Elle réprouvait ostensiblement la propriété privée et l'accumulation des richesses personnelles, jusqu'au jour où elle rencontra un homme riche qui gagnait sa vie dans une entreprise florissante dont il était le créateur et le propriétaire. Quand sa sœur lui en fit la remarque, Noémie, humiliée, nia ses paroles et reprocha même à sa sœur de n'avoir rien compris de ses propos. La prospérité de son nouveau conjoint calma toutefois sa jalousie, d'autant plus qu'il était beaucoup plus riche que son beau-frère et sa sœur.

Cet exemple montre bien la prison dans laquelle peut s'enfermer ce type psychologique par ses jugements. Parce qu'il réagit à ses peurs d'être jugé, humilié et infériorisé au moyen de modes réactionnels qui perturbent ses relations, le juge se cloître dans un cercle vicieux qui se répète inlassablement dans ses relations.

21 Christophe André, *Imparfaits, libres et heureux*. p. 220.

2. Les mécanismes de défense du juge

Au sens qui lui est attribué ici, le jugement n'a aucun rapport avec le droit. Il consiste en un mécanisme de défense qu'une personne utilise en réaction à ses émotions désagréables déclenchées en elle par ceux qui rappellent à sa mémoire inconsciente des événements intolérables du passé. Ce n'est pas le monde extérieur qui génère le jugement, mais les blessures éveillées dans l'ici et maintenant dans le psychisme de l'être touché par une situation ou par un autre être humain.

> **Le juge se défend pour se protéger contre la souffrance causée par des émotions inacceptables à ses yeux, par exemple la peur d'être humilié ou infériorisé et la jalousie.**

Les jugements formulés par le juge se manifestent sous différentes formes, mais la plus importante est, comme je viens de le mentionner, la supériorisation. Le juge se compare en se supériorisant pour éviter de ressentir son sentiment d'infériorité. Sa relation avec le coupable est difficile parce que les deux ne sont pas sur un pied d'égalité, comme le dit Thalmann[22]. Le juge se place au-dessus du coupable au moyen d'affirmations comme celles-ci : « *Tu manques de discernement quand tu parles de politique* ou *Ta robe est trop courte, tu as les jambes trop minces pour la porter* ou encore *Ton opinion n'a pas de poids, elle est trop émotive.* »

En se posant comme détenteur de vérité, le juge prend nécessairement du pouvoir sur le coupable. Il le place en position d'infériorité et le domine. Il se comporte comme si le fonctionnement de celui qu'il juge n'était pas convenable et qu'il devrait être changé. En réalité, pour se donner de

22 *Op. Cit.* : p. 77

l'importance, le juge souhaite inconsciemment que le coupable se sente fautif et moindre que lui. Il semble ignorer que « *derrière chaque jugement se cache un avis que l'on tente d'imposer et qui donne tort à ceux qui ne le partagent pas*[23] ». Dire par exemple que telle personne est ignare parce qu'elle ne connaît pas Gabrielle Roy ou que telle autre ne s'habille pas avec goût parce qu'elle porte des vêtements d'un style différent du nôtre, c'est s'attribuer un pouvoir susceptible de provoquer des conflits dans les relations et créer le système relationnel dysfonctionnel juge/coupable.

Le besoin de valorisation du juge peut même le pousser à utiliser les explications sur le jugement développées dans ce livre, pour juger les jugements des autres plutôt que d'appliquer à lui-même ces connaissances.

Généralement il n'y a rien de mesquin derrière ce comportement défensif. Il n'y a qu'un être qui souffre de ses sentiments non identifiés d'infériorité et d'humiliation, un être qui cherche à être aimé et reconnu et qui ne comprend pas toujours pourquoi il suscite parfois chez les autres la fermeture, la méfiance et le rejet.

Ce qui, en fait, dérange le coupable dans les réactions défensives du juge, c'est sa tendance à généraliser. Il dira, par exemple : « *Cette fille ne sourit jamais.* » ou « *Les femmes sexy sont des femmes faciles à séduire.* » À ce sujet, THALMANN affirme que « *Les jugements sont intrinsèquement généralisants, ils font fi des formations contradictoires et des exceptions* ( ) *Face à un jugement, posons-nous la question : est-ce toujours vrai*[24] ? » Et pour éviter de juger les juges, posons-nous aussi la question suivante : Que se

23 *Op. Cit.* : p. 93
24 *Op. Cit.* : p. 93

passe-t-il psychologiquement dans notre cœur lorsque nous nous supériorisons et prenons du pouvoir sur les autres au moyen du jugement ?

C'est JUNG qui nous donne la meilleure réponse à cette question par sa théorie sur l'ombre et la lumière[25]. Selon ce psychanalyste suisse, nous refoulons au creux de notre inconscient tout ce que nous n'acceptons pas de nous-mêmes, c'est-à-dire certaines de nos émotions et certains de nos désirs et de nos besoins. Nous les maintenons cachés dans l'ombre de notre psychisme pour qu'ils ne soient pas vus et perçus par les autres ou même par nous-mêmes. Cependant ils ne disparaissent pas du seul fait d'être réprimés. Toujours présents en nous, ils se manifestent quand un événement ou une personne les déclenchent. Toutefois, quand nous jugeons, nous ne les extériorisons pas directement, mais au moyen de la projection.

Nos jugements négatifs sont donc en réalité des projections sur l'extérieur de la partie honteuse qui existe en nous.

Autrement dit, comme le souligne si bien THALMANN, tout jugement est subjectif. Il informe sur le *juge* et non sur la personne jugée. Si je dis, par exemple, que mon amie Stéphanie est dominatrice, il est possible que je projette sur elle mon côté *dominateur* ou que je dénigre son leadership en le qualifiant d'une manière négative pour émerger de mon sentiment d'infériorité par rapport à elle. Il est possible aussi que je la juge parce que j'ai des besoins non satisfaits dans ma relation avec elle, des besoins que je ne lui exprime pas parce que j'en ai honte, comme le besoin d'obtenir son attention et son écoute.

25 Carl Gustav JUNG. *L'âme et la vie*. Paris : Éditeur d'origine : Buchet et Chastel, paru en livre de Poche, 1995.

Exercice

Donc, pour vous situer par rapport à ce type psychologique, faites maintenant l'exercice suivant :

1. Pensez à une personne que vous jugez.
2. Que jugez-vous de cette personne ?
3. Que dit de vous le jugement que vous portez sur elle ?
   a) Vous êtes ou vous faites exactement avec elle ou avec d'autres ce que vous lui reprochez.
   b) Vous enviez cette personne et vous la rabaissez pour éviter de souffrir d'infériorité par rapport à elle.
   c) Vous avez un besoin non satisfait. Lequel ?

Quoi qu'il en soit, le jugement porté sur les autres est une forme de projection. Il parle toujours de nous-mêmes d'une façon détournée. Si nous le conscientisons et que nous nous en servons pour mettre en lumière le merveilleux monde qui le suscite, particulièrement le monde de nos émotions et de nos besoins, il peut nous aider à nous connaître et à nous aimer davantage.

Cela dit, il est fondamental, pour ne pas voir des jugements où il n'y en a pas, de le distinguer de l'OOP, c'est-à-dire de l'observation objective précise. Revenons à l'exemple de Stéphanie. Si nous affirmons, à son propos, qu'elle est dominatrice, nous portons sans aucun doute un jugement sur elle en ce sens que nous interprétons son comportement au moyen d'un terme péjoratif parce qu'il nous dérange. Par contre, si nous disons qu'elle donne souvent des ordres à tout le monde, nous nous exprimons à partir d'une observation. Cependant, cette observation n'est pas précise. Il s'agit plutôt d'une généralisation, ce qui représente encore une forme de jugement. Traduire la réalité telle qu'elle est, ce qui est le propre de l'OOP, serait de dire, par exemple : « *J'ai bossé avec Stéphanie aujourd'hui et, à trois reprises, elle m'a donné des ordres.* » Cette affirmation résulte d'une observation précise et ne comporte aucun jugement. Si nous ajoutons à cette phrase que Stéphanie est une personne dominatrice, nous tombons automatiquement dans une interprétation qui parle de nous et non d'elle. Cette interprétation de jugement est provoquée par des émotions non identifiées ou par des besoins non satisfaits.

3. Les besoins psychiques du juge

La prise de conscience de nos besoins relationnels s'avère absolument nécessaire pour devenir autonome dans nos relations affectives, pour acquérir du pouvoir sur nos vies et pour nous créer des communications qui ne sont pas des sources perpétuelles de conflits. Si le juge se défend par la supériorité, l'interprétation, la généralisation et la projection, c'est non seulement qu'il vit des émotions désagréables, mais aussi que certains de ses besoins psychiques fondamentaux ne sont pas satisfaits dans ses relations parce qu'il ne s'en occupe pas.

Je crois que le plus grand besoin du juge est sa boulimie insatiable d'amour et de reconnaissance. C'est ce qui explique pourquoi il a souvent quelque chose à prouver, pourquoi il veut toujours être approuvé et pourquoi il se compare en se supériorisant.

En réalité, il veut masquer son sentiment d'infériorité parce qu'il a intégré la croyance, dont il doit prendre conscience, qu'il ne peut être aimé et reconnu s'il montre authentiquement ses doutes, ses peurs, sa vulnérabilité et son manque viscéral de confiance en lui-même.

Il cache sa vie intérieure pour satisfaire bien maladroitement ses besoins et surtout pour ne pas être jugé. En fait, le juge ne supporte pas qu'on le juge. Toute personne qui l'évalue, l'infériorise ou l'humilie déclenche ses défensives parce qu'il n'accueille pas la peine de l'enfant blessé en lui, de cet enfant qui a tant besoin de valorisation et de sécurité affective pour exister et pour sentir qu'il possède une certaine valeur aux yeux des autres.

Le problème du juge est, en réalité, qu'il veut qu'on lui accorde beaucoup d'importance alors qu'il n'en accorde pas à son monde intérieur, à son enfant meurtri, à sa souffrance causée par l'infériorisation et l'humiliation et à ses besoins.

Malheureusement, dans nos relations affectives, quand nous jugeons ceux que nous aimons, nous nous attirons des conflits interminables. Nous voulons l'amour, mais nous attirons de la part des personnes de notre entourage, la peur légitime d'être jugées par nous. Nous voulons la reconnaissance, mais nous nous attirons la critique. Nous voulons la sécurité, mais nous nous attirons la méfiance. Nous voulons la liberté, mais nous nous attirons des réactions défensives qui nous enferment et nous nourrissons des jugements sur nous-mêmes qui nous emprisonnent. Nous voulons la paix et nous attirons la guerre. Nous voulons des relations harmonieuses, mais nous nous attirons des *coupables* avec lesquels nous entretenons des systèmes relationnels que nous n'arrivons pas à dénouer par manque d'écoute de nos émotions et de nos besoins. Si nous tournions notre regard vers le cœur de nous-mêmes, nous verrions un enfant que nous n'avons jamais reconnu. C'est lui et lui seul qui détient la clé de notre liberté.

L'origine du fonctionnement de juge

Dans son livre sur le non-jugement, Yves-Alexandre Thalmann décrit des réalités troublantes à propos de l'éducation. « *Les enfants*, affirme-t-il, *de par l'obéissance qu'ils doivent à leurs parents, sont les victimes idéales des jugements des adultes. Ils se font étiqueter, juger, qualifier, comparer à longueur de journée sans pouvoir réagir. À tel point que cela leur paraît rapidement normal d'être traités de la sorte, puisque c'est ce qu'ils ont toujours connu.* » Comme pour s'assurer que le message est bien enregistré, Thalmann ajoute un peu plus loin : « *Les adultes s'autorisent en toute bonne conscience à qualifier et à critiquer les enfants sous le couvert de leur mission éducative. Ils se permettent des comportements dont la plupart seraient considérés comme des manques de respect et des abus de pouvoir dans un autre contexte.* » Puis, pour susciter, comme lecteurs, notre réflexion, l'auteur nous pose directement la question suivante : « *Oseriez-vous énoncer à un adulte, ne serait-ce que le dixième des jugements que vous assénez à votre enfant*[26] ? »

Même si cette généralisation ne s'applique pas à tous les éducateurs, il n'en reste pas moins qu'elle est près de la vérité de certains enfants qui grandissent en entendant quotidiennement des jugements dévalorisants et humiliants portés sur eux. Ces enfants se sentent toujours incorrects, déplacés, impertinents, voire imposteurs. À force d'être rabaissés et humiliés, ils finissent par se croire mauvais et par dédaigner leurs faiblesses et leurs limites. Naît alors en eux un sentiment de honte qui les incite à présenter au monde des personnages insensibles pour cacher ce qu'ils sont. Cette honte les fait énormément souffrir. À cause d'elle, ils en viennent à porter de nombreux jugements sur eux-mêmes, à juger les autres et à être habités par une peur permanente d'être jugés.

26 *Op. Cit.* : p. 95, 102, 103

Nous savons que les enfants imitent leur père et leur mère et qu'ils s'identifient à leurs parents parce que, pour eux, ils détiennent la vérité. Évidemment, s'ils les entendent se juger et se critiquer mutuellement et s'ils les entendent juger et critiquer tout le monde, ils le feront aussi automatiquement sans se questionner et sans réfléchir aux conséquences de cette pratique défensive sur leurs relations affectives. Ces enfants n'apprendront pas à écouter leurs malaises. Leur comportement défensif de *juges* leur attirera donc des personnes avec lesquelles ils formeront un système relationnel qui les rendra malheureux. Jugés négativement par leurs éducateurs et élevés dans la comparaison, ils se défendront de leur sentiment d'infériorité et d'humiliation par une attitude de supériorité qui déclenchera la défensive et envenimera leurs relations.

Pour recevoir une certaine forme de considération et d'affection, les juges se battent toute leur vie afin d'émerger de leur sentiment d'infériorité et surtout de leur sentiment d'humiliation. Ils le font, notamment, par le jugement parce que c'est ce qu'ils ont appris. Comme je l'ai mentionné, c'est ainsi que se transmettent, d'une génération à l'autre, des fonctionnements psychiques qui contaminent les relations affectives et qui les enferment dans des systèmes relationnels étouffants.

Comment alors aider le juge à sortir de l'engrenage dans lequel il est pris ? Comment l'aider à ne pas reproduire, chez ses enfants, son fonctionnement défensif insatisfaisant et souffrant, et interrompre ainsi ce système dysfonctionnel ?

Comment aider le juge ?

Le travail sur le jugement commence par la prise de conscience des jugements que nous portons sur nous-mêmes.

En effet, il est absolument impossible d'aider un juge en lui demandant d'arrêter de juger. Ce serait comme enjoindre un aveugle à marcher sans sa canne blanche ou sans son chien. Rappelons-nous que c'est sa blessure psychique qui incite une personne à juger. Comme, pour les raisons évoquées précédemment, le juge a appris à se protéger de sa souffrance d'enfant par le jugement, nous ne pouvons donc pas lui enlever sa *canne* sans la remplacer par un autre moyen de se sécuriser. La première étape de sécurisation consiste à lui faire *découvrir* tout le mal qu'il se fait à lui-même en se jugeant. Le juge n'arrivera jamais à lever ses jugements sur les autres s'il ne s'accepte pas tel qu'il est. C'est donc dire que personne ne peut aider efficacement un juge s'il se juge lui-même, s'il juge les autres d'une manière chronique et s'il ne travaille pas d'abord à s'accepter. Cette condition est *sine qua non* pour pouvoir accueillir sans jugement les contradictions, la vulnérabilité, le sentiment d'infériorité, le manque de confiance en soi et les besoins psychiques non satisfaits des juges.

Le juge doit comprendre aussi que ses jugements sur lui et sur les autres influencent ses propres comportements. Si, par exemple, il se juge *nul* en communication, il ne sera pas enclin à aller vers les autres pour leur parler. Il attendra probablement que ce soient eux qui viennent vers lui. Ajoutons un deuxième exemple. Si un de vos couples d'amis se sépare et que vous jugez négativement celui des deux qui a choisi de partir, votre comportement avec ce dernier sera bien différent de celui que vous adopterez avec l'autre. En réalité, le jugement et l'autojugement stigmatisent la personne jugée. Ils la placent dans un moule et peuvent lui enlever sa liberté d'être et d'agir parce qu'ils ne tiennent pas compte de sa mouvance et de son aptitude au changement. Nous sommes des êtres en perpétuelle évolution. L'homme moderne n'est plus l'homme de Cro-Magnon. Nous enfermer ou enfermer les autres dans un jugement signifie donc nous maintenir dans le passé et nous comporter comme des robots.

Le jugement agit comme un décret en ce sens que les personnes jugées à répétition finissent par agir en conformité avec les étiquettes posées sur elles et s'emprisonnent elles-mêmes à cause du pouvoir qu'elles accordent aux juges de les définir.

« *On m'a tellement dit que j'étais paresseux quand j'étais jeune, me disait un ami récemment, que j'ai fini par me dire que ça ne servait absolument à rien de travailler davantage puisque, de toute façon, j'étais définitivement classé dans la catégorie des jean-foutre.* » À la longue, selon Thalmann : « *L'étiquette devient une excuse pour ne pas nous comporter autrement* ( ). *Autant nous reposer sur l'étiquette Je suis nul en maths que de fournir l'effort de développer notre compréhension des mathématiques* [27]. » Autrement dit, le jugement itératif entrave le développement des potentialités chez tous les êtres humains qui manquent d'amour d'eux-mêmes et de confiance en eux pour réfuter ce jugement.

C'est donc dire que nous devons apprendre au juge, qui a une peur irréfutable du jugement, à se libérer de sa dépendance au regard de son entourage, en se donnant droit à l'erreur et à l'imperfection, et en prenant sa valeur en lui-même plutôt que dans le faux sentiment de supériorité qu'il s'octroie inconsciemment en jugeant les autres.

En ouvrant son cœur et ses bras à l'enfant blessé qui l'habite, il contactera cette indulgence envers lui-même et

27 *Op. Cit.* : p. 115

cet amour de ce qu'il est. Cet enfant humilié, culpabilisé et jugé dans le passé a besoin de compréhension et d'amour. Sa relation à lui-même rendra ses relations affectives plus heureuses et le libérera du système juge/coupable. Au lieu de faire naître des conflits, des tensions, des jeux de pouvoir, de l'incommunicabilité, de la fermeture ou de la rébellion chez les coupables par son attitude de supériorité et de pouvoir, il se créera des relations affectives plus harmonieuses parce qu'il sera beaucoup plus bienveillant envers lui-même.

Exercice

Pour sortir des impasses relationnelles dans lesquelles vous plongent vos jugements défensifs et vous créer ces relations harmonieuses que vous souhaitez vivre avec ceux que vous aimez, je vous propose une réflexion à partir des questions suivantes :

1. Vivez-vous une relation conflictuelle ou insatisfaisante avec une personne importante de votre entourage affectif en ce moment ? Si oui, de quelle personne s'agit-il ?
2. Soyez honnête et observez quels jugements vous portez sur cet être que vous aimez. Que trouvez-vous de *trop* ou de *pas assez* chez lui ?
3. Quels mots utilisez-vous pour nommer vos évaluations ?
4. Qu'est-ce que ces caractéristiques disent de vous-même ?
5. Comment réagiriez-vous si cette personne vous jugeait de cette façon ?
6. Êtes-vous prêt à regarder en vous-même pour trouver la source de vos jugements ? Si oui, répondez le plus honnêtement possible aux questions qui suivent :

7. Quels sentiments ou quelles émotions non conscientisés ou non avoués éveillent les jugements que vous portez sur cette personne ?
   - le sentiment d'infériorité ou la peur d'être rabaissé ?
   - le sentiment d'humiliation ou la peur d'être humilié ?
   - la jalousie ? l'envie ?
   - la peur d'être dominé ?
   - le sentiment d'être menacé dans votre valeur personnelle par la différence de goûts, d'opinions ou d'émotions de l'autre personne ?
8. Quels sont vos besoins non exprimés et non satisfaits dans votre relation avec cette personne ?
   - être aimé ?
   - être reconnu ?
   - être important ?
   - être accepté ?
   - être sécurisé ?
   - être écouté ?
   - être compris ?
   - être libre ?
   - être en paix ?
9. Êtes-vous conscient de votre part de responsabilité dans l'entretien du système juge/coupable que vous avez créé avec cette personne ? Si oui, quelle est précisément votre part de responsabilité ?
10. Consentez-vous à effectuer un travail sur vous-même pour transformer cette relation insatisfaisante en relation harmonieuse ?
11. Quels moyens comptez-vous utiliser pour atteindre votre objectif ?

- l'auto observation ?
- le remplacement de vos jugements par l'expression authentique de vos émotions et de vos besoins ?
- la prise en charge de vos besoins au moyen de demandes claires ?
- la récupération de vos projections ?
- l'aide thérapeutique ?
- etc.

Pour mieux comprendre l'imbroglio dans lequel s'enlise jour après jour le couple juge/coupable dans la relation affective, voyons en quoi le coupable contribue lui aussi à tenir le système en place.

Le coupable

Le mot *coupable* au sens d'*incorrect* et *condamnable* mérite d'être précisé dans le présent ouvrage. Qu'est-ce qui peut être incorrect et condamnable chez une personne humaine ? Ce qu'elle est ou ce qu'elle fait ? S'il s'agit de ce qu'elle est, on parle de *honte* et s'il s'agit de ce qu'elle fait, on parle de *culpabilité*. Avant H.-B. Lewis (1971), le vocable *culpabilité* a été utilisé indifféremment pour désigner ces deux sentiments pourtant différents, mais si souvent imbriqués l'un dans l'autre dans le psychisme qu'il est difficile de les identifier quand ils nous envahissent le cœur. Il est plutôt rare que nous nous posions la question suivante : *Est-ce que je me sens coupable ou honteux en ce moment* ? Tout ce que nous savons, c'est que nous nous sentons mal sans pouvoir nommer exactement les états d'âme qui nous habitent parce qu'ils prennent racine au cœur de notre enfance. « *Différents des émotions, ces états de notre conscience et de notre affect reflètent les traces d'un passé lointain.*[28] », écrit

28 Revue française *Cerveau et psychologie*, # 32, p. 28

Christophe ANDRÉ. « *Par essence*, affirme Fernando PESSOA, *les états d'âme durent au-delà des situations qui les ont justifiés ou déclenchés, ils sont tout ce qui reste en nous après que le train de la vie est passé*[29]. » Ainsi, la culpabilité et la honte ne sont pas des émotions passagères qui disparaissent avec les déclencheurs. Elles sont ancrées dans le psychisme du coupable, bien installées depuis longtemps dans le silence de son maquis intérieur, prêtes à se manifester dès qu'un événement ou une personne les réveillent. Alors que, influencé par Lewis, BRADSHAW nous dit que la culpabilité se caractérise par le *faire*, la honte, ajoute-t-il, se distingue par le mot *être*.

Une personne se sent coupable quand elle a fait quelque chose jugé incorrect par elle-même ou par quelqu'un de son entourage et elle se sent honteuse quand elle méprise ce qu'elle est.

La plupart des *blâmables* ou des *blâmés* du système juge/coupable sont aux prises avec ces deux sentiments dans leur relation avec les *juges*. Parfois, c'est la culpabilité qui les fait souffrir et parfois c'est la honte. Une description des caractéristiques du *honteux* et de celles que j'appellerai *le fautif*, pour des raisons pratiques, permettra au lecteur d'identifier lequel des sentiments lui cause le plus de souffrance quand il est jugé. Elle lui permettra aussi de savoir si, globalement, il est davantage *honteux* que *fautif* ou l'inverse. Finalement cette meilleure connaissance de lui-même favorisera le dénouement du système qu'en tant que coupable il entretient avec le juge.

29 Fernando PESSOA. Tiré de l'extrait de son *Livre de l'intranquillité* : *Que nous disent nos états d'âme* ?

En résumé, à propos du vocabulaire utilisé :

Le fautif est la personne qui se sent coupable d'avoir *fait* quelque chose de répréhensible.

Le honteux est celui qui dédaigne ce qu'il *est* et qui en a honte.

Le coupable est le terme global employé dans ce livre pour désigner et le fautif et le honteux.

Pour bien distinguer ce qui caractérise chacune des deux facettes du *coupable*, commençons par décrire le fautif.

Le fautif

Le fautif est par essence une personne qui *a fait* une faute ou qui s'imagine en avoir accompli une. Dans le premier cas, sa culpabilité est parfaitement normale et absolument saine. Si, par exemple, il a réellement causé du tort à quelqu'un, il est tout à fait approprié qu'il se sente coupable. Pour se libérer de ce sentiment pour le moins gênant, voire souvent insupportable, et retrouver sa quiétude intérieure, il peut s'excuser et, s'il y lieu, réparer l'offense. Par contre, si sa culpabilité est issue d'élucubrations imaginaires décollées de la réalité, elle est malsaine parce qu'elle est injustifiée, du moins eu égard aux faits. Au premier abord, le mobile de cette dernière forme de culpabilité s'explique plus difficilement, car elle ne prend pas sa source véritable dans le présent. Elle est issue des blessures du passé.

Le psychisme du fautif porte non seulement la douleur des traumatismes non résolus de jadis. Il souffre surtout parce qu'il a intégré de nombreux juges intérieurs qui lui répètent constamment les jugements,

les reproches et les culpabilisations assénés par ses principaux éducateurs quand il était enfant ou adolescent.

La culpabilité causée par ces juges chimériques est malsaine parce que, la faute étant imaginaire, il est carrément impossible de la réparer. Elle ne fait qu'entretenir, voire grossir démesurément la culpabilité et, par conséquent, nourrir chroniquement la blessure.

L'exemple de Chanel peut nous faire comprendre encore mieux comment s'introduit dans la vie d'une personne la culpabilité malsaine. Enseignante à l'école primaire, Chanel accomplissait sa tâche avec un dévouement exceptionnel. Toujours présente, attentive, appliquée, elle prenait à cœur le bien-être et la réussite de ses élèves. Son engagement envers ceux-ci et son sens parfois excessif des responsabilités et du perfectionnement faisaient d'elle une femme qui se donnait sans compter, trop souvent à son détriment. Aucune indisposition physique ne l'empêchait d'accomplir jour après jour sa mission auprès des enfants. Aussi, le jour où une forte fièvre et des douleurs abdominales insupportables l'ont retenue à la maison, elle a souffert davantage de son incapacité à se rendre à l'école que de sa douleur physique. Pourtant, personne ne lui a reproché quoi que ce soit, bien au contraire. Le directeur de l'institution où elle enseignait, connaissant sa nature démesurément altruiste, l'a fortement encouragée à se reposer et à prendre tout le temps nécessaire pour se rétablir. Malgré ces conditions favorables, Chanel se sentait terriblement coupable. Elle imaginait que ses élèves supporteraient mal sa remplaçante, qu'ils lui en tiendraient rigueur et que son patron la punirait d'une manière ou d'une autre malgré ses paroles empathiques et indulgentes.

L'histoire de Chanel nous fournit un excellent exemple de culpabilité malsaine. Rien dans sa vie présente ne justifie l'apparition de ce sentiment morbide dans son psychisme. Seules les expériences passées de cette enseignante peuvent nous faire comprendre pourquoi elle se sentait fautive dans cette situation alors qu'elle ne l'était pas du tout en réalité.

Enfant, Chanel avait appris que les retards et les absences étaient impardonnables quelle qu'en soit la raison. Il n'était pas question de manquer l'école pour une grippe, une otite, un mal de ventre ou une indigestion. Sa mère la bourrait d'analgésiques et la forçait à « faire son devoir » comme elle le faisait elle-même. Le message étant cohérent, au sens où sa mère pratiquait ce qu'elle exigeait, sa portée a été doublement puissante. Devenue adulte, Chanel n'avait plus besoin de la présence physique de sa mère pour diriger sa conduite. Cette dernière faisait partie intégrante de son surmoi, c'est-à-dire de cette instance psychique freudienne formée par l'intériorisation des figures parentales. Transformée en juge intérieur, cette mère continuait à manifester son autorité sur sa fille en son absence.

Comme la culpabilité résulte du manque d'obéissance à des règles et que Chanel s'imposait des obligations personnelles très sévères, elle ne se donnait pas de répit. Honorer les normes sociales par rapport au respect du corps et de la propriété d'autrui et nous sentir fautifs si nous les avons enfreintes est normal. Cependant, nous soumettre à des lois subjectives et se punir, comme le faisait Chanel par manque de conscience des blessures à l'origine de ces lois, a pour conséquence de cultiver cette culpabilité malsaine et inutile qui envenime notre vie et nos relations affectives et professionnelles.

Cela dit, nous pouvons nous demander ce qui particularise le fonctionnement de Chanel et, par le fait même, du fautif. En réalité, la principale caractéristique du fautif est sa tendance à prendre la responsabilité des malaises, des désirs, des besoins, des difficultés et des erreurs des autres pour ne plus se sentir coupable. Il peut même se responsabiliser en imaginant les besoins, le vécu et les problèmes de ceux qui l'entourent.

Le but du fautif est de s'organiser pour rendre les autres confortables et heureux quand il se sent coupable et responsable de leur souffrance, même s'il n'est pas en cause.

En ce sens, le fautif est aussi un sauveur. Cependant il n'est pas nécessairement un persécuté, car il ne recherche pas la souffrance, mais, bien au contraire, il la fuit. Le fait qu'il se contrôle et qu'il contrôle les autres d'une manière apparemment agréable et louable pour prévenir ce qui, dans leurs paroles et leurs actes, pourrait déclencher sa culpabilité le différencie toutefois du sauveur, qui de son côté prend les victimes en charge pour éviter de souffrir d'impuissance. La culpabilité du fautif est tellement souffrante qu'il met tout en œuvre pour empêcher son entourage de la déclencher en lui : « *Cela se traduit en premier lieu,* affirme THALMANN, *par un refus de laisser exister les autres à part entière, comme des êtres humains doués de libre arbitre, capables de décider par eux-mêmes et d'assumer leur choix. Cela se traduit ensuite par le refus d'accepter ses propres limites, sa finitude, ses imperfections. Ce double refus mène à une inflation des responsabilités du coupable. ( ) Voilà où réside le péché d'orgueil de la culpabilité*[30] . »

En résumé, la responsabilité dont se charge le fautif consiste à faire en sorte que personne ne déclenche son sentiment de culpabilité. Pour ne pas ressentir ce sentiment intolérable, il se défend en contrôlant les paroles et les gestes des autres.

30 Yves-Alexandre THALMANN. *Au diable la culpabilité*. p.. 161-162

Il prend ainsi inconsciemment du pouvoir sur eux, même si telle n'est pas du tout son intention. Son but non conscientisé n'est pas principalement de rendre les autres heureux, mais surtout de se protéger lui-même contre une souffrance qui, elle, n'est pas imaginaire mais bien réelle, puisqu'elle est causée par de profondes blessures intérieures.

Le fonctionnement psychique du fautif

1. Les blessures psychiques du fautif

Comme je l'écrivais dans *L'acceptation et le lâcher-prise*[31], la blessure naît d'émotions intenses et traumatisantes qui se ravivent chaque fois qu'un déclencheur extérieur rappelle à l'inconscient la souffrance de l'événement initial. Les plus importantes lésions psychiques du fautif sont les blessures causées par la dévalorisation et la culpabilisation. L'adulte aux prises avec cette blessure ne se sent jamais adéquat dans ce qu'il fait. Il a souvent le sentiment d'être une « godiche », un éternel gaffeur ou un être tout simplement incapable d'agir correctement. Il se juge très sévèrement et il a une peur exagérée de l'erreur, de la maladresse ou de l'imperfection parce qu'il se sent coupable quand il n'agit pas d'une manière convenable à ses yeux et aux yeux des autres. Minimisant ses habiletés et dramatisant ses imperfections, il éprouve de la difficulté à accueillir la reconnaissance.

Le fautif est souvent épuisé, d'une part, parce qu'il ne se permet pas de faux pas et, d'autre part, parce que sa peur d'être culpabilisé et jugé le place en permanence sur le qui-vive. Sa culpabilité le prive de sa liberté d'agir spontanément.

31 Colette Portelance. *L'acceptation et le lâcher-prise*. Éditions du CRAM 2014.

Il se demande sans cesse ce qu'il devrait dire et faire pour être correct, c'est-à-dire pour ne déranger personne. Cette préoccupation constante le rend dépendant des juges, l'empêche d'exploiter son potentiel créateur et l'incite constamment à se défendre par le contrôle pour ne pas souffrir.

2. Les mécanismes de défense du fautif

Le principal mécanisme de défense du fautif est l'autopunition. Ayant été culpabilisé par ses principaux éducateurs, il a cultivé le sentiment de n'être à peu près jamais *ad hoc*, tout comme Alice qui, se sentant coupable de retarder sa sœur, tentait d'échapper à ses remontrances en s'enfermant dans sa chambre.

Pour se défendre, le coupable refoule sa douleur et il s'autopunit dans le but inconscient ou non avoué de punir le *juge* et de le culpabiliser à son tour.

Il se place ainsi en victime et, à ce titre, par son comportement défensif, il prend du pouvoir sur le juge. En fait, quand il est blessé par des reproches et des jugements qui condamnent sa conduite, le fautif se victimise et s'autopunit pour punir ceux qui ont réveillé sa blessure causée par la culpabilisation. Par exemple, si une personne lui reproche ses retards, il peut décider de ne plus répondre à ses invitations. Si quelqu'un qualifie ses vêtements de trop provocants, il peut les retourner à la boutique où il les a achetés. Si son conjoint désapprouve son choix d'émissions de télévision, il peut fermer le poste et s'isoler dans sa chambre. Si, au cours d'une partie de golf, on lui propose de suivre des cours pour s'améliorer, il peut interpréter cette suggestion négativement et cesser de jouer définitivement. Le fautif recourt très souvent à l'interprétation. Comme tous les types psychologiques décrits dans cet ouvrage, il ne voit pas le monde tel qu'il est, mais à partir de ses expériences passées et de la culpabilité qui surgit en lui quand il est blessé.

Ces réactions défensives peuvent sembler démesurées eu égard aux déclencheurs, mais elles ne le sont pas par rapport à la blessure psychique qui porte la mémoire de ses expériences de vie. La culpabilité ressentie, les jugements et les punitions qu'il a subis, enfant, expliquent le fonctionnement relationnel dysfonctionnel du fautif. Quand il se sent coupable, il se punit automatiquement parce qu'il a introjecté la croyance inconsciente que la culpabilité et la punition sont inséparables. Si, par exemple, il se sent coupable d'avoir enfreint la règle qu'il s'est imposée concernant un certain régime alimentaire pour perdre du poids, il se privera davantage de nourriture au détriment même de sa santé.

Tout le rapport au plaisir est en cause ici. Par ses autopunitions, le fautif, comme l'inférieur et le persécuté, renonce non seulement à des plaisirs physiques, intellectuels, voire sexuels tout à fait légitimes, mais il en vient à toujours considérer ces plaisirs avec culpabilité. Parce qu'il croit ne pas la mériter, il hypothèque ainsi sa joie de vivre et l'étouffe pour expier ses fautes imaginaires. En ce sens,

> **le fautif est comme l'innocent qui se livre à la police pour réparer une faute qu'il n'a pas commise. Il se sent tellement facilement coupable qu'il se responsabilise des malaises des autres alors que, souvent, il n'y est pour rien.**

Comme il se croit fréquemment incorrect, il recherche les punitions pour se déculpabiliser quand il ne se punit pas lui-même.

Cependant, ce mécanisme de défense tourné contre lui peut aussi se retourner contre les autres. En effet, quand il se punit, le fautif punit ses déclencheurs et les culpabilise. Par exemple, en s'enfermant dans sa chambre parce qu'elle a été blessée, Alice prend elle aussi du pouvoir sur Joëlle pour la culpabiliser à son tour, pour attirer son attention et pour satisfaire ainsi, bien maladroitement, son besoin d'exister. Le système juge/coupable entre ici en jeu et est entretenu par les mécanismes de défense de ceux qui le composent, soient le jugement d'une part, et l'autopunition d'autre part. Ainsi puni, le *juge* peut redoubler de reproches, de culpabilisations et de jugements. Cela peut inciter le fautif à lui faire la morale ou à se claustrer dans un mutisme insécurisant. Ces fonctionnements défensifs alimentent leur système relationnel souffrant, lequel ne sera démantelé que si chacun ouvre la porte qui donne sur ses blessures et ses besoins.

3. Les besoins psychiques du fautif

Tant que le fautif n'aura pas pris conscience de ses besoins psychiques vis-à-vis du juge, il se défendra de sa souffrance de la culpabilité par l'autopunition, la punition, l'interprétation et par des excuses interminables largement disproportionnées par rapport à l'offense, si offense il y a.

Comme le juge, il se défendra aussi par la projection, à l'instar de Manuel qui se sent coupable d'avoir oublié l'anniversaire de son ami Léo et qui est convaincu que celui-ci lui en voudra. À cause de ce manquement, qu'il considère impardonnable, Manuel risque de ne plus se sentir apprécié. Sa conviction vient du fait que, si l'inverse s'était produit et que Léo avait oublié de souligner son anniversaire, Manuel aurait cru que son ami ne l'aimait pas et il lui en aurait tenu rigueur. Ce fonctionnement projectif caractérisait aussi Chanel, qui était persuadée que le directeur de son école la punirait pour son absence alors que c'est elle qui s'autopunissait en s'adressant des blâmes complètement injustifiés.

Ces réactions défensives du fautif se produisent parce qu'il n'est pas à l'écoute de ses émotions et de ses besoins. En réalité, dans l'exemple de l'anniversaire oublié, si Manuel reconnaissait son grand besoin de se sentir important pour son ami, son besoin d'exister et d'être apprécié par lui, il ne présumerait pas, sans le vérifier, que Léo ressent exactement les mêmes besoins que lui et qu'il réagirait exactement de la même manière que lui à son oubli.

Nous voyons par cet exemple à quel point les besoins d'être aimé, reconnu, valorisé et sécurisé sont importants chez le fautif pour déconstruire ses fausses croyances. Entre autres, le fautif croit que ses paroles ou ses accomplissements ne sont jamais corrects, jamais à la hauteur des attentes des autres, jamais assez parfaits pour lui mériter une certaine considération de la part de ceux qu'il aime. Pour mieux le comprendre, voyons ce qui a marqué ses années d'enfance et d'adolescence.

L'origine du fonctionnement de fautif

Si un enfant grandit avec des éducateurs qui se montrent toujours insatisfaits de ses résultats scolaires, qui le critiquent, le jugent ou dévalorisent ses actions, qui le culpabilisent exagérément chaque fois qu'il commet des erreurs, qui dramatisent ses moindres fautes et le responsabilisent de leurs malaises et de leurs problèmes, il est évident que cet enfant se sentira tout le temps coupable. Pour être *correct*, il cherchera à être parfait. L'enfant culpabilisé pour ses moindres manquements et pour tous les malaises de ses éducateurs grandira avec le sentiment d'être responsable de tout ce qui va mal autour de lui.

Cet enfant, culpabilisé quotidiennement, finit par se sentir fautif sans raison. Si ses parents le traitent de *paresseux*, il se sentira coupable de s'amuser et de prendre du temps pour se reposer et pour s'adonner à des activités qui lui plaisent. Cette réticence à s'amuser peut le suivre des années durant. Si ses parents le qualifient de *sans cœur*, l'enfant se sentira coupable de ne pas ressentir de peine devant la maladie d'une mère accusatrice et impitoyable. Si ces mêmes éducateurs posent sur lui une étiquette d'égoïste, il peut passer sa vie à se centrer sur les autres, à prendre en charge leurs problèmes et à tenter de satisfaire leurs attentes pour éviter de vivre de la culpabilité, pour montrer qu'il n'est pas égoïste et pour se punir de son imperfection. S'il réussit bien à l'école et que son père, moins doué que lui, le traite de *tête enflée*, il se sentira coupable devant son succès là où son père n'en a jamais eu.

À cela s'ajoute, dans certaines familles, la culpabilité causée par le non-respect des règles sociales et surtout des règles religieuses. Chez les chrétiens orthodoxes, par exemple, ne pas respecter ces règles peut supposément conduire en *enfer*.

La personne qui, pendant son enfance, a été éduquée avec la menace de la punition parentale ou de la punition divine est habitée malgré elle par une peur constante d'être fautive et punie, même si, adulte, elle ne pratique plus aucune religion.

La seule croyance, transmise par certains parents et certains professeurs, que Jésus est mort sur la croix et a enduré d'atroces douleurs pour sauver les péchés du monde peut favoriser l'intégration de la certitude que nous sommes responsables de sa souffrance et, conséquemment, de celle de tous ceux qui souffrent. Ces croyances religieuses ont donné autrefois aux autorités parentales et scolaires un pouvoir sur leurs enfants et leurs élèves. En effet, ces autorités étaient considérées comme les représentantes de Jésus-Christ sur la terre. En tant que telles, elles pouvaient sans vergogne responsabiliser les jeunes de leurs propres souffrances et les culpabiliser s'ils refusaient de changer leurs comportements ou leur nature pour satisfaire les exigences et les désirs de ces mêmes autorités. Quoi qu'il en soit, l'enfant qui se croit responsable du vécu et des malheurs des autres fera tout, en grandissant, pour déclencher des émotions agréables autour de lui, sans quoi il se sentira automatiquement coupable. Cet enfant-là avance dans la vie, aveuglé par sa culpabilité. Inconsciemment il ne cherche qu'une chose : s'en débarrasser pour trouver sa liberté d'être et d'agir. Comment peut-on l'aider à s'en libérer ?

Comment aider le fautif ?

Tout le drame que nous vivons, lorsque nous sommes affectés par une blessure causée par la culpabilisation, se trouve dans notre manière malsaine de composer avec la responsabilité.

Pour nous libérer des fautes qui ne nous appartiennent pas, nous devons comprendre que nous ne sommes responsables d'aucune façon des malaises et des problèmes des autres, mais seulement des nôtres.

À ce sujet, THALMANN affirme que, lorsque la culpabilité nous envahit, « *nous sommes amenés à assumer des responsabilités qui ne nous reviennent pas. Par là même, nous dépouillons les autres de leurs propres responsabilités*[32]. » De cette manière, nous développons la croyance que, pour assurer notre bien-être intérieur, nous devons, comme le sauveur et pour des raisons différentes, prendre en charge la souffrance des autres. Sans cette prise en charge, nous sommes condamnés au malheur de la culpabilité. Cependant, en assumant la responsabilité des problèmes et du vécu des autres, nous ne sommes pas conscients de détenir un pouvoir sur eux, celui de croire que nous pouvons régler, à leur place, leurs propres difficultés et soulager, à leur place, leurs troubles émotionnels. Autrement dit, pour ne pas nous sentir fautifs, nous les envahissons et les autorisons à nous culpabiliser de nouveau. C'est ainsi que se crée et s'entretient le système juge/coupable.

Les pouvoirs du juge, du coupable et du couple, et leurs conséquences

	du juge	du coupable	du couple
pouvoirs	Il juge. Il culpabilise. Il blâme.	Il prend la responsabilité des malaises du juge en tentant de régler ses problèmes et de soulager ses souffrances.	Il maintient le juge et le fautif dans la codépendance.
conséquences	Il perd le pouvoir de se responsabiliser et de s'occuper lui-même de ses besoins.	Il autorise le juge à le culpabiliser et à le responsabiliser indéfiniment.	Il entretient le système juge/coupable.

32 Yves-Alexandre THALMANN. *Op. Cit.* : p. 154

Dans ce couple, c'est le juge qui, de l'extérieur, paraît le plus fort. C'est lui qui semble dominer. En réalité, c'est le coupable qui porte le juge sur ses épaules et qui, pour éviter de souffrir de culpabilité, se débat pour prendre en charge ses problèmes, ses malaises et ses besoins, et ce, sans s'occuper des siens.

L'exemple de Solange est très révélateur pour appuyer ce rapport réciproque au pouvoir. Mère d'un fils hémophile, elle se rendait coupable chaque fois qu'il souffrait d'hémorragies internes dues à une chute ou à un mouvement trop brusque, parfois même un stress émotionnel. Comme l'hémophilie est une maladie héréditaire transmise génétiquement aux hommes par la mère, Solange ne réussissait à calmer sa culpabilité qu'en surprotégeant son petit Colin et en prenant la responsabilité de toutes ses souffrances, même s'il avait seize ans. Évidemment, le jeune a vite compris qu'il pouvait obtenir tout ce qu'il voulait de sa maman par de fausses indispositions. Autant Solange prenait du pouvoir sur son fils en étant une aidante sauveur plutôt qu'une aidante véritable, autant Colin soumettait sa mère à ses caprices en se plaignant, en se victimisant et en la jugeant mauvaise mère dans le but inconscient d'éveiller sa culpabilité. Comme aucun d'eux n'était conscient de son fonctionnement défensif, ils entretenaient un système relationnel juge/coupable qui générait une codépendance asservissante et souffrante.

Combien de parents possédés par un sentiment chronique de culpabilité se laissent utiliser et manipuler par leurs enfants ! C'est souvent le cas des parents dont les adolescents sont paresseux et ne font rien à l'école ou de ceux dont les enfants se droguent, se soûlent ou commettent des larcins avec une bande de copains douteux. Le malheur veut que plus ces parents se défendent contre leur culpabilité en donnant davantage à leurs enfants, plus ces derniers s'enfoncent dans leur détresse et redoublent de mensonges, de reproches et de culpabilisations pour garder leur pouvoir de manipulation sur leur père ou sur leur mère.

La culpabilisation chronique, lorsqu'elle n'est pas conscientisée, mène les couples, les parents et leurs enfants par le bout du nez. Non seulement elle les prive de leur autonomie, mais elle affaiblit leur volonté et elle les spolie de leur lucidité. En effet, le parent qui se croit fautif est trop affecté par sa blessure de culpabilité pour s'affirmer et poser des limites claires avec des conséquences précises. Au lieu de sécuriser ses enfants par un encadrement nécessaire à la canalisation de leurs énergies et à l'exploitation de leur potentiel créateur, il donne trop, comprend trop, menace trop, sans agir avec fermeté et constance.

Le même phénomène se produit dans une relation de couple fondée sur le système juge/coupable. Chacun des conjoints prend du pouvoir sur l'autre, l'un en prenant la responsabilité de la souffrance de l'autre pour ne pas de ressentir de culpabilité et l'autre en nourrissant perpétuellement la culpabilité du premier par le jugement, la critique et la manipulation.

Aider un fautif à sortir de ces systèmes en assumant la responsabilité de sa souffrance revient donc à créer avec lui une relation qui nourrit les mêmes systèmes que ceux dont il veut se libérer. Sans prise de conscience du pouvoir de sa culpabilité sur ses comportements défensifs, il ne peut se dégager du système juge/coupable.

Je me souviens quand mes enfants étaient adolescents, lorsque j'étais inquiète et que je me sentais coupable de leurs problèmes, je me répétais constamment la phrase suivante : « *Colette, fais confiance à ta fille* ou *fais confiance à ton fils.* »

J'ai observé cependant que cette affirmation mentale ne réussissait à calmer ma culpabilité que quand j'avais réussi à m'assumer comme mère. M'assumer signifiait encadrer mes enfants et leur communiquer la conviction que je les aimais assez pour les sécuriser avec des balises claires. Quand j'agissais ainsi, j'assumais ma responsabilité de parent sans prendre sur mes épaules les malaises qu'ils ressentaient lorsqu'ils commettaient des erreurs, subissaient des échecs ou rencontraient des difficultés relationnelles avec leurs amis.

Entendons-nous bien. Ne pas prendre la responsabilité des malaises et des problèmes de ceux que nous aimons ne signifie pas que nous restons insensibles à leur souffrance.

Au contraire, nous sommes touchés par eux. C'est d'ailleurs pour cette raison que nous tentons de les soulager par un moyen défensif, malheureusement nuisible à leur épanouissement, comme le contrôle. La porte d'entrée sur notre libération réside dans la conscientisation de ce mécanisme de défense qui nous mène dans la direction contraire de celle que nous voulons prendre. Cette prise de conscience nous procure le cadeau de la découverte que nous pouvons détenir un pouvoir sain sur notre vie plutôt qu'un pouvoir défensif sur la vie des autres. Conscients de notre propre souffrance émotionnelle, nous pouvons alors nous laisser toucher par l'autre et ressentir notre culpabilité sans le sauver pour nous sentir mieux et sans lui concéder le pouvoir de nous culpabiliser. C'est ainsi que s'accomplissent des actions véritablement aidantes qui dénouent les systèmes aliénants au lieu de les entretenir.

Qu'est-ce qu'une action aidante dans ces circonstances ?

Aider un fautif possédé par une culpabilité malsaine, c'est :

- lui exprimer notre sensibilité à sa douleur ;
- l'écouter sans jugement pour lui apprendre à identifier sa blessure et à l'accueillir ;
- lui faire prendre conscience des moyens qu'utilise le juge pour le culpabiliser ;
- l'encourager à ne pas se laisser berner par cette culpabilisation même s'il se sent coupable et qu'il en souffre ;
- favoriser la conscientisation de ses mécanismes défensifs : la punition et l'autopunition ;
- le valoriser chaque fois qu'il prend du pouvoir sur sa vie en laissant au juge la responsabilité de ce qui l'importune ;
- lui manifester notre confiance en ses capacités à retrouver son autonomie et sa liberté.

De plus, pour arriver à aider véritablement une personne qui se sent coupable des malaises de tout le monde, nous devons lui faire accepter, comme le souligne si bien THALMANN, qu'elle n'est pas puissante au point de pouvoir soulager toutes les souffrances humaines. Elle doit comprendre que, en poursuivant cet objectif, elle s'épuise en plus d'infantiliser ceux qu'elle aime et de les empêcher d'exister et de se réaliser.

Prendre les autres en charge quand nous nous sentons coupables pour nous libérer de ce sentiment souffrant n'est pas de l'amour de soi et de l'autre, mais un manque de courage et un manque de confiance en notre capacité et en la leur à affronter la souffrance.

Ce déficit d'amour de soi est encore plus profond chez une personne poursuivie par le sentiment le plus dévastateur qui soit : la honte.

Le honteux

L'exemple de Lévi

*À la suite d'une démarche thérapeutique avec un thérapeute formé à l'*ANDC[MC]*, Lévi, à la recommandation de son aidant, s'est inscrit à la formation offerte par le* Centre de Relation d'Aide de Montréal (CRAM[MC]). *Il ne se donnait pas pour but de devenir thérapeute. Son objectif était de poursuivre en groupe avec la même approche ce qu'il avait entrepris en individuel. Quand il m'a raconté son histoire, j'ai compris la pertinence de la proposition de la personne qu'il avait consultée. Il avait quarante-sept ans lorsqu'il m'a dévoilé son cœur.*

Fils aîné d'une famille de deux enfants, il n'avait pas complété sa deuxième année de vie quand son frère est né. De nature téméraire, indépendant, curieux et dynamique, Lévi ne laissait personne indifférent. Son tempérament exubérant et enjoué contrastait avec la timidité, la docilité, le calme et la mélancolie de son frangin qui, contrairement à lui, se réfugiait dans les jupes de leur mère au moindre dérangement. Pour le protéger contre la fougue de son aîné, Laure reprenait continuellement Lévi qui, se sentant rejeté, redoublait de taquineries envers son frère. Impatientée par ses provocations, elle le punissait de plus en plus sévèrement et injustement. Elle lui répétait sans cesse qu'il était méchant et qu'il avait un très mauvais caractère. Préoccupée à défendre Nathan contre les diableries de Lévi, elle ne comprenait pas les quêtes d'attention et d'amour de son fils aîné. Celui-ci, à force d'entendre quotidiennement des qualificatifs dévalorisants le concernant, les a introjectés. Il a ainsi intégré la conviction qu'il était une mauvaise personne et que, pour être bon, il fallait qu'il soit comme Nathan. D'ailleurs, plus ce dernier grandissait, fort de l'appui de sa mère, plus il exploitait, comme tous les enfants, ses avantages par rapport à son frère aîné.

Quand ils se disputaient, Laure admonestait toujours Lévi. C'était toujours lui le fautif. Elle ne se gênait pas d'ailleurs pour l'humilier devant sa famille et ses amis en lui répétant devant eux, d'une manière cinglante, des paroles qu'il a assimilées au plus intime de son être et qui, par la suite, ont marqué sa vie et ses relations. Petit à petit, la honte a pris toute la place dans son cœur. À l'adolescence, il était déjà devenu un être tourmenté, angoissé, habité par une peur incommensurable de s'affirmer, d'exister, d'être jugé, humilié et rejeté. Un mot occupait son esprit en permanence lorsqu'il était en présence des autres, le mot « méchant ». Il avait tellement peur que sa laideur intérieure se reflète à l'extérieur, tellement peur de s'affirmer, tellement peur d'être traité de « méchant » et de « mauvais caractère », que d'enfant dynamique et enjoué qu'il était, il s'est transformé en un adulte qui rasait les murs pour ne pas être vu.

Le drame de cet homme, ravagé par ses blessures d'humiliation et de rejet, est que, malgré les gratifications qu'il entendait, il demeurait absolument convaincu d'être exécrable, odieux et « pourri jusqu'au trognon ». Il en souffrait énormément et cachait sa vulnérabilité, parce que, enfant, il avait été ridiculisé, banalisé, rabaissé lorsqu'il avait exprimé, bien maladroitement il en convenait, sa peine, sa colère et son désespoir. Comme ses besoins d'exister et d'être aimé tel qu'il était avaient aussi été réprimés, il en avait honte et ne manifestait absolument rien de sa vérité intérieure. Lévi était muselé par la peur et son essence même était pulvérisée. Il voulait s'enlever la vie lorsque sa conjointe l'a encouragé à entreprendre un cheminement thérapeutique.

L'histoire de Lévi dépeint merveilleusement bien le drame intérieur du honteux. Avant de décrire le portrait psychique de ce type psychologique, il est important de préciser la différence entre la honte normale et la honte toxique dont il est question dans ce livre.

Selon Bradshaw, « *la honte normale nous maintient en contact avec la réalité, car elle nous rappelle que nous sommes essentiellement limités. La honte normale constitue la frontière métaphysique fondamentale de tous les êtres humains. C'est cette énergie émotionnelle qui nous signale que nous ne sommes pas* Dieu *: elle nous fait prendre conscience du fait que nous avons commis des erreurs, que nous en commettrons d'autres encore et que nous avons besoin d'aide.* Autrement *dit, elle nous donne la permission d'être.* La *honte normale fait partie intégrante de nos forces intérieures* [33]. »

Par contre, « *la honte toxique, cette honte paralysante, se traduit par le sentiment envahissant que l'on est un être humain médiocre et anormal.* Elle *ne se définit plus comme une émotion ayant pour fonction de nous rappeler nos limites ; elle devient plutôt un état d'esprit permanent. Sous son emprise, on se sent totalement dénué de qualités, faible, inepte.* (...) *La honte toxique est ainsi vécue comme un tourment intérieur, une maladie de l'âme*[34] . »

Personne mieux que John Bradshaw, dans S'*affranchir de la honte*, n'a décrit aussi justement la personne honteuse parce qu'il ne s'appuie pas sur des théories, mais sur le savoir du cœur. C'est pourquoi, dans ce présent ouvrage, je m'en suis inspirée pour présenter les caractéristiques du honteux. Le fait d'avoir moi-même été éprouvée une grande partie de ma vie par ce sentiment cauchemardesque me permet d'ajouter le résultat de mes acquis expérientiels à ceux de cet auteur états-unien considéré, à juste titre, comme LA référence en ce qui concerne ce sujet qui touche la plupart d'entre nous.

Je le répète, si le fautif se sent coupable d'avoir mal agi, le honteux se croit méprisable d'être ce qu'il est.

33 John Bradshaw. *S'affranchir de la honte*. p. 18-19

34 *Op. Cit.* : p. 26-27

À ce sujet, Fossum et Mascon cités par Bradshaw[35] affirment ceci : « *Alors que la culpabilité est un douloureux sentiment de regret et de responsabilité à l'égard de ses actes, la honte est un douloureux sentiment à l'égard de soi-même. La personne honteuse peut difficilement réparer sa faute parce que la honte est une question d'identité ( ) et non de mauvaise conduite. Son expérience ne lui apprend rien et ne stimule aucunement sa croissance : elle ne fait que confirmer la perception négative qu'elle a d'elle-même.* »

Le fait que le honteux n'a pas le pouvoir d'apprendre de ses expériences, parce qu'il n'a plus de moi sur lequel s'appuyer, fournit une preuve indubitable que la honte toxique est le sentiment le plus souffrant, le plus dévastateur et le plus funeste qui soit.

Comme le moi de la personne honteuse a été anéanti dans le passé parce que la nature de sa personnalité a été frappée par la foudre, tout comme celle de Lévi, quelque chose d'essentiel est démoli en elle. Les conséquences qui en découlent sont graves, voire, dans certains cas, dramatiques.

Étant donné qu'il n'a pu compter sur ses éducateurs pour le construire psychiquement et qu'il peut difficilement compter sur lui-même, car il n'a pas de fondation, le honteux est dépendant du monde extérieur. C'est ce monde extérieur qui confirme son existence, parce que le honteux a perdu très jeune le contact avec son moi véritable, avec sa source d'identité. Il s'est donc édifié un faux moi à partir des critiques, des réprimandes et des attentes des autres. Dans ces conditions, il fait constamment violence à sa nature profonde pour avoir le sentiment d'exister. Ses comportements le disposent à des maladies émotionnelles, comme la dépression

35 *Op. Cit.* : p. 37

et l'épuisement professionnel ou à des dépendances à l'alcool, au jeu, à la drogue, au travail, à l'informatique, au *magasinage*[36], au sexe ou à la religion. Il ne peut s'affranchir de ces dépendances sans avoir le sentiment de perdre ses béquilles.

La honte fait partie de l'identité de la personne honteuse, elle cause *la rupture du* moi[37]. Non seulement l'enfant n'est plus lui-même, mais il ne sait plus qui il est. Il grandit avec un *trou dans l'âme*, pour employer une expression de Bradshaw, qu'il n'arrive jamais à combler. Son psychisme est déstructuré, l'image de lui-même saccagée et l'estime de soi fracassée.

Dans la mesure où il ne s'aime pas, le honteux est convaincu que personne ne peut l'aimer.

Il est viscéralement persuadé qu'il est nul et déviant. Selon lui, il n'y a rien de valable dans sa personne. Le plus grave est qu'il nie complètement ses émotions, ses désirs et ses besoins parce qu'il en a honte. Ayant été rejeté et humilié quand il a montré sa vérité intérieure dans le passé, il est donc déconnecté de lui-même. En conséquence, il ne peut se fier ni à ses perceptions ni à son ressenti. Il valide donc sa conduite à partir du regard des autres et de leurs opinions sur sa personne. Les résultats sont douloureux pour lui. En effet, l'enfant abandonné à lui-même par manque d'accueil de son vécu et de ses besoins peut devenir un adulte-enfant[38], écrit Bradshaw. L'image d'adulte qu'il présente est une image factice, car la personnalité de l'enfant intérieur n'a pas encore été formée. Toute sa vie, il tente désespérément de la construire, mais, la plupart du temps, il n'y arrive pas parce

36 Le mot *magasinage* est le terme utilisé au Québec pour *shopping*.
37 *Op. Cit.* : p. 93
38 *Op. Cit.* : p. 90

qu'il réprime et cache ses blessures alors que c'est par elles que passerait sa délivrance.

1. Les blessures du honteux

Les trois plus importantes lésions psychiques du honteux sont les blessures causées par l'humiliation, la dévalorisation et le rejet. Ayant été réprimé, dénigré, voire ridiculisé dans l'expression de sa peine, de sa colère, de son besoin d'amour, de reconnaissance et d'attention, il s'est senti, dès son plus jeune âge, indigne d'exister. La honte d'être ce qu'il est s'est logée dans son psychisme et a étendu ses tentacules dans toutes ses cellules. Son sentiment d'être odieux et repoussant ne le quitte pas.

Comment un enfant comme Lévi, dont la nature profonde a été rejetée et qui est incapable d'être ce qu'il est, peut-il survivre ? Comment peut-il vivre normalement sans manifester sa vulnérabilité, ses besoins psychiques fondamentaux, ses opinions et ses rêves ? Que peut-il accomplir pour sentir qu'il a une certaine importance aux yeux de ses éducateurs, pour être confirmé dans son existence et dans son essence même ? Comment peut-il assurer sa survie avec un MOI nié, bafoué, dévasté ? Par quel moyen peut-il satisfaire son besoin incontournable et viscéral d'être aimé si ce qu'il est n'est pas acceptable ?

> **La seule solution que l'enfant honteux adopte pour édulcorer la souffrance causée par son drame intérieur est de se construire un faux MOI à partir de ses interprétations quant aux attentes de ses principaux éducateurs à son égard.**

Dénuée de fondation, cette construction est très précaire. Aussi, se défait-elle et se refait-elle continuellement selon les caprices et les variations d'humeur des personnes de son entourage.

Par peur d'être dédaigné, jugé, désavoué et vu dans sa nature profonde, le honteux reste donc toujours aux aguets. Sa fragilité au rejet, à la déconsidération, au mépris et à la dérision le tient toujours sur le qui-vive. Il est attentif à tous les regards, à toutes les mimiques et à tous les signes corporels qui pourraient le faire sentir minable. Constamment il ajuste sa personnalité à ce qu'il croit devoir *être* pour devenir recevable. L'édification interminable de personnages fictifs pour être accepté et ne pas être jugé l'épuise. Comme il n'a plus de contact avec son ressenti, il n'a de repères que ce qu'il voit et entend. Il est comme un fantôme qui flotte au-dessus de lui-même et qui, paumé, cherche quelque chose sans trop savoir à quoi il aspire. Parce qu'il s'identifie à un faux MOI ébranlable comme un château de cartes, il n'existe pas psychologiquement.

Comme l'affirme si bien BRADSHAW : « *Adopter un* moi *fictif équivaut à mettre un terme à une existence d'être humain authentique*[39] .» Sa vie est comme un ensemble de blocs que des mains extérieures utilisent pour composer et décomposer des personnages comme bon leur semble. Il accepte d'être transformé en objet et se moule à leur jeu pour cacher sa honte, car « *une fois la honte intériorisée, la peur d'une mise à nu s'amplifie démesurément. Être mis à nu signifie dorénavant être forcé de révéler son anormalité fondamentale, être vu comme un être humain irrémédiablement et indiciblement mauvais*[40] . »

Le honteux est absolument certain que, si on le voit tel qu'il est, il sera automatiquement jugé et rejeté. Le juge peut donc exercer sur lui un pouvoir inconditionnel et absolu.

39 *Op. Cit.* : p. 12
40 *Op. Cit.* : p. 94

Pour la personne honteuse, «*le rejet s'apparente à la mort. Comme elle s'est toujours rejetée elle-même, si quelqu'un d'autre la rejette à son tour, cela prouve, croit-elle, ce que justement elle redoute plus que tout, c'est-à-dire qu'elle est un être médiocre et insuffisant. Être rejeté signifie, pour le honteux, que personne ne veut de lui et qu'il est indigne d'être aimé*[41] .»

Pour combler son vide intérieur et son sentiment de n'avoir aucune valeur, la personne honteuse tente sans relâche de se réaliser, et ce, avec perfectionnisme. Elle réussit parfois à accomplir de grands exploits. Cependant, même si elle est valorisée et admirée pour ses réalisations, elle n'est jamais satisfaite. La reconnaissance ne l'atteint pas parce qu'elle est incapable de la recevoir. Elle n'y croit pas, étant persuadée de sa nullité. Aussi, même si elle en *fait* toujours plus pour attester son existence et qu'elle arrive au sommet de la gloire, cela ne remplit jamais son espace intérieur inoccupé par l'absence de MOI véritable. Si, malgré tous ses efforts pour échapper au jugement, elle est encore humiliée ou dévalorisée, elle s'effondre. Elle n'est plus qu'une coquille vide à la recherche de son MOI véritable. En attendant, elle survit à la profonde souffrance de la honte toxique par des mécanismes de défense qui l'enfoncent dans son malheur.

2. Les mécanismes de défense du honteux

Comme son MOI est démoli, le honteux s'est créé un faux MOI pour survivre. Le mot *survivre* prend ici tout son sens. En effet, la personne aux prises avec la honte toxique ne vit pas. Elle survit, au sens où elle doit se battre quotidiennement pour exister et émerger du néant dans lequel elle est plongée par

41 *Op. Cit.* : p. 312

le manque d'identité. Tout ne coule pas de source pour elle, puisque la source de son MOI véritable a été obstruée par la répression et retenue par la honte. Fort heureusement, cette source n'est pas tarie et, paradoxalement, c'est là le drame du honteux. D'une part, son MOI ne souhaite que se manifester et, d'autre part, le honteux utilise toutes ses énergies pour le retenir. Il est donc constamment en lutte contre lui-même, particulièrement quand il est blessé par le jugement, l'humiliation ou la dévalorisation.

Comme le honteux a honte de la profondeur de sa peine et refuse de la montrer, il la refoule de toutes ses forces et présente au monde, pour être aimé, des personnages qu'il croit plus acceptables. Pour lui, le monde devient un théâtre où il choisit ses rôles selon les circonstances et selon ses interprétations des attentes de son entourage.

Certains jours, il joue au perfectionniste, au surhomme ou encore au conformiste. D'autres jours, le contrôleur, l'arrogant ou le critique se pointent sur la scène de sa vie. À certains moments, le protecteur des affligés apparaît sur les planches suivi de son meilleur ami, le faux gentil.

Parce que la personne honteuse ne veut, sous aucun prétexte, montrer une vulnérabilité dont elle a terriblement honte, elle souffre énormément. Aucun être humain ne mobilise autant de mécanismes de défense pour cacher au monde ce qu'il juge mauvais en lui. Par conséquent, le honteux pleure seul dans sa chambre, déverse seul sa colère sous la douche et émet seul ses cris d'angoisse dans sa voiture. Dès qu'il est en présence d'un autre être humain, un de ses personnages prend sa place, non pas parce qu'il est fondamentalement malhonnête et hypocrite, mais parce qu'il a affreusement peur d'être rejeté, humilié et jugé. Il sait que, si quelqu'un manifeste, verbalement ou non verbalement, le moindre signe négatif à son égard, il sera instantanément anéanti. Il devra alors utiliser toutes ses forces pour retenir l'intensité de sa douleur et continuer à jouer ses personnages. Évidemment, malgré sa volonté, il sort complètement lessivé de ces expériences répétées dont il ne tire aucun enseignement parce que la honte le replace toujours dans une même impasse. Aussi, pour camoufler sa souffrance et ses besoins criants d'exister, d'être aimé et d'être reconnu, se protège-t-il cahin-caha non seulement au moyen de ses personnages, mais aussi grâce à d'autres mécanismes psychiques.

Une des manières privilégiées de la personne honteuse de se défendre contre ses blessures et sa peur insupportable d'être humiliée est l'activisme. Pour oublier sa tristesse, son désespoir et son sentiment d'inanité, et pour compenser son manque de confiance en ce qu'elle *est*, elle met l'accent sur le *faire*.

Le honteux est de ceux qui se donnent sans relâche et sans limites pour tenter de contrebalancer le sentiment d'imposture qu'il ressent à essayer de montrer qu'il est quelqu'un alors qu'il croit qu'il n'en est rien.

En plus d'adopter des personnages pour se cacher et de s'activer pour compenser son vide intérieur, la personne honteuse se défend par le contrôle. Elle contrôle ses pensées, ses émotions, ses actions et ses paroles, et agit de même avec celles des autres. « *Quand on exerce un certain pouvoir sur les autres, on est moins vulnérable, moins exposé à l'humiliation.* », affirme Bradshaw. L'auteur ajoute plus loin : « *Le contrôle est un des plus importants moyens de dissimuler la honte toxique. Résultant de la grandiosité, le contrôle déforme votre pensée de deux manières : il vous amène à vous percevoir soit comme un être démuni et entièrement dominé par les événements extérieurs, soit comme un être omnipotent et responsable de tout votre entourage. Dans le premier cas, vous croyez n'avoir aucune maîtrise de l'évolution de votre existence. Résultat : vous êtes bloqué et maintenu dans votre cycle de honte. Dans le deuxième cas, vous illusionnant sur votre présumée omnipotence, vous vous sentez responsable de tout et de tout le monde. Vous portez l'univers entier sur vos épaules et vous vous sentez coupable lorsque les choses ne vont pas comme vous le voudriez*[42]. » Ainsi, dans le premier cas, le honteux se contrôle et, dans le deuxième cas, il contrôle les autres, toujours pour éviter d'être vu dans sa supposée laideur.

Toutefois cette prétendue laideur n'est rien d'autre que ce que peut recéler de beauté sa véritable nature, c'est-à-dire, notamment, ses émotions, ses désirs et ses besoins qu'il projette constamment sur les autres parce qu'il ne les accueille pas. Dès lors, il projette son manque d'amour de lui-même sur son entourage et pense que personne ne peut l'aimer. C'est ainsi qu'il a également sur le monde extérieur « *le regard humiliant, méprisant et dédaigneux qu'il porte sur lui-même*[43]. » Ces nombreuses projections l'empêchent de voir la réalité telle qu'elle est, ce qui nourrit incessamment sa honte toxique et sa douleur psychique.

Tous ces mécanismes de défense nuisent considérablement aux relations affectives de la personne honteuse. Ils contribuent à entretenir le système juge/coupable qui nourrit sa dynamique interne et le prive de la satisfaction de ses besoins psychiques fondamentaux.

3. Les besoins psychiques du honteux

Parce qu'elle a été ridiculisée et réprimée dans l'expression de ses besoins et qu'elle en a honte, la personne honteuse n'est pas en contact avec ses états d'insatisfaction et

42 *Op. Cit.* : p. 288
43 *Op. Cit.* : p. 39

ses exigences psychiques. Elle cherche, dans le monde extérieur, ce qu'elle ne peut trouver qu'à l'intérieur d'elle-même. Cependant, comme elle se croit laide et mauvaise in petto, elle n'a pas accès à ses besoins psychiques fondamentaux qui restent toujours inassouvis. Constamment frustrée, la personne réagit à cette frustration en s'activant davantage et en cherchant dans le regard des autres une certaine approbation, une certaine reconnaissance, une certaine forme de considération. En ce sens, c'est une marionnette qui laisse à son entourage le pouvoir de manipuler les fils de son existence. Elle dépend des besoins des autres, qu'elle cherche à deviner et à satisfaire, incapable d'identifier les siens et de s'en occuper.

En réalité, la personne habitée par la honte chronique n'a aucun pouvoir sur sa vie. Son psychisme n'est occupé que par ce sentiment envahissant qui mène sa vie et laisse peu de place à ses autres sentiments. Ses blessures sont tellement profondes et elle en a tellement honte qu'elle est loin d'avoir conscience des besoins qui les sous-tendent. Pourtant, si elle tournait son regard vers l'intérieur d'elle-même, elle trouverait, par l'identification et l'écoute de ses besoins, la clé du pouvoir sur sa vie.

Quels sont les véritables besoins du honteux qui, quand ils sont ignorés, le soumettent aux désirs des autres ? Il faut savoir qu'à peu près tous ses besoins psychiques fondamentaux sont insatisfaits et le resteront tant qu'il refusera de les accueillir. À l'évidence, il veut être accepté mais ne s'accepte pas. Il souhaite être reconnu dans ce qu'il est, dans son unicité et ses émotions, mais il ne se reconnaît pas. À ce sujet, Bradshaw parle de sa propre expérience en ces termes : « *Me sentant médiocre et anormal à l'intérieur, je devais prouver que j'étais quelqu'un de bien en me montrant exceptionnel à l'extérieur. Tout ce que je faisais n'était motivé que par mon besoin d'être reconnu socialement*[44] . »

Nous voyons par ce témoignage que, par manque d'écoute de ses véritables besoins,

> **le honteux agit dans le sens contraire de ses véritables désirs. Il cherche à attirer la reconnaissance par le faire alors qu'il aspire ardemment à être considéré pour ce qu'il est.**

Qu'est-il en réalité sinon un être humain sensible qui ressent des émotions, qui est affecté par de graves blessures et qui a des besoins psychiques dont, malheureusement, il se désintéresse complètement parce qu'il les juge, à tort, maladifs. Se disqualifiant dans sa nature vulnérable, il entretient une insécurité profonde alors qu'il a tant besoin d'être rassuré et réconforté.

Tous les besoins précédemment mentionnés sont, en fait, les branches principales d'un arbre dépourvu de racines, car son besoin dominant, celui qui englobe tous les autres, celui pour lequel il se bat quotidiennement, n'est pas identifié, encore moins accueilli. Pourtant le honteux souhaite, avec toutes les fibres de son être, se sentir exister pour les autres, sentir qu'il est important et qu'il a assez de valeur à leurs yeux pour être aimé tel qu'il est. Dans le but bien inconscient d'arriver à se faire confiance à lui-même, il veut qu'on lui fasse confiance. Notamment, en choisissant un entourage qui accorde une réelle valeur à ce qu'il est, il pourra émerger de son enfer. Sans cette condition, il poursuivra sa route avec des introjections dévalorisantes et annihilantes qui ont été injectées en doses quotidiennes par l'entourage immédiat de son enfance.

44 *Op. Cit.* : p. 96

L'origine du fonctionnement de honteux

D'où vient l'adulte honteux? Quelles expériences douloureuses a-t-il vécues pour nourrir une image aussi négative de lui-même? Qu'a-t-il éprouvé de si déterminant pour attirer dans sa vie affective des *juges* qui contribuent à nourrir son sentiment de honte?

Blâmer ses éducateurs ne le soustrairait pas à l'empire des ténèbres dans lequel il est plongé. D'ailleurs, ces éducateurs ne sont pas responsables de ses souffrances. Ils ont sans doute subi eux-mêmes ce qu'ils ont infligé inconsciemment à leur fils ou à leur fille. En réalité, à moins d'être déments, les parents veulent sincèrement le bonheur de leurs enfants. Malheureusement, ils les éduquent davantage avec ce qu'ils sont qu'avec ce qu'ils voudraient être. S'ils ont été blessés par l'humiliation et la dévalorisation et qu'ils n'ont pas eu la chance de faire un travail de conscientisation et d'accueil de leurs besoins psychiques, ils s'en défendront avec leurs petits par les mêmes mécanismes que leurs propres parents ont utilisés avec eux. Ils réprimeront et contrôleront leurs émotions et leurs besoins, et priveront ainsi leurs enfants de plaisirs sains et de la joie que procure la spontanéité des élans du cœur.

Ces parents qui ont été humiliés et qui ne s'aiment pas ne peuvent communiquer l'amour de soi à leurs enfants. Ce manque d'amour d'eux-mêmes, s'il n'est jamais conscientisé, peut être tristement transmis de génération en génération.

Les enfants reçoivent alors un héritage psychique de honte. S'ils ne tournent pas un jour leur regard vers la source de leurs souffrances, ils devront composer toute leur vie avec cette honte dans leurs relations interpersonnelles. De leur côté, pour éviter de léguer ce patrimoine psychique, les parents doivent savoir que ce sont leurs mécanismes défensifs d'éducateurs pétris de honte toxique qui créent des blessures profondes dans le psychisme de leurs enfants et de leurs adolescents. Parce qu'ils sont envahis par la gêne d'être ce qu'ils sont, c'est la façade qui compte pour eux. Ils apprennent donc à leur fils ou à leur fille à présenter au monde des personnages. Pour ces parents, l'être n'existe absolument pas, ni le leur ni celui des membres de leur famille parce que leur Moi est anéanti. Au lieu d'inciter leurs enfants à respecter leur vraie nature, ils les fabriquent comme ils ont été fabriqués. Ils exigent la perfection. Toutes les erreurs, tant les leurs que celles des éduqués dont ils ont la charge, sont châtiées et jugées. Ils privent ainsi les jeunes de leur liberté d'être, de penser, de vivre des émotions et d'avoir des besoins. Souvent, ces mêmes parents élèvent leurs enfants dans le non-dit et leur apprennent à se couper d'eux-mêmes et à ne pas s'exprimer. Ils gardent bien refoulés leurs sentiments désagréables, les projettent sur leurs enfants et les rendent responsables de leurs problèmes.

Quels sont les principaux problèmes de ces malheureux parents, jouets de marionnettistes auxquels, enfants, ils ont donné tout le pouvoir sur leur vie par manque de connaissance d'eux-mêmes ? Le plus souvent, ces parents déversent sur leur fils ou sur leur fille, d'une manière inconsciente, la douleur causée par leurs difficultés relationnelles de couple. Leurs problèmes professionnels ou les conséquences, dans leur vie personnelle, de leurs dépendances peuvent aussi être en cause. Prisonniers de leurs propres épreuves et de leur misère psychique, ils n'ont pas de disponibilité de cœur pour assurer une présence aimante auprès de leurs enfants parce qu'ils ne s'aiment pas eux-mêmes. Ils n'ont ni les moyens psychiques ni le temps de les écouter parce qu'ils n'écoutent pas leurs propres émotions et leurs propres besoins. Ils agissent avec leurs petits comme leurs parents l'ont fait avant eux et comme, par voie de conséquence, ils se traitent eux-mêmes, c'est-à-dire par la répression, le refoulement, voire le mépris. Les jeunes qui grandissent dans ce climat malsain, cultivent, comme Lévi, la conviction de ne pas avoir assez de valeur pour mériter l'attention et l'amour de leurs principaux éducateurs. Évidemment, ce ne sont pas ces derniers qu'ils remettent en question, puisque, à leurs yeux, ils détiennent la vérité et représentent le pouvoir suprême. Les jeunes croient donc que ce sont eux qui n'ont pas ce qu'il faut pour être aimés.

Ce sentiment d'être lourdement hypothéqués intérieurement est d'autant plus fort chez les enfants lorsqu'ils sont utilisés par leurs parents comme des objets pour combler bien inconsciemment leurs propres besoins non satisfaits quand ils étaient petits. Dans ce cas, l'ordre naturel des choses est inversé. Ce sont les enfants qui doivent prendre en charge les besoins de leurs parents. Les leurs étant sacrifiés, ces enfants resteront d'éternels insatisfaits qui se serviront eux aussi de leurs enfants et de leur conjoint pour assouvir leurs désirs inconscients. Ainsi, ayant été considérés comme une *chose*, leur MOI véritable est abandonné et ils deviennent un objet pour eux-mêmes.

Encore plus marqués psychologiquement sont les enfants victimes de violence physique et verbale ou d'abus sexuels. « *Toutes les formes de sévices infligés à un enfant sont des formes d'abandon*, affirme BRADSHAW, ( ) *parce qu'au moment où l'enfant en est victime, personne n'est là pour lui.* » et « *De tous les types de sévices, l'abus sexuel est le plus humiliant. Même un abus sexuel mineur induit une honte plus grande que celle générée par toute autre forme de sévices*[45]. » Toutes ces agressions, d'où qu'elles proviennent, créent une faille de plus en plus profonde dans le psychisme de l'enfant. Agressé psychiquement dans sa famille, il arrive que son sentiment de honte soit grandement renforcé par les événements qui se produisent dans le cadre scolaire.

Parfois humilié par ses pairs, ses enseignants et par ses échecs, la blessure d'humiliation du honteux se cristallise dans son milieu scolaire et l'enfant n'a qu'une envie, celle de se cacher derrière un mur de silence et de fausseté. Se percevant comme un raté et comme un minable, sa honte d'être ce qu'il est s'accroît à l'école.

Il peut la traîner comme un boulet toute sa vie. Enfermé dans un cercle vicieux, il sert alors de sujet de projections et de bouc émissaire à ses camarades de classe qui déversent sur lui leur propre honte non conscientisée.

La souffrance psychique de ces enfants honteux devenus adultes est incommensurable, au point qu'il serait tout à fait légitime de nous demander comment les aider.

Comment aider le honteux ?

Si vous connaissez une personne renfermée, isolée, craintive ou, à l'opposé, fanfaronne, imbue d'elle-même, incapable d'écouter, ne la jugez pas trop vite. Il y a de fortes possibilités que cette personne souffre, sans même en être consciente, de honte toxique.

Son attitude extérieure est une défensive pour cacher ce qu'elle considère déficient en elle. Elle a besoin de votre

45 *Op. Cit.* : p. 75

accueil, de votre acceptation, de votre écoute et de votre compréhension. Surtout elle a besoin de votre authenticité. Elle doit sentir que vous accueillez sans jugement ses personnages et la vulnérabilité qu'ils cachent. Pour qu'elle sache que vous êtes réellement touché par ce qu'elle est, ce qu'elle vit et ce à quoi aspire son cœur, il est donc fondamental de vous montrer congruent avec elle. Seule une approche acceptante de ses modes réactionnels l'aidera à ouvrir la porte sur sa vérité profonde et à l'exprimer.

De plus, par sa relation avec vous, le honteux doit expérimenter le fait qu'une relation authentique n'est possible que par une révélation de l'*être*. Autrement, ses relations affectives importantes resteront superficielles et il restera prisonnier de systèmes insatisfaisants. Au lieu de combler son vide intérieur, elles le creuseront davantage. L'aider à communiquer sa vérité intérieure, c'est lui apprendre à être en relation avec lui-même pour mieux l'être avec ceux qu'il aime.

Pour conclure ce long chapitre sur l'un des systèmes relationnels des plus répandus et des plus nocifs qui soient, il est important de souligner le fait que le coupable, le fautif, le honteux ou les deux, de même que le juge, ne nourriraient pas leur souffrance s'ils ne déclenchaient pas l'un sur l'autre les défensives causées par leurs blessures psychiques d'enfants non écoutés. Étant durement affectés intérieurement depuis leur enfance, ils entretiennent par des mécanismes défensifs inconscients, dans leurs relations présentes, les systèmes du passé. La question qui se pose ici est la suivante : peuvent-ils s'en sortir ?

Bien entendu, la connaissance des fonctionnements psychiques décrits dans ce livre est un premier pas indispensable à franchir pour dénouer les systèmes relationnels.

Les autres pas feront l'objet du chapitre suivant. Dans ce prochain chapitre, j'expliquerai comment transformer une relation emprisonnée par un système contraignant en une relation intime dans laquelle chacun se sent libre d'être ce qu'il est et capable de rencontrer l'autre au niveau du cœur.

En résumé

De quels systèmes relationnels êtes-vous prisonnier?

Les fonctionnements individuels décrits dans cet ouvrage vous ont sûrement permis de répondre à cette question. Bien que ces types psychologiques se distinguent les uns des autres, ils possèdent des points communs. Qu'il s'agisse du bourreau, de la victime, du sauveur, de l'affligé, de l'ange, du démon, du manipulateur, du manipulé, de l'abandonnique, du déserteur, du juge, du fautif ou du honteux, tous ont, à différents degrés, le même besoin psychique fondamental d'être aimés. Ce qui domine toutefois chez le juge, c'est aussi le besoin d'être reconnu, compte tenu d'une blessure d'infériorité dont il se défend principalement par le jugement et la supériorisation. Pour sa part, le fautif blessé par la culpabilisation cherche à satisfaire son besoin d'être correct par les moyens défensifs que sont la punition, l'autopunition et l'auto responsabilisation. Quant au honteux, il se défend de son besoin d'exister et de sa blessure d'humiliation en jouant des personnages adaptés au regard que porte sur lui le monde extérieur.

	le juge	**le fautif**	**le honteux**
blessures	sentiment d'infériorité	sentiment de culpabilité	sentiment d'abandon et d'humiliation
mécanismes de défense	jugement supériorité	punition autopunition auto responsabilisation	personnages
besoins	être reconnu et aimé	être correct	exister tel qu'il est

Les besoins insatisfaits et les blessures refoulées sont les déclencheurs véritables de réactions défensives qui créent les systèmes relationnels dysfonctionnels. Pour les dénouer, le prochain chapitre offre des moyens qui présentent comme avantage de favoriser la communication authentique dans une relation où l'amour et la liberté sont indiscutablement conciliables.

Chapitre 12

De la discordance à l'harmonie

Si nous ne sommes pas prêts à explorer l'inconnu en nous-mêmes, en l'autre et dans la relation, nous n'irons jamais très loin sur le chemin de l'amour.

John WELWOOD

Que nous en soyons conscients ou non, toute notre vie est centrée sur l'amour. Les besoins d'aimer et d'être aimé résident au cœur de notre vie psychique, spirituelle et relationnelle. Mais l'amour ne se suffit pas à lui-même. Il n'existe que dans le partage, dans notre capacité à le donner et à le recevoir.

C'est dans et par la relation que l'amour se manifeste. C'est dans nos rapports avec les autres qu'il peut soit grandir et s'épanouir, soit être mis en quarantaine quand nos blessures nous causent trop de douleur. Cependant, malgré les circonstances déplorables de la vie, malgré les apparences, malgré la guerre, la haine, la méchanceté et malgré la souffrance, l'amour en nous ne disparaît pas. Il ne rétrécit pas non plus, parce que *nous sommes amour.* Parfois l'intensité de nos blessures est tellement forte que nous ne ressentons plus notre capacité d'aimer. Nous croyons que l'amour est mort au creux de notre cœur, mais c'est une erreur.

Dans ces périodes de nos vies où la douleur est si grande qu'elle prend toute la place, l'amour attend dans la profondeur de nos zones lumineuses intérieures que nous libérions la souffrance refoulée pour rejaillir et se répandre de nouveau dans tout notre être.

L'émergence de l'amour passe inévitablement par la relation. Qu'il s'agisse de l'amour de soi, de l'amour de la vie, de l'amour des autres ou de l'amour de Dieu, il n'existe pas d'amour en dehors de la relation. C'est sur elle qu'il repose ; c'est elle qui l'éveille ; c'est elle qui le glace ou le réchauffe ; c'est aussi elle qui invite au travail sur soi sans lequel il n'y a pas cette évolution intérieure et spirituelle qui participe à la résolution de nos difficultés relationnelles. C'est donc dire que

le dénouement de nos systèmes dysfonctionnels ne s'actualise pas par des incantations ni par l'intervention magique de certaines forces extérieures. Il dépend uniquement de notre volonté à travailler continuellement sur nous-mêmes et à investir du temps dans nos relations affectives pour qu'elles deviennent fécondes.

Ce dernier chapitre sur la transformation des systèmes relationnels discordants en relations harmonieuses s'appuie donc sur deux piliers :

1. le travail sur soi
2. le travail sur la relation

Le travail sur soi

John Welwood, cité en épigraphe, nous sensibilise à l'exploration de l'inconnu « *en nous-mêmes, en l'autre et dans la relation* ». La peur de ce que nous ignorons et le manque de conscience et d'accueil de nos blessures et de nos fonctionnements psychiques nous font choisir toujours les mêmes chemins, nous comporter toujours de la même manière et répéter toujours les mêmes mécanismes de défense. Pourtant,

> **nous sommes enlisés dans des systèmes qui nous font souffrir parce que quelque chose n'est pas juste dans notre manière d'être en relation avec nous-mêmes avec les autres et avec le monde. Une remise en question s'impose. Notre être profond réclame des changements de perspective et de direction.**

Quand notre vie relationnelle se déroule mal et qu'elle se détériore au lieu de s'améliorer, cela signifie qu'il y a quelque chose à changer. La répétition des comportements habituels ne procure aucun soulagement. Elle favorise l'enlisement dans les ténèbres de la stagnation plutôt que d'ouvrir une fenêtre sur la lumière de l'évolution.

L'un des changements les plus efficaces, les plus pertinents et les plus importants pour fertiliser notre vie relationnelle est d'orienter le regard que nous portons sur les autres vers notre vérité profonde afin de consentir plus d'intérêt et d'amour à notre enfant intérieur blessé.

> **En fait, quand une personne aimée réveille nos blessures, nous dirigeons généralement nos pensées et notre attention vers elle plutôt que de rester présents à notre souffrance. Nous tentons alors de la**

changer pour qu'elle ne déclenche plus la détresse et l'angoisse dans notre cœur.

Cependant, si, au lieu de dépenser nos énergies à attribuer inlassablement au monde extérieur les causes de nos problèmes et de nos souffrances, nous nous concentrons sur notre cœur meurtri, nous pourrons donner à notre enfant intérieur l'amour qu'il n'a jamais eu pour s'épanouir librement. Nous prendrons conscience ainsi que nos fontaines de santé et de mieux-être jaillissent au centre même de nos lésions psychiques. Quand nous aurons compris et accompli ce renversement, notre vie personnelle et relationnelle se transformera. Le retour vers soi grâce auquel se dénouent progressivement nos systèmes relationnels est nécessaire pour rétablir la santé de nos relations affectives. Il se réalise par les moyens suivants :

1. la prise de conscience de nos fonctionnements
2. l'acceptation de notre vulnérabilité
3. la reconnaissance de notre responsabilité
4. l'identification de nos besoins
5. le développement de l'amour de soi

1. La prise de conscience de nos fonctionnements

Aucune métamorphose favorable n'est possible dans les domaines personnel et relationnel sans prise de conscience d'un dysfonctionnement et des malaises qui l'accompagnent. La prise de conscience constitue la première étape de tout processus de changement. Ce processus, que j'ai développé dans mon livre Relation d'aide et amour de soi[46], ne peut se

46 Colette Portelance. *Relation d'aide et amour de soi*. Édition mise à jour, 2014, pp. 351 à 429.

concrétiser, sur les plans personnel et relationnel, sans perception claire de nos émotions, de nos modes réactionnels, de nos besoins et des fonctionnements psychiques qui en découlent. Nous ne pouvons transformer ce que nous ignorons de nous-mêmes et de ce qui nous habite. Sans cette connaissance de soi encouragée par Socrate[47] il y a environ de 2500 ans par son « Connais-toi toi-même », nous agissons comme des automates à la merci de nos impulsions et des autres.

C'est incontestablement la conscience de ce que nous sommes qui sert de base à l'évolution de toutes nos dimensions, à l'évolution de nos relations affectives et, par extension, à l'évolution du monde.

Plus s'agrandit notre champ d'ouverture sur nous-mêmes, plus notre vision du monde s'élargit et plus notre connaissance de *ce qui* est s'approfondit. Sans être suivie d'un cheminement pratique, cette lapalissade se limiterait à un savoir abstrait et plus ou moins oiseux. Connaître les éléments qui favorisent la prise de conscience de soi s'avère essentiel pour permettre l'exploration de notre sphère intérieure, mais ce n'est que la première étape. Cela dit, nous pouvons légitimement nous demander : qu'est-ce qui incite à la connaissance de soi ?

Les seuls moteurs de nos désirs de libération et de changement sont nos émotions et nos besoins, spécialement quand les premières nous font souffrir et que les seconds ne sont pas satisfaits.

Naturellement, en tant qu'êtres humains, nous recherchons le bien-être. Quand notre tranquillité intérieure est menacée,

47 Socrate est un philosophe grec du Ve siècle avant J.-C.

nous tentons de la préserver coûte que coûte. Nous ne voulons évidemment pas être malheureux. Cependant, pour nous affranchir de la souffrance, deux voies s'offrent à nous en permanence, l'une inconsciente et l'autre, consciente.

Tous nous nous laissons d'abord happer en premier lieu par la voie de l'inconscience parce que notre première réaction à la douleur psychique est instantanée et défensive. En effet, chaque fois que nous sommes blessés psychiquement, nous nous défendons automatiquement et inconsciemment soit par le refoulement soit par l'attaque projective. C'est un réflexe naturel et tout à fait normal. Toutefois, si nous ne prenons pas conscience de nos mécanismes de défense et des blessures qui les provoquent, et que nous ne leur accordons pas une attention et une écoute particulières, nous nous comporterons inéluctablement toujours de la même manière défensive et affligeante. Soit nous nous autopunirons et nous nous autodétruirons en nourrissant des pensées toxiques, en nous gavant de substances dommageables et dangereuses pour la santé ou en attaquant les autres ; soit nous choisirons la deuxième voie, celle de la prise de conscience de nos malaises et de nos réactions défensives. Rester dans l'inconscience affecte exponentiellement, à plus ou moins long terme, notre corps, notre cœur, nos relations affectives et anéantit les espoirs de paix en nous et dans le monde. Seule la pleine conscience, dont parle Christophe André[48], nous sort de nos sentiers battus parce qu'elle porte une promesse de délivrance et de transformation.

D'ailleurs, n'est-ce pas un besoin profond de soulager la douleur déclenchée par vos relations affectives insatisfaisantes qui a attisé votre intérêt pour le livre que vous lisez

48 Christophe André. *Méditer jour après jours, 25 leçons pour vivre en pleine conscience.* Paris : Éditions L'Iconoclaste, 2011

en ce moment ? Si c'est le cas, les chapitres précédents vous ont sûrement fourni des informations pertinentes pour vous aider à mieux vous connaître et, par conséquent, à améliorer votre vie relationnelle.

La prise de conscience sans jugement de vos fonctionnements de victime, de bourreau, de sauveur, de manipulateur, de juge ou de coupable, etc. et surtout la prise de conscience des blessures, des mécanismes de défense et des besoins non assouvis à l'origine de ces fonctionnements servent de point de départ indispensable au changement que vous souhaitez apporter dans vos vies pour vous dégager de vos systèmes relationnels éprouvants et douloureux.

La lecture de ces pages, soutenue par le souhait de grandir intérieurement et d'entretenir des relations affectives harmonieuses, peut servir de tonique puissant et de réelle motivation pour favoriser la prise de conscience qui aiguille le regard et le cœur sur le chemin de tous les possibles. Si nous lisons ce livre avec un désir sincère d'implication, nous serons guidés vers des espaces intérieurs inconnus qui recèlent d'inestimables trésors et des potentiels insoupçonnés.

Dès que nous avons mis le pied sur la voie de la prise de conscience de soi, notre vraie nature commence à se manifester et l'aimant de l'authenticité nous entraîne toujours plus loin au fond de notre être. Nous avons alors envie de traverser tous les épisodes du voyage qui mène au cœur de soi.

Ce voyage introspectif passe obligatoirement par une deuxième étape dont je ne saurais trop souligner l'importance : l'acceptation de notre vulnérabilité.

2. L'acceptation de notre vulnérabilité

J'ai longtemps considéré ma vulnérabilité comme une tare, une faiblesse, une sorte de maladie psychologique, voire un poids dont je voulais à tout prix me soulager. Quand je me suis présentée pour la première fois dans le cabinet d'un thérapeute, j'attendais de celui-ci qu'il me décharge de ce lourd handicap. Je croyais d'ailleurs que, de par sa spécialité, il avait la compétence et le pouvoir de répondre à ma requête. Dans mon esprit, j'associais le mot vulnérabilité au mot souffrance. Ces mots étaient pour moi non seulement inséparables, mais synonymes. Je ne voyais absolument aucun avantage à être vulnérable. Il va sans dire que je suis sortie profondément déçue de mes séances de thérapie. J'étais encore, après ces rencontres, une handicapée psychique et, pire, une malade incurable. J'avais accordé à ce thérapeute des pouvoirs qu'il ne possédait pas. J'étais, selon lui, la seule personne au monde en mesure de composer avec cette vulnérabilité croissante que, toujours, selon son point de vue, je devais d'abord et avant tout accepter.

Dans les circonstances, le mot acceptation n'avait aucun sens pour mois. Comment peut-on accepter de souffrir? Loin d'accueillir ma vulnérabilité, je n'acceptais même pas de l'accepter. Cela me semblait impossible. Il existait sûrement une autre solution plus logique, plus facile, plus normale. Je me retrouvais donc seule, face à moi-même avec cette tare que je n'avais pas choisie et qu'en plus je devais accueillir à bras ouverts comme quelqu'un qu'on aime parce qu'il nous fait du bien.

Je me suis demandé sincèrement comment je pourrais traverser toute une vie avec une telle faille psychique. J'avais tellement honte d'être vulnérable que je dépensais beaucoup d'énergie à refouler les émotions coincées dans l'abîme de mes blessures. Plus je les réprimais, plus mon être avait mal. La honte, ce chien de garde arrogant et impétueux, les empêchait d'émerger. Prisonnière de mes jugements et de mes peurs il me fallait trouver une porte pour sortir de cette impasse. J'avais beaucoup trop peur du monde bouillonnant qui m'habitait pour tenter de l'apprivoiser. Je ne pouvais absolument pas prendre le taureau par les cornes. Devant sa puissance, je me sentais faible et démunie. J'ai alors choisi de m'asseoir dans l'arène et de l'observer pour le connaître et surtout pour comprendre, pour me comprendre.

Je présente donc ici le résultat d'un cheminement qui se poursuit toujours, un cheminement qui a débuté par des prises de conscience successives et par une recherche de satisfaction de mon besoin de compréhension par rapport à la vulnérabilité. Je développerai ce sujet par une réponse à ces deux questions :

1. Qu'est-ce que la vulnérabilité ?
2. Comment composer avec notre vulnérabilité ?

Qu'est-ce que la vulnérabilité ?

La vulnérabilité est le caractère de ce qui est fragile, précaire, de ce qui peut être attaqué, blessé, endommagé. Cette définition que donne le Toupictionnaire à la vulnérabilité la présente telle que je la voyais quand j'étais adolescente et jeune adulte, c'est-à-dire comme une valeur négative, une source de faiblesse et, partant, de jugement et de critique. Être vulnérable, c'était pour moi s'attirer du mépris, du rejet, voire de l'abandon. Avec cette conception, qui pourrait accepter d'être vulnérable ? Aucune personne sensée ne veut être méprisée, rejetée, encore moins abandonnée. Cela dit, si nous nous référons au Littré, il appert que le mot *vulnérable* vient du latin *vulnerare*, qui signifie *susceptible d'être touché et blessé.* Il existe effectivement un lien indissociable entre la vulnérabilité et les blessures psychiques.

Nous sommes tous vulnérables parce que nous sommes tous des êtres blessés par l'humiliation, l'incompréhension, le pouvoir, la culpabilisation, la trahison, la dévalorisation, l'abandon ou l'infériorisation.

Cependant, *être blessé* ne signifie pas pour autant *être faible*. Le soldat blessé au combat est loin d'être considéré comme un être fragile. Nous le regardons plutôt comme un héros, affaibli et fragilisé par sa blessure, mais non méprisable pour autant, bien au contraire.

Pourquoi sommes-nous si impitoyables avec nos blessures psychiques ? Pourquoi les envisageons-nous avec hauteur et dérision ? Ne méritent-elles pas, à l'inverse, autant d'empathie, de compréhension, d'attention, voire d'admiration que celles que nous accordons aux défenseurs de la patrie, aux grands sportifs et à nos vedettes préférées quand ils souffrent ? Pourquoi démontrons-nous autant de compassion envers la souffrance des autres et si peu envers la nôtre ?

Notre vulnérabilité est incarnée par l'enfant blessé qui nous habite. Cet enfant, lorsqu'il a été touché autrefois, était complètement sans défense. Il n'avait aucun moyen pour se protéger. C'est d'ailleurs le sentiment que nous avons, devenus adultes, quand nous sommes vulnérabilisés. Nous nous sentons nus devant le monde extérieur qui peut nous attaquer, nous ridiculiser, nous rabaisser sans que nous sachions vraiment comment ni où nous mettre à l'abri.

Parce que nous nous sentons menacés et que nous en avons honte, nous ne voulons pas être vus dans cette nudité. Nos expériences passées nous ont appris que nous montrer vulnérables, c'est mal, dégradant et surtout dangereux ; c'est laisser nos blessures à vif, sans protection ; c'est risquer qu'elles soient aggravées et infectées ; c'est surtout servir de cible à notre entourage affectif et mettre en péril nos relations privilégiées.

Ce tableau noir de la vulnérabilité ne nous encourage pas à l'extérioriser. N'existerait-il pas néanmoins une facette positive à cette caractéristique fondamentalement humaine qui, par son caractère universel, devrait pourtant nous rapprocher des autres plutôt que de nous en éloigner ? Selon Brené Brown[49], la vulnérabilité n'est pas une faiblesse, mais une force. Elle est le terreau de l'amour, de la responsabilité, de l'intimité et de la créativité. En réalité, sans vulnérabilité, il n'y a pas d'amour possible, pas de ressenti possible non plus. Sans cette force, il n'existe pas de peine, mais également pas de joie ; pas de désespoir, mais également pas d'espoir.

Sans vulnérabilité, nous demeurons des êtres superficiels et passons notre vie à surfer sur la crête des vagues du temps sans profiter des mystères et des trésors que contient notre océan intérieur.

Selon Véronique Brard, « *notre vulnérabilité* (...) *est la partie de nous la plus proche de notre être profond, de notre essence. Si nous désirons l'intimité, c'est ce niveau de nous-mêmes qu'il nous faut atteindre et partager.* (...) *La vulnérabilité,* ajoute-t-elle, *est la clé de notre personnalité ; c'est autour d'elle, en fonction d'elle que notre personnalité s'est construite. Elle est la clé de notre façon d'entrer en relation avec l'autre, de notre possibilité d'intimité avec lui.* (...) *C'est lorsque nous sommes le plus dans cette écoute fine du corps, dans le respect de nos ressentis, de nos émotions, de nos besoins profonds, que se noue le contact le plus étroit avec le Dieu qui nous habite et les autres êtres humains*[50] . »

49 L'États-unienne Brené Brown, née en 1965, est professeur à l'Université de Houston, Texas. Conférencière et auteure, elle a écrit plusieurs ouvrages dont *La grâce de l'imperfection* et *La force de la vulnérabilité.*

50 Véronique Brard. *La vulnérabilité, clé des émotions.* p. 97-98

Si nous nous arrêtons aux opinions de BROWN et de BRARD, nous devons admettre que

la vulnérabilité n'est pas qu'une force, mais un cadeau de la Vie. Sans elle, nous gardons fermée la porte d'accès à nous-mêmes, aux autres et au monde. Sans elle, nous perdons contact avec notre réalité intérieure, avec la partie la plus profonde de notre être, siège de la spiritualité. Sans vulnérabilité, l'intimité relationnelle est impossible.

Sans elle, « *nous ne savons pas qui nous sommes, ce que nous aimons, ce que nous n'aimons pas ; nous ne savons pas ce qui fait que nous nous sentons bien, ce qui fait que nous nous sentons mal*[51]. »

La vérité à laquelle nous sommes confrontés est que nous ne pouvons pas choisir d'être vulnérables ou de ne pas l'être. À cause de nos blessures, nous le sommes tous, que nous le voulions ou pas. Rejeter notre vulnérabilité équivaudrait à éliminer de notre psychisme nos besoins d'aimer et d'être aimés.

La refuser, ce n'est pas lutter contre un corps étranger, c'est se battre contre nous-mêmes, c'est nous faire violence et nous épuiser inutilement. Seule l'acceptation de notre nature vulnérable nous donne du pouvoir sur elle et sur notre vie. L'accepter, c'est la prendre par la main et apprendre à vivre avec elle comme nous apprenons à vivre avec un enfant lorsqu'il entre dans nos vies. Parfois il crie, il pleure et nous rejette, alors que le plus souvent il nous entoure de ses petits bras et nous offre son amour inconditionnel, sa confiance, sa joie, sa spontanéité et sa fraîcheur. Nous ne savons pas toujours comment nous comporter avec lui. À coups d'essais et

51 Véronique BRARD. *Op. Cit.* : p. 99

d'erreurs, par un mélange harmonieux d'amour et d'encadrement, nous tentons constamment de satisfaire son besoin de liberté d'être et son besoin de sécurité affective. Il en va ainsi de notre enfant intérieur blessé qui a besoin de nous pour soulager sa souffrance et pour être libéré des chaînes de la honte et de la peur qui le tourmentent. S'il ne s'en libère pas, il les projettera malencontreusement sur les autres et créera ainsi des systèmes relationnels qui le rendront malheureux.

Cela nous ramène à la question posée au premier chapitre à propos de l'attirance amoureuse et de la création des systèmes relationnels.

Nous projetons sur les autres la partie honteuse et refoulée qui nous constitue et entretenons avec eux des systèmes souffrants tant et aussi longtemps que nous n'avons pas rapatrié la partie de nous-mêmes que nous avons désavouée pour être aimés.

Autrement dit, pour dénouer nos systèmes dysfonctionnels, il est essentiel d'accepter totalement tout ce que nous sommes. Si, par exemple, nos parents ont réprimé notre colère, il nous faut absolument la recontacter, car elle est une excellente énergie d'affirmation. S'ils ont rejeté l'un ou l'autre de nos besoins fondamentaux, nous devons les identifier et nous occuper de les satisfaire, car ils sont notre source de survie psychique. Quand nous projetons sur l'être aimé la partie de nous que nous avons refoulée, nous créons automatiquement des conflits dans nos relations affectives, nous entravons sérieusement la communication authentique et nous alimentons inévitablement des frustrations. Celles-ci ne disparaîtront pas tant que nous demeurerons inconscients de nos projections. Personne n'est à l'aise quand on lui attribue des caractéristiques qui ne lui appartiennent pas.

Pour créer une relation affective saine et harmonieuse, il est donc indispensable de libérer l'autre de nos projections et de le voir tel qu'il est. Il est indispensable de récupérer et d'accueillir l'ombre que nous avons réprimée pour cesser de l'attribuer aux autres. L'acceptation de ce que nous sommes, particulièrement de notre vulnérabilité, nous apportera le précieux cadeau de la liberté d'être et d'agir en accord avec notre vérité profonde. Cette acceptation nous permettra aussi d'aimer les autres pour ce qu'ils sont et de leur laisser la liberté d'être ce qu'ils sont.

Croyez-moi, votre enfant intérieur souffre d'être muselé, rejeté, caché. Il souffre de votre manque de respect et d'acceptation de sa vulnérabilité. Il veut vivre tel qu'il est, se montrer au grand jour, rire, chanter, danser et profiter de la vie avant qu'il ne soit trop tard.

Pour lui accorder ce droit naturel, voyons comment composer avec sa vulnérabilité.

Comment composer avec notre vulnérabilité ?

Pour pouvoir composer avec notre vulnérabilité, il est indispensable d'abord de l'accepter comme étant normale. Si elle ne l'était pas, nous serions tous, sans exception, des êtres maladifs et un peu bizarres. Rassurons-nous, ce n'est pas le cas. Comme un enfant qui exige notre attention et que nous n'écoutons pas, c'est plutôt lorsque nous lui fermons la porte que cette vulnérabilité nous cause des problèmes.

Sans vulnérabilité, nous ne sommes plus vraiment des êtres humains, nous devenons incapables d'entrer en relation intime avec nous-mêmes et avec les autres. Par contre, le seul fait de nous accueillir sans

jugement comme des êtres vulnérables nous procure le pouvoir bénéfique de prendre soin de nous.

Pouvoir et vulnérabilité sont deux forces qui s'équilibrent. Si nous sommes coupés de notre vulnérabilité, nous perdons notre pouvoir sur notre vie intérieure et nous en prenons sur les autres. Autrement dit, si nous ne sommes pas en contact avec la puissance de notre sensibilité, nous nous laissons submerger par nos émotions et, comme le souligne si bien Véronique Brard, nous devenons des victimes ou des surhommes. Dans les deux cas, nous devenons défensifs et nous ne sommes en relation ni avec nous ni avec les autres. C'est alors que se forment les systèmes relationnels qui nous font tant souffrir. Autant la victime que le surhomme sont des êtres de pouvoir qui assujettissent les autres, par des moyens différents, parce qu'ils sont assujettis à leurs propres blessures non conscientisées et non acceptées.

Les positions de victime et de surhomme résultent d'un refus de prendre en charge notre vulnérabilité et d'une demande implicite aux autres de le faire à notre place.

Où réside le pouvoir qui empêche l'être vulnérable de verser dans l'attitude de victime ou dans la supériorité ?

1. Sa force équilibrante se trouve dans la connaissance de ses capacités et de ses limites, dans l'accueil sans jugement de ses émotions agréables et désagréables, de ses mécanismes de défense et de ses besoins.
2. Il trouve également sa puissance dans l'écoute de son intuition et le respect de son enfant intérieur meurtri.
3. Dans le contact permanent avec son Être profond, l'être vulnérable trouve enfin la paix, l'amour et la sérénité

qu'il recherche depuis toujours parce qu'elles sont ce qui le constitue.

Accepter notre vulnérabilité, c'est faire le chemin inverse de celui que nous avons parcouru lorsque nous étions des enfants sans défense. La plupart d'entre nous avons appris à nier nos besoins et à nous centrer sur ceux des autres. Sans encourager l'égoïsme malsain, il nous est maintenant demandé, pour respecter notre MOI véritable, de nous mettre à l'écoute de nos ressentis et de nos besoins, et de nous occuper à les satisfaire par des actions concrètes et des demandes claires. « *Nous ne suggérons pas que vous deveniez de parfaits égoïstes,* écrit Véronique Brard, *mais si vous ne prenez pas en charge vous-même cet enfant, il y a fort à parier qu'il soit assis sur les genoux de quelqu'un d'autre. Vous faites beaucoup pour les autres, mais de grandes colères viennent quand ces autres ne pensent pas à vous. Remettre son enfant intérieur entre les mains de l'autre ou des autres n'est pas très prudent ; ce n'est pas la meilleure place pour lui. Vous êtes le seul à pouvoir venir au secours de cet enfant. C'est votre responsabilité*[52]. » D'aucuns peuvent se demander comment, concrètement, écouter notre enfant intérieur.

Comment écouter l'enfant intérieur ?

Quand vous êtes blessé par le jugement, le reproche, la trahison, l'humiliation, la culpabilisation, le rejet ou l'abandon, observez comment vous réagissez. Il y a de fortes possibilités que vos pensées, vos paroles et vos actions soient défensives, c'est-à-dire tournées contre vous (refoulement, autopunition) ou tournées contre le déclencheur (blâme, jugement, rejet).

52 Véronique Brard. *Op. Cit.* : p. 109

Ces réactions spontanées sont tout à fait normales et humaines. Cependant, elles nuisent beaucoup à votre santé psychique et relationnelle si vous les entretenez et les répétez incessamment et que vous ne tournez pas votre attention vers l'enfant intérieur qui porte vos blessures et vos besoins insatisfaits. Plus rapidement vous cesserez de porter votre regard sur l'autre pour le ramener vers le cœur de vous-même, moins longtemps vous souffrirez.

Exercice

Pour vous aider à visualiser cet enfant que vous avez été, qui a été blessé dans le passé, et dont les blessures viennent d'être réveillées dans le présent, procurez-vous des photos de vous quand vous étiez jeunes. Choisissez-en une qui vous représente heureux et une autre qui vous représente sérieux, triste ou malheureux. Comme vous portez en vous les marques de toutes vos expériences passées agréables ou désagréables, quel que soit l'âge que vous aviez quand chacune d'elles s'est déroulée, il est évident que cet enfant vous habite toujours et qu'il attend que vous lui accordiez l'attention que vous lui refusez lorsque ses blessures sont ravivées dans l'ici et maintenant. Pour vous occuper enfin de lui, imaginez-vous, quand vous êtes blessé, que cet enfant malheureux est assis en face de vous et que vous lui posez les questions ci-dessous. Laissez-lui tout le temps nécessaire pour vous répondre. Ne l'abandonnez pas lorsqu'il a besoin de silence. Attendez-le et laissez-le parler. Même ses silences sont un langage. L'idéal est de réaliser ce dialogue par écrit et de prendre le temps d'aller jusqu'au bout avant de l'arrêter.

Voici donc les questions que je vous propose de poser à votre enfant meurtri quand vous êtes blessé. Si d'autres questions surgissent en vous au cours de la communication, posez-les-lui.

Première étape du processus : l'enfant malheureux

1. Quel déclencheur extérieur te fait souffrir en ce moment ? Une personne ou une situation ?
2. Quelles blessures ont été éveillées en toi par ce déclencheur ? Ta blessure causée par :
   - l'humiliation.
   - la culpabilisation.
   - le jugement.
   - le contrôle.
   - le rejet.
   - l'envahissement.
   - la dévalorisation.
   - l'indifférence.
   - l'abandon.
   - la trahison.
   - la manipulation.
   - le pouvoir.
   - la non-valorisation.
3. Parle-moi de ta blessure, de son histoire, de ce qu'elle t'a fait vivre dans le passé et ce qu'elle te fait vivre en ce moment. (Cette demande est volontairement large pour permettre à l'enfant de s'exprimer librement.)
4. Quels sont tes besoins non satisfaits en ce moment par rapport au déclencheur ? Te sens-tu aimé, reconnu, libre, accepté, écouté ? Parle-moi de tes besoins non comblés et de leur histoire.
5. Comment te sens-tu maintenant ?

Avant de passer à la deuxième étape, prenez le temps d'identifier votre ressenti après avoir parlé à cet enfant intérieur et le temps de reconnaître ce que vous retirez de votre conversation avec lui.

Deuxième étape du processus : l'enfant heureux

Changez de photo et imaginez l'enfant heureux que vous avez parfois été. Placez-le devant vous, tentez d'évaluer l'âge qu'il avait au moment où la photo a été prise et demandez-lui ceci :

1. Qu'est-ce qui te rendait heureux autrefois quand tu avais cet âge ?
2. Quels moyens agréables prenais-tu pour retrouver ta joie de vivre quand tu étais réprimandé, contrarié, jugé, humilié, rejeté ou culpabilisé par tes parents ?
3. Comment peux-tu utiliser ces moyens pour soulager la douleur que tu ressens en ce moment dans la relation avec ton déclencheur ?
4. Te sens-tu plus en paix avec la situation qui te faisait souffrir avant que nous commencions ce dialogue ? Pourquoi ?
5. Que me proposes-tu maintenant comme moyens d'action pour que, ensemble, nous ressentions la paix et la sérénité ?

Avant de terminer cette réflexion écrite, demandez-vous comment vous vous sentez maintenant avec les réponses de votre enfant intérieur heureux. Que retirez-vous de votre conversation ?

Écouter votre enfant intérieur est l'un des meilleurs moyens de revenir au cœur de votre être, de prendre soin de vos blessures et de les accepter. Au moins deux conséquences particulièrement désagréables résultent du manque d'acceptation de votre vérité profonde :

1. Votre communication avec les autres ne sera pas authentique et déclenchera chez eux un sentiment chronique d'insécurité.
2. Vous serez incapable d'accueillir sans jugement les blessures de ceux avec lesquels vous entretenez une relation affective surtout si ces blessures sont différentes des vôtres.

Gilbert était un être sensible qui refoulait sa vulnérabilité parce qu'il la jugeait sévèrement. Il abordait toute situation éprouvante en rationalisant et en banalisant son vécu. Aussi, lorsqu'il apprit que son fils aîné était affecté d'une tumeur au cerveau, il n'a manifesté aucune émotion. Nicole, sa conjointe, s'est effondrée. La peur de perdre son fils s'est vite transformée en angoisse. Impuissant devant la souffrance de cette mère désespérée, Gilbert n'acceptait pas qu'elle ne réagisse pas comme lui devant cette épreuve. Il considérait la réaction de Nicole démesurée. Envisager froidement cette épreuve était, selon lui, la seule façon de pouvoir la traverser en restant debout.

Deux raisons empêchaient Gilbert de comprendre sa conjointe et d'accueillir sa souffrance :

1. il n'accueillait pas le fait qu'il était lui-même dévasté intérieurement par cet événement ;
2. il était convaincu que sa manière de réagir était correcte et que celle de Nicole ne l'était pas.

Évidemment, la communication et l'écoute entre ces deux parents étaient absolument impossibles, ce qui amplifiait considérablement leur souffrance. Le manque d'attention à leur enfant intérieur blessé les privait de compassion l'un envers l'autre à ce moment de leur vie où ils avaient tant besoin de support affectif. Accueillir leurs propres blessures s'avérait essentiel dans cette situation pour l'affronter ensemble. Dans leur relation comme dans toutes les relations quelles qu'elles soient, l'acceptation est un prérequis nécessaire à la reconnaissance de la responsabilité.

Ce n'est qu'en assumant cette responsabilité que des changements s'opéreront dans vos vies et que vos systèmes relationnels dysfonctionnels deviendront harmonieux.

3. La reconnaissance de votre responsabilité

Le mot *responsabilité* est à la mode dans les domaines de la psychologie, de la thérapie, du développement personnel et de la spiritualité. De plus en plus d'auteurs et de conférenciers sérieux et crédibles lui accordent une place privilégiée dans leurs ouvrages ou dans leurs discours. De plus en plus de personnes sérieuses et crédibles utilisent ce mot dans leurs conversations quotidiennes, dans leurs discussions intellectuelles et dans leurs échanges. Toutes s'entendent sur les bienfaits théoriques de sa présence dans la vie relationnelle. Cependant, quand il s'agit de la mettre en pratique, c'est la responsabilité des autres qui attire leur attention, beaucoup plus que la leur.

Je suis de ceux qui croient à l'influence bénéfique de la responsabilité sur toutes les relations et, d'ailleurs, tous mes livres en témoignent. Je reconnais toutefois qu'en cette matière, comme dans celle de l'acceptation, il y a un pas de géant à franchir entre savoir et être, entre théorie et pratique.

En effet, il est très facile de reconnaître les avantages de la responsabilité quand nous en parlons froidement. Cependant, lorsque nous sommes blessés, c'est beaucoup plus difficile de tourner vers nous-mêmes le regard que nous portons sur les autres. Pour favoriser ce passage, j'aborderai dans ce qui suit les points suivants :

1. Ce qu'est la responsabilité
2. Les conséquences de l'irresponsabilité

Ce qu'est la responsabilité

La responsabilité telle qu'entendue dans cet ouvrage, c'est la capacité d'un être humain à s'assumer tel qu'il est, à prendre en charge ses besoins physiques, psychiques, intellectuels et spirituels, à chercher en lui-même la source du soulagement de ses souffrances personnelles et relationnelles et à se réaliser.

Celui qui rend toujours les autres responsables de son vécu, de ses paroles, de ses choix et de ses actions se prive en permanence d'un besoin fondamental, le besoin de liberté. Rendre les autres responsables de ce que nous sommes, c'est leur donner du pouvoir sur nos vies, c'est devenir dépendant d'eux et perdre ainsi notre autonomie.

Quand j'ai rencontré Charlie pour la première fois, elle était habitée par une profonde souffrance, entretenue par sa relation avec sa mère. Son cœur était chargé de ressentiment et de colère refoulés. Elle m'a même avoué qu'il lui arrivait de la détester tellement qu'elle souhaitait sa mort. Évidemment, elle se sentait terriblement honteuse et coupable d'éprouver de tels sentiments envers la femme qui lui avait donné la vie. Elle avait introjecté la croyance que c'était tragique qu'un enfant n'aime pas ses parents et elle était convaincue que, tôt ou tard, elle en serait sévèrement punie. Avec la rancœur, la rage, la haine, la honte, la culpabilité et la peur de la punition divine, Charlie était hantée par une charge émotionnelle pharaonique. Elle en souffrait énormément. De plus, elle rendait sa mère responsable de ses propres problèmes et cela amplifiait sa douleur. Elle la jugeait et la critiquait constamment, l'accusant d'être froide, irresponsable, voire méchante. Selon elle, sa mère ne savait pas l'écouter, la comprendre, l'accompagner avec amour quand elle traversait des épreuves. Toute sa misère intérieure dépendait de cette femme, qu'elle n'affectionnait d'aucune façon.

Il était évident que Charlie éprouvait un grand besoin d'être écoutée sans jugement, ce qui est une condition essentielle pour aider quelqu'un selon l'ANDC[53]. Je l'ai donc laissé parler et, après avoir reformulé ses émotions et lui avoir exprimé à quel point j'étais sincèrement rejointe par sa souffrance, je lui ai fait remarquer qu'elle avait beaucoup parlé de sa mère, mais très peu d'elle. Son manque d'attention pour elle-même et son défaut de présence à son vécu et à ses besoins me touchaient vraiment et je le lui ai dit.

Il n'était pas question de lui reprocher son absence de responsabilité, ce qui aurait provoqué ses défensives, mais plutôt de diriger l'objectif qu'elle fixait sur sa mère vers elle-même. Ainsi Charlie a pris conscience de ses interventions projectives et elle a découvert non sans surprise que c'était elle qui ne s'écoutait pas, qui ne s'aimait pas et qui abandonnait ses propres blessures. Elle a également découvert avec stupéfaction qu'elle n'avait jamais pris le temps

53 ANDC^MC : Approche Non Directive Créatrice^MC. Elle est une approche humaniste de la relation que j'ai créée an 1986 et qui est enseignée au Centre de Relation d'Aide de Montréal (CRAM^MC)

d'écouter sa mère, de la comprendre et de la soutenir dans l'adversité. Inlassablement elle avait tenté de la changer et se plaignait d'avoir échoué. En fait, elle avait travaillé inlassablement à réformer sa mère, mais elle n'avait pas travaillé sur elle-même.

À n'en pas douter, la maman de Charlie n'était pas parfaite. Elle avait ses blessures et s'en défendait fermement lorsqu'elle se sentait jugée par sa fille. Néanmoins, Charlie a bien compris que ce n'est pas en pointant du doigt les manquements et les fautes de sa mère qu'elle pourrait trouver la paix et créer avec elle une relation harmonieuse. Pour se dégager du système juge/coupable, elle devait comprendre que, dans une relation affective, quand tout semble aller de travers, tenter de changer l'autre ne fait qu'intensifier la souffrance, accroître l'espace entre soi et l'autre et entretenir la dysfonction du système dans lequel chacun est emprisonné. Il est essentiel de savoir que nous ne sortons jamais d'un système relationnel en essayant de changer l'autre parce que nous perdons ainsi tout le pouvoir sur nous-mêmes.

Quand deux personnes ne s'entendent pas et sont coincées dans des conflits interminables, les deux doivent, sans exception, faire un travail sur elles-mêmes pour sortir du système et trouver la paix. La croyance que l'un a raison et que l'autre a tort, que l'un est correct et que l'autre ne l'est pas est absolument erronée.

Dans toute ma carrière, je n'ai jamais vu deux personnes en guerre l'une contre l'autre qui n'avaient pas toutes les deux leur part de responsabilité dans leurs différends. Sans cette reconnaissance réciproque, il est absolument impossible de démystifier le fonctionnement que nous adoptons et qui crée un système dysfonctionnel. Aussi, la question que m'a posée Charlie au cours de nos rencontres était très appropriée à sa situation. « *Comment le dénouement d'un système relationnel se produit-il concrètement*? m'a-t-elle demandé. *Laquelle des deux personnes impliquées doit faire les premiers pas*? »

Pour résoudre un conflit constant ou passager, il est indispensable d'écarter l'orgueil de votre ego négatif et de vous centrer sur vos besoins.

Rester sur vos positions et attendre que l'autre se manifeste n'est absolument d'aucun secours. Si vous attendez, de la part de votre déclencheur, une reconnaissance de ses fautes et des excuses, vous serez presque toujours déçu, car l'enjeu n'est pas là. La seule approche qui mène à la satisfaction est celle qui consiste à partir de votre vécu et de vos besoins. Que ressentez-vous? Du bien-être ou du mal-être? Que voulez-vous? Être heureux ou avoir raison? Être en paix ou nourrir la guerre? Peu importe où l'autre se situe, peu importe ce qu'il pense et ce qu'il souhaite, l'important, c'est de vous occuper de *vos* blessures et de *votre* bien-être. *Agir pour vous et non pour ou contre l'autre* est la voie royale pour vous dégager d'un système qui vous fait souffrir. Partir de soi et non de l'autre est sans contredit le chemin qui mène à la libération. Si vous voulez vraiment la paix, vous saurez trouver les mots qui vous attireront la paix et vous poserez les actes nécessaires. Si vous souhaitez rencontrer l'autre au niveau du cœur et que vous doutez de votre capacité à y arriver, consultez un spécialiste de l'ANDC pour vous aider à vous exprimer d'une manière responsable, en restant centré sur vos besoins.

La démarche qui consiste à vous exprimer en partant de vous, sans jugement et sans attente, est généralement efficace. Elle ne règle pas tout, mais elle ouvre la porte à un type de relation différent du précédent. Néanmoins elle doit être suivie d'un travail permanent sur vous-même et sur la relation. Quant au travail sur l'autre, il ne vous appartient pas de vous en occuper parce que l'autre est responsable de ses propres malaises et de la manière dont il compose avec sa souffrance. De toute façon,

il est important de savoir que tout changement de votre part influence l'autre et influence aussi le type de relation que vous entretenez avec lui.

De même, il est fondamental de vous rappeler que le but des relations humaines et surtout des relations affectives est de favoriser votre croissance intérieure et de vous aider à devenir de meilleures personnes. N'attendez donc pas d'atteindre la perfection pour profiter de la vie et pour jouir du bonheur d'être en relation. Acceptez plutôt que la relation, quelle qu'elle soit, et les choix qu'elle vous pousse à arrêter sont à l'origine de l'exploitation de vos plus grandes ressources et de la découverte de vos chemins de vie.

Vous pouvez choisir de laisser l'orgueil vous éloigner des autres. C'est le cas lorsque vous donnez à votre entourage la responsabilité de vous rendre heureux. Ou encore, vous pouvez prendre la responsabilité d'identifier vos véritables besoins, de les prendre en charge et d'assumer les conséquences si vous ne le faites pas.

Les conséquences de l'irresponsabilité

La principale et la plus incontournable conséquence de l'irresponsabilité est la perte de pouvoir sur notre vie causée par l'attitude de victime.

Cette attitude défensive mène les couples parentaux, amoureux et amicaux à la discorde, voire à la séparation.

Consciente d'avoir déjà décrit la victime au début de ce livre, j'y reviens parce que cette attitude est insidieuse. Elle est présente dans toutes les relations dans lesquelles il y a irresponsabilité, car les personnes irresponsables sont nécessairement des victimes. Elle est très répandue partout dans la société, dans les milieux de la santé et de l'éducation et dans les familles, ainsi que dans le milieu politique notamment. En effet, la plupart de nos représentants politiques ont cette tendance désagréable à attribuer à leurs adversaires et à leurs prédécesseurs tous les problèmes soulevés sous leur gouvernement. Elle est répandue aussi dans le domaine de la santé parce que la plupart d'entre nous laissons à tous les soignants de notre corps le pouvoir total de nous guérir sans nous impliquer. Cela nous permet par la suite de les responsabiliser si nous ne recouvrons pas la santé rapidement. Elle est répandue surtout parce que la plupart de nos éducateurs nous ont responsabilisés de leurs malaises et parce que nous avons été les témoins impuissants de leurs réactions irresponsables avec leur entourage. Nous avons appris, par leur influence, à les imiter et à agir avec eux comme ils l'ont fait avec nous. La responsabilité ne soutenait pas toujours leurs interventions éducatives, sans doute pas plus que ne l'avaient fait leurs propres parents. Pour toutes ces raisons, pour être aimés, nos inconscients personnel et collectif ont emmagasiné des influences éducatives et religieuses qui se reflètent dans notre manière défensive et automatique de réagir quand nos blessures sont réveillées par ceux que nous aimons.

En quoi le manque de pouvoir sur nos vies est-il créateur de systèmes relationnels dysfonctionnels, voire briseur de relations authentiques et harmonieuses ?

Quand nous sommes la victime de quelqu'un, nous ne voyons que ses erreurs, ses défauts et ses imperfections. Par surcroît, nous les grossissons, les déformons au point de transformer ce *quelqu'un* en un personnage monstrueux.

Cet individu étant ainsi dénaturé dans notre esprit, nous nous sentons petits et vulnérables devant lui et nous ne ressentons plus d'amour pour lui parce que ce que nous avons imaginé de cette personne ne correspond pas nécessairement à la réalité. C'est d'ailleurs le propre de la victime de ne pas être en relation avec son déclencheur tel qu'il est, mais avec un personnage imaginaire idéalisé ou diabolisé. Lorsque la victime idéalise, elle croit qu'elle est remplie d'amour pour l'autre, mais, en réalité, ce qu'elle aime, c'est la représentation imaginaire et magnifiée qu'elle s'est créée de cette personne.

Cependant, chez cette personne sans pouvoir sur elle-même, la souffrance est bien réelle. Malheureusement, elle ne l'accueille pas. C'est pourquoi elle s'en défend en en rendant les autres responsables. Au lieu d'avoir de l'ascendant sur sa propre vie, elle en prend bien involontairement sur la vie des autres. Sa douleur, qu'elle n'entend pas, augmente donc jour après jour, d'autant plus que, par son inconscience et ses comportements irresponsables, elle devient, selon les circonstances, bourreau, manipulatrice, abandonnique, démone, juge, supérieure, inférieure ou coupable. Elle s'attire ainsi dans sa vie affective des bourreaux, des manipulateurs, des démons, des juges ou des persécuteurs. Dans ces conditions, ses relations affectives se caractérisent par d'incessants jeux de pouvoir. L'exemple d'Helena et de Michel illustre bien ce problème.

Dans sa relation avec Michel qu'elle a diabolisé au cours des années, Helena se défendait contre sa souffrance par la fermeture. Se sentant coupable et impuissant devant ses silences boudeurs et implicitement accusateurs, son conjoint utilisait le sarcasme pour la faire réagir. Chacun d'eux amplifiait son mécanisme de défense et entretenait ainsi sa maîtrise sur l'autre. Ce rapport inconscient à la domination a définitivement paralysé le sentiment amoureux qu'ils ressentaient l'un pour l'autre. Lorsqu'ils sont venus me consulter en thérapie, ils s'accrochaient à leur mécanisme de défense. Ils ne voulaient surtout pas se montrer vulnérables, par peur de concéder à l'autre un ascendant sur eux et par peur de lui donner le pouvoir de les blesser. Comme ils étaient rigidifiés dans leur position de contrôle, j'ai mis un certain temps à créer le climat de confiance qui leur a permis d'exprimer leurs émotions et leurs besoins réels. Au début de leur thérapie, ils affichaient de faux sentiments pour manipuler et pour responsabiliser leur conjoint de leur problème de couple. Un jour, quand Helena a exprimé sa véritable peine d'enfant blessé, Michel s'est senti, pour la première fois depuis des années, profondément touché par elle. Il a alors été surpris de pouvoir l'accueillir sans la ridiculiser. Ce jour-là, ils ont commencé à se voir mutuellement et progressivement tels qu'ils étaient.

Travailler le rapport à la responsabilité, c'est incontestablement, pour les victimes que nous sommes tous à certains moments, nous consacrer à récupérer le pouvoir sur notre vie en commençant par accepter ce mécanisme défensif et la vulnérabilité que nous cachons pour nous attirer l'amour. Nous avons tous besoin d'aimer et d'être aimés, mais quand nous adoptons des comportements de domination par la fermeture, la manipulation, l'accusation, le jugement et la critique, nous attirons le contraire de ce que nous souhaitons vivre avec tant d'intensité dans nos relations affectives.

Personne n'aime être dominé de quelque façon que ce soit. Personne n'aime être prisonnier et dépendant des autres. Seul le pouvoir sur soi est libérateur.

Pour user de ce pouvoir qui nous est gracieusement donné, l'identification et l'accueil de nos besoins s'avèrent le meilleur chemin à emprunter.

4. L'identification et l'accueil des besoins

J'ai déjà traité le thème des besoins dans *Relation d'aide et amour de soi* publié aux Éditions du CRAM et dans le *Petit cahier d'exercices pour soulager les blessures du cœur* publié chez Jouvence Éditions. Je ne répéterai évidemment pas ce que j'ai écrit. Cependant je m'arrêterai ici à des besoins dont l'identification et l'expression jouent un rôle fondamental dans le dénouement des systèmes relationnels. Ces besoins, que je n'ai pas développés dans les ouvrages précités, sont les suivants :

- le besoin de relations affectives
- le besoin de compréhension
- le besoin de sécurité
- le besoin d'appartenance
- le besoin d'être important
- le besoin de donner et de recevoir
- le besoin de paix intérieure
- le besoin de joie
- le besoin d'évolution

Les besoins, contrairement aux désirs, sont des instances psychiques, c'est-à-dire des demandes pressantes de notre cœur et de notre âme dont la satisfaction est considérée comme étant nécessaire, voire essentielle à notre existence et à notre équilibre intérieur. Plus nous les satisfaisons, plus notre vie est coulante et heureuse. Au contraire, quand ils sont inassouvis, nous souffrons.

Leur satisfaction dépend de notre ouverture à les prendre en charge. Si nous attendons que les autres les devinent et s'en occupent, nous orientons inévitablement nos relations vers la disharmonie et le déchirement intérieur.

Il existe différentes catégories de besoins : les besoins physiques, les besoins intellectuels, les besoins spirituels et les besoins psychiques. Nous avons généralement plus de facilité à identifier les premiers que les autres. Nous savons que, pour assurer notre équilibre physique, il est indispensable de bien respirer, de nous alimenter sainement, de dormir suffisamment, de garder notre corps en forme au moyen d'exercices et de vivre sereinement notre sensualité et notre sexualité. Nous savons également que, pour stimuler les neurones de notre cerveau, il est fondamental de satisfaire notre goût d'apprendre dans quelque domaine que ce soit. Néanmoins, c'est sur les plans spirituel et psychique que nous sommes déficients. Il n'est pas évident pour nous de prendre conscience, dans l'ici et maintenant, des besoins de notre être profond, comme nos besoins d'amour pour les autres, de paix intérieure et de sérénité.

Quant aux besoins du cœur, ils sont malheureusement trop souvent aussi enfouis dans l'obscurité de notre vie intérieure que nos blessures d'enfant. Pourtant, leur satisfaction est indispensable à notre survie psychique et spirituelle, autant que la satisfaction de nos besoins physiques l'est à la santé de notre corps et que la satisfaction de nos besoins intellectuels l'est à la santé de notre cerveau.

Satisfaire nos besoins psychiques et spirituels, c'est donner à notre être profond une nourriture vitale de nature immatérielle et d'origine relationnelle essentielle à notre fonctionnement normal et équilibré comme personne humaine. Cette nourriture s'avère donc également nécessaire au fonctionnement normal et équilibré de toutes nos relations, particulièrement de nos relations affectives. Nous occuper de nos besoins est donc une responsabilité de la plus haute importance.

Un des besoins qui nous cause toujours de la souffrance quand nous ne le prenons pas en charge est le besoin de relations affectives nourrissantes et vraies. Le film *Seul au monde*, du réalisateur Robert ZEMECKIS, avec Tom HANKS, sorti en l'an 2000, nous montre bien l'ampleur de ce besoin. Seul survivant d'un crash d'avion en plein océan, le personnage incarné par l'acteur échoue sur une île déserte et y vit seul pendant quatre ans. Pour combler son manque de relation, il personnifie un vieux ballon et lui parle comme à un ami en imaginant ses réponses. Le moment le plus touchant du film se produit lorsque le ballon est emporté par la mer. Le désarroi du personnage nous touche aux larmes.

Dans ce merveilleux film, le réalisateur a su exploiter d'une manière spectaculaire le thème du besoin de relation avec les autres. Il nous suffit d'ailleurs d'imaginer être privé du jour au lendemain de la présence dans nos vies de ceux que nous aimons pour ressentir un manque et la peur de les perdre. Nous avons incontestablement besoin des autres pour vivre d'une manière saine et équilibrée. Contrairement au philosophe français Jean-Paul SARTRE qui écrivait dans *Huit clos* en 1943, « L'enfer c'est les autres », Sœur EMMANUELLE (1908-2008), cette religieuse d'origine belge qui a consacré sa vie aux pauvres, rétorque dans *Confessions d'une religieuse, en* 2002 que « Le paradis, c'est les autres ».

Le besoin de relations affectives

Tout sur Terre repose sur la relation. Les éléments de la nature n'agissent jamais seuls. Ils interagissent constamment les uns avec les autres. De même, l'homme est relié à la nature. S'il la respecte, elle lui offre ce qu'elle possède de meilleur. S'il ne la traite pas avec révérence et qu'il perturbe son équilibre, il est le premier à en subir les conséquences, car la nature recherche inévitablement l'harmonie et ne tolère pas l'ingratitude. De façon similaire,

> **la relation de l'être humain avec ses semblables a une influence déterminante sur son équilibre intérieur. Il a besoin des autres, non pour les asservir à ses volontés ni pour les assujettir à ses besoins, mais pour partager l'amour qui l'habite et le constitue. Cet amour intarissable ne peut toutefois être communiqué que s'il y a attachement et intimité.**

L'attachement

Tenter de nous convaincre que nous pouvons vivre sans attachement, c'est tout simplement renforcer, par la rationalisation, notre système défensif et, par conséquent, nous priver d'une relation authentique avec nous et avec les autres. Refuser l'attachement signifie nous amputer d'une partie fondamentale de nous-mêmes au moyen du refoulement.

La vérité est que nous sommes des êtres essentiellement émotifs et vulnérables et soustraire notre vulnérabilité de nos vies relationnelles, c'est incontestablement nier ce que nous sommes.

Lorsque nous nous efforçons de nous départir de notre sensibilité dans le but inconscient de ne plus sentir la douleur causée par nos blessures, nous nous méprenons gravement. Nous souffrons alors davantage du manque d'amour parce que nous ne sommes plus capables d'attachement et d'intimité. Nos communications se limitant ainsi au niveau intellectuel, nous utilisons de beaux concepts complètement déconnectés de notre réalité intérieure pour nous définir ou nous nous enfermons dans une image figée de ce que nous pensons être et qui nous prive de liberté, de mouvance et de souplesse. Conséquemment,

sans attachement, nous ne rencontrons jamais les autres au niveau du cœur et de l'âme, et ce, même si nous croyons que nous y arrivons.

Dans les moments où nous sommes débranchés de nos émotions et de nos besoins, nous oublions ce que signifie *être en relation* parce que nous sommes du côté de la rationalisation et du savoir pour le savoir plutôt que du côté de l'expérimentation et de l'être. Nous ne distinguons plus entre *avoir des relations* et *être en relation*.

L'exemple de Julien en témoigne.

Homme particulièrement sociable, Julien parlait à tout le monde et savait se présenter à ceux qu'il ne connaissait pas avec un large sourire et une allure dégagée dans tous les milieux où il se trouvait. Au travail comme dans son cercle d'amis, certains enviaient son aisance et d'autres critiquaient sa désinvolture. Cependant, malgré son entregent naturel, sa relation amoureuse connaissait de violentes secousses, ce qui le préoccupait sérieusement. Il ne comprenait pas pourquoi, en dépit de ses qualités relationnelles reconnues depuis son enfance, il n'accédait pas à la pérennité en amour. Longtemps convaincu, vu sa légendaire affabilité de chevalier, que les femmes qu'il avait fréquentées étaient toutes responsables de ses échecs amoureux, il commençait à douter de lui-même avec sa nouvelle compagne Clémence, d'autant plus qu'à trente-huit ans il craignait de ne pas réaliser son rêve de fonder une famille.

En fait, Clémence reconnaissait la gentillesse et la courtoisie de Julien, mais elle lui reprochait d'être superficiel et insignifiant dans l'intimité. Dès qu'elle exprimait un malaise, qu'elle se montrait vulnérable ou qu'elle lui exprimait ses sentiments amoureux, il se mettait à plaisanter, non pour se moquer d'elle, mais pour dissiper son inconfort. Ayant été toute sa vie largement valorisé pour sa sociabilité et son sens de l'humour, il s'était emmuré dans le moule de ces qualités et s'en servait urbi et orbi sans souci de discernement. C'était d'autant plus difficile de ne pas verser dans ces caractéristiques qu'elles lui valaient fréquemment de nombreux témoignages d'appréciation. Il trouvait les femmes compliquées et impossibles à contenter parce que, selon lui, aucune, jusqu'à ce jour, n'avait apprécié à leur juste valeur les qualités qu'on lui reconnaissait facilement en tous lieux.

Au cours de sa démarche thérapeutique avec Clémence, Julien mit beaucoup de temps à comprendre qu'il avait une image limitative de lui-même et s'y était emprisonné pour plaire aux autres. Il a réalisé que, pour vivre une relation intime, il devait exploiter d'autres ressources que celles qu'on lui reconnaissait déjà. Il devait apprivoiser sa propre vulnérabilité pour rencontrer celle de l'autre. Il devait comprendre que, sans partage du vécu et des besoins profonds, il n'y a ni intimité, ni attachement, ni relation affective durable et vraie. D'ailleurs, quand il a commencé sa thérapie relationnelle, il n'était pas plus attaché à Clémence qu'à ses ex-conjointes étant donné son incapacité de connexion au niveau du cœur avec elles. C'est pourquoi l'idée de la perdre ne le faisait pas souffrir outre mesure. La femme représentait pour lui une mère potentielle pour la famille qu'il voulait créer. En réalité, il était contrarié par le fait qu'il était le seul de son groupe d'amis à ne pas avoir d'enfants et à ne pas réussir à vivre en couple.

Aucune des femmes qu'il avait fréquentées n'avait voulu poursuivre une relation amoureuse avec cet homme coupé de ses émotions et incapable de communication authentique, d'intimité et d'amour vrai. Aucune n'avait choisi de s'engager avec une image sympathique socialement, mais vide intérieurement. Servir d'objet pour réaliser ses rêves à lui sans obtenir son implication émotionnelle, sans intimité relationnelle et sans attachement ne les motivait pas du tout. Julien devait apprendre qu'il n'était pas seulement sociable et drôle. Il y avait en lui tout un monde inconnu qu'il devait apprivoiser pour expérimenter une relation amoureuse vécue dans le partage. Il souhaitait viscéralement fonder une famille et trouver une compagne de vie, mais il avait auparavant tout un travail à accomplir sur lui-même pour se découvrir et pour découvrir, par le fait même, l'amour vrai.

Au Centre de Relation d'Aide de Montréal où nous formons des spécialistes de la relation affective par l'Approche non directive créatrice[MC] (ANDC[MC]), j'ai vu des dizaines de personnes malheureuses en relation parce qu'elles s'accrochaient à des théories et à une représentation limitée d'elles-mêmes. Cette image n'avait aucun rapport avec leur vérité intérieure et réduisait leur capacité innée de s'attacher et d'entrer en relation. Ces personnes travaillaient avec acharnement à se conformer à des moules conceptuels qui ne leur ressemblaient pas ou, comme Julien, à des caractéristiques valorisantes ou dévalorisantes qu'on leur avait attribuées et qu'elles surexploitaient ou niaient. Cela les empêchait de s'ouvrir à leur richesse et à leur mouvance intérieure. Évidemment, elles se heurtaient presque toujours à des échecs personnels et relationnels qui leur causaient de la souffrance. C'est en apprenant à suivre la voie naturelle de leur cœur qu'elles ont compris, par l'expérience, que

l'attachement à ceux que nous aimons est humain, normal et essentiel à notre survivance psychique.

Toute ma vie, je me suis attachée à ceux que j'ai aimés et je suis encore attachée à ceux que j'aime : mon conjoint, mes enfants, mes petits-enfants, ma famille, celle de mon amoureux et mes amis. Je suis aussi immensément attachée à la vie. À cause des épreuves douloureuses que j'ai traversées, je peux dire aujourd'hui que, sans attachement à la vie, je ne serais certainement plus de ce monde, comme d'ailleurs certains d'entre vous.

Pourquoi alors prône-t-on le détachement dans certains milieux? Ceux qui défendent cette approche abstractive des autres agissent pour nous éviter la souffrance. Ils ont raison en ce sens que l'attachement peut engendrer parfois de profondes douleurs, mais ce qu'ils ignorent peut-être, c'est que le détachement en provoque encore beaucoup plus. En effet, comment s'impliquer et s'engager vraiment dans une relation affective sans attachement? Comment vivre heureux en n'étant en relation qu'avec des personnes non attachées à nous, incapables d'intimité et non engagées dans la relation? Pour être comblés dans la vie, nous n'avons pas besoin d'un amour théorique et rationnalisé, mais d'un amour qui émane du cœur et de l'âme. Seul un attachement réciproque peut nous donner accès à cette forme d'amour partagé.

Le détachement

Cependant, dans toute relation affective, il existe une part de détachement nécessaire à l'amour. Ce dont nous avons absolument besoin de nous détacher pour aimer vraiment et profondément est :

1. notre tendance à vouloir changer les autres et à les responsabiliser de nos malaises et de nos bouleversements intérieurs quand ils déclenchent nos blessures ;
2. **notre désir de l'amoureux idéal, de l'enfant rêvé, de l'ami irréprochable et du parent parfait parce que ces idéaux n'existent pas ;**
3. le moi idéal que nous cherchons désespérément à incarner. Nous avons besoin de nous accueillir tels que nous sommes avec nos forces, nos limites et nos imperfections.
4. Autrement dit, pour satisfaire notre besoin des autres, il est fondamental que nous nous détachions du pouvoir que nous prenons sur eux afin d'acquérir plus de pouvoir sur nous-mêmes de manière à satisfaire notre besoin d'attachement et notre besoin viscéral de compréhension.

Le besoin de compréhension

Tout être humain a un besoin profond d'être compris. Guy Corneau, dans *Revivre* nous montre bien le malaise causé par le manque de compréhension. Mais peut-on tout comprendre et comprendre tout le monde ?

Le mot *comprendre* vient du latin *comprehendere* qui signifie *saisir*. Comprendre l'autre c'est, selon Antidote, *percevoir avec sensibilité et intelligence* ce qu'il ressent. C'est pouvoir appréhender à partir de l'intérieur de nous-mêmes les sentiments et les émotions qu'il éprouve devant la difficulté qu'il traverse ou devant la situation heureuse qu'il expérimente dans l'ici et maintenant. Se sentir compris allège le chagrin, soulage la souffrance, met un baume sur le cœur meurtri. La compréhension réconforte, console, rassure, apaise les blessures et dissout la culpabilité de celui qui est envahi par la joie et le bonheur. Elle ouvre la porte sur *ce qui est*. Comprendre, c'est accepter et c'est, par conséquent, favoriser chez l'autre l'acceptation de son vécu, de ses besoins et de ses désirs.

Cependant la compréhension est favorable à la seule condition qu'elle ne soit pas défensive, mais empathique et compassionnelle. Un *Je te comprends* qui signifie *Je suis d'accord avec toi* ou *tu as raison* n'est jamais aidant. Approuver celui qui souffre met l'accent sur les faits plutôt que sur le vécu. Ce comportement de la part d'un thérapeute ou d'une personne quelle qu'elle soit est défensif parce qu'il est confluent et qu'il résulte d'une attitude de sauveur. Personne n'a réellement besoin de cette forme dommageable de compréhension. Satisfaire notre besoin d'être compris, c'est sentir au fond de notre être que l'autre a vraiment saisi l'intensité de notre souffrance ou de notre joie ; c'est sentir que nous ne sommes pas seuls avec notre vécu parce que quelqu'un démontre une authentique compassion envers notre douleur ou qu'il partage sincèrement notre bonheur.

Cela dit, est-il possible de comprendre tous ceux qui souffrent et tous ceux qui débordent d'enthousiasme ?

Comme nous sommes tous affectés par des blessures psychiques, il est évident que nous pouvons saisir de l'intérieur la souffrance des autres. Cependant, les comprendre à 100 % est impossible parce que leur expérience est unique et leur souffrance aussi. Il est évident toutefois que si, par exemple, nous avons connu des expériences semblables de séparation, de deuil, de rejet, d'humiliation ou de trahison, notre degré de compréhension puisse être plus élevé, mais, dans ce cas, le danger de confluence le serait également. En tant qu'aidant, ami, parent ou thérapeute, il est donc fondamental d'être conscient de ce que nous ressentons devant la souffrance ou la joie des autres pour que notre *je comprends* soit sincèrement empathique et compassionnel et qu'il ne soit pas une sorte d'approbation ou de jugement favorable de ses opinions, de ses expériences et de son vécu.

Ce que nous devons retenir de ce qui précède est que le besoin d'être compris est tout à fait normal parce que, dans la souffrance comme dans la joie, nous avons besoin des autres pour partager ce que nous vivons. La solitude, quand nous vivons des expériences difficiles, augmente la souffrance et réduit le bonheur. La relation et la compréhension, par contre, amenuisent la douleur et accroissent l'allégresse. Sans relations affectives, ce n'est pas seulement notre besoin viscéral d'être compris qui n'est pas assouvi, mais aussi notre besoin vital d'être sécurisé.

Le besoin de sécurité

Je ne connais pas de superlatif assez fort pour traduire l'importance que j'accorde à la satisfaction du besoin de sécurité dans une relation quelle qu'elle soit, spécialement dans une relation affective. Autant il est essentiel pour assurer notre survie physique, de pouvoir nous nourrir et nous loger convenablement, autant notre survie psychique repose sur un solide sentiment de sécurité. Ce n'est pas pour rien que Maslow a placé ce besoin à la base de sa pyramide des besoins fondamentaux. Qu'elle soit amicale, amoureuse, familiale ou professionnelle, la relation qui ne repose que sur la sécurité intérieure des personnes impliquées est vouée à l'échec. Quand la satisfaction de ce besoin fondamental est menacée, le lien finit toujours par s'effriter parce que la souffrance causée par le manque de sécurité est intolérable. La personne insécure se sent continuellement en danger. C'est pourquoi nul ne peut tolérer l'insécurité sans être lourdement affecté psychiquement. Les enfants qui grandissent avec des parents qui, par leur attitude et leurs comportements, les insécurisent constamment, avancent dans la vie comme s'ils marchaient sur un sol miné. Ils sont pétris de peurs, manquent de confiance en leurs ressources et ressentent une détresse insupportable.

S'il est vrai qu'une solide sécurité intérieure acquise dans l'enfance nous rend moins vulnérables aux déclencheurs d'insécurité dans nos relations affectives d'adultes, il n'en reste pas moins que personne n'est insensible à ces déclencheurs quel que soit son âge. Je suis même convaincue que ceux qui sont habités par une lancinante pulsion de mort manquent de sécurité affective beaucoup plus que d'amour. Cela dit, je ne crois pas que les parents qui insécurisent leurs enfants le font par manque d'amour, mais parce qu'ils ne sont pas conscients de leur propre insécurité et de l'impact du manque de sécurité sur le psychisme de leurs petits. À preuve, dans une relation amoureuse, si le besoin d'amour est satisfait et que le besoin de sécurité ne l'est pas, il n'y a pas de paix ni de bonheur. C'est donc dire que tout être humain a besoin d'être sécurisé en tout temps dans ses relations avec les autres.

Mais alors, quels sont les principaux déclencheurs d'insécurité ?

Il est évident que le manque de respect de la parole donnée et surtout le manque d'engagement sont d'importants facteurs d'insécurité. Quand l'autre menace de partir au moindre obstacle, la peur de perdre rend profondément inquiet. L'anxiété causée par le manque d'engagement ruine une histoire relationnelle. Cependant, ces déclencheurs bien connus que sont les promesses non tenues et l'absence d'engagement sont loin d'être les seules fontaines d'insécurité dans une relation affective. D'autres sources beaucoup plus subtiles s'avèrent aussi insécurisantes d'autant plus qu'elles tapissent le quotidien et qu'elles sont plus difficiles à percevoir. Les quatre autres principaux responsables d'insécurité dans les relations sont les non-dits, le ménagement, le mensonge ou les demi-vérités et le manque de feed-back.

Les non-dits

Diane se demandait pourquoi elle ne savait jamais sur quel pied danser avec sa sœur Louise. *À tout moment, cette dernière s'enfermait dans un mutisme qui déclenchait dans le cœur de* Diane *un profond sentiment d'insécurité. Quand elle demandait à* Louise *s'il y avait un problème, si elle l'avait blessée, elle recevait toujours un non comme réponse malgré qu'elle affichait visiblement une attitude de vierge offensée.* Diane *sentait bien que quelque chose sonnait faux dans le comportement de sa sœur. En réalité, chaque fois que* Louise *était déclenchée dans ses blessures, elle se taisait et punissait* Diane *par le silence. Les non-dits et les mensonges ont eu raison d'une relation beaucoup trop insécurisante pour* Diane, *une relation où sa sœur, au lieu d'exprimer son vécu et ses besoins, prenait du pouvoir sur elle en la punissant, au moyen du silence, de l'avoir blessée.*

Tous les non-dits insécurisent à court ou à long terme parce qu'en les taisant, ils ne disparaissent pas de la relation. Ils sont comme des débris qui remplissent le pont entre deux personnes et qui les empêchent de se rencontrer authentiquement. Ils créent une insécurité profonde parce que, devant les non-dits, nous nous sentons mal sans trop savoir pourquoi. C'est précisément parce ils sont impalpables et invisibles qu'ils déclenchent autant de malaises. La souffrance est amplifiée si, en plus, il y a ménagement. Protéger l'autre en ne lui disant pas la vérité sur notre vécu et sur les faits, c'est lui manifester un grand manque de confiance en sa capacité à affronter les difficultés de la vie, c'est l'infantiliser et surtout l'insécuriser. En réalité, celui qui ménage les autres se ménage lui-même contre la peur du conflit et la peur d'affronter la réaction de l'autre. Croyez-moi, ménager une personne, c'est non seulement l'insécuriser, mais c'est aussi ne pas l'aimer vraiment. Il n'y a rien de pire pour créer des systèmes relationnels souffrants que de fonder une relation sur l'insécurité. L'exemple suivant pourra nous en convaincre.

Les feed-back

Louis-Paul était un gestionnaire dont la réputation n'était plus à faire. Reconnu pour sa compétence et sa compréhension des problèmes de ses clients, il avait évolué avec brio dans l'entreprise où il travaillait au point qu'il n'y rencontrait plus de défis. Il a donc choisi de changer d'emploi pour exploiter davantage ses talents et ses ressources. Malgré son implication dans sa nouvelle entreprise et malgré les nombreux défis qu'il devait relever, il n'arrivait pas à trouver la motivation pour ce travail comme il en avait connu dans son ancien emploi. À la maison, il commença même à montrer certains signes de dépression. Pour vaincre sa léthargie, il redoublait d'efforts, d'ardeur afin de remettre à son patron des dossiers impeccables.

Qu'est-ce donc qui rendait ce bûcheur si malheureux ? Pourquoi a-t-il perdu sa motivation, lui habituellement si enthousiaste dans son travail ? Louis-Paul était malheureux parce qu'il ne recevait jamais de feed-back de la part de ses supérieurs. Quand il leur demandait leur avis sur ses dossiers, on lui disait : Ça va, rien de plus. Ce manque de feed-back causait beaucoup d'insécurité dans le cœur de Louis-Paul. *Il se sentait toujours dans le vide.*

J'insiste fortement sur l'importance du feed-back comme facteur de sécurité dans toutes les relations. Le mot feed-back est un anglicisme qui, traduit littéralement, signifie : *nourrir en retour.* Nous avons tous besoin de *retour* quand nous exprimons un malaise, un besoin ou que nous accomplissons une action quelconque en relation. L'absence de feed-back insécurise énormément au point qu'une relation affective ou professionnelle sans feed-back ne peut tenir la route longtemps. Aussi, pour sortir de vos systèmes relationnels dysfonctionnels, assurez-vous que votre besoin de sécurité est satisfait. Si vous avez affaire à une personne qui déclenche fréquemment en vous de l'insécurité, ne lui laissez pas ce pouvoir. Si, par contre, vous êtes celui qui insécurisez, répondez à ces questions concernant votre relation la plus insécurisante :

Exercice

1. Êtes-vous bien engagé dans cette relation ? Avez-vous tendance à fuir devant les obstacles ?
2. Respectez-vous la parole donnée ?
3. Avez-vous l'habitude de refouler vos malaises ?
4. Accumulez-vous les non-dits ?
5. Exprimez-vous vos besoins ?
6. Vous servez-vous du silence pour punir l'autre quand il vous blesse plutôt que de dire vos émotions ?

7. Avez-vous tendance à ménager l'autre par peur du conflit et par peur d'affronter sa réaction ?
8. Donnez-vous des feed-back quand votre partenaire vous exprime une émotion, un besoin ou qu'il accomplit une action ?
9. Maintenant que vos avez répondu à ces questions, pouvez-vous dire que vous êtes une personne sécurisante ou insécurisante dans cette relation ?

Si, après avoir lu ces informations à propos du besoin de sécurité, vous constatez que l'une ou l'autre de vos relations souffre d'insécurité, prenez des moyens pour l'établir sur une base solide. L'un des autres moyens pour y arriver est de satisfaire votre besoin d'appartenance.

Le besoin d'appartenance

Tout ce qui renforce le sentiment d'appartenance renforce l'estime de soi.

Christophe ANDRÉ

MASLOW[54], dans sa célèbre pyramide des besoins humains, a accordé au besoin d'appartenance une place centrale. Il le situe après les besoins de survie et de sécurité et avant ceux qui touchent la reconnaissance et la réalisation de soi. Le besoin d'appartenance, inséparable du besoin de relation, est né de la nature même de l'homme. Si ce besoin n'est pas satisfait, sa survie physique et psychique est en danger.

54 Abraham MASLOW (1908-1970) est un célèbre psychologue états-unien, considéré comme le père de l'approche humaniste dont l'ANDC[MC] fait partie. Il est surtout connu par son explication de la motivation par la hiérarchie des besoins qu'il a représentée par une pyramide. Il a souligné qu'il était préférable, en thérapeutique, de promouvoir les qualités et les réussites individuelles, plutôt que de considérer les patients comme des « sacs à symptômes ». D'après Wikipedia.

Le mot appartenir, dans le sens que je lui donne dans cet ouvrage, signifie faire partie d'un groupe de deux ou de plusieurs personnes et, par notre présence, influencer cet ensemble pour le meilleur ou pour le pire. Autrement dit, ce groupe n'existerait pas tel qu'il est sans notre participation.

Nous entendons parfois dire que personne n'est irremplaçable sur cette Terre. Il est incontestable que nous pouvons, par exemple, remplacer le directeur d'une école, un travailleur d'une équipe ou un comédien d'une pièce de théâtre. L'école continuera à fonctionner, l'équipe, à produire et la pièce, à être jouée. En ce qui concerne les fonctions et les rôles, tout se poursuivra comme auparavant. Cependant et irrécusablement, quelque chose d'important aura changé dans l'école, dans l'équipe et dans la pièce sur le plan relationnel et sur le plan des apports humains. Une personne peut, en effet, effectuer le même travail qu'une autre dans un groupe, mais sa manière d'être, de réaliser sa tâche et de connecter ou non avec les autres est unique et incomparable.

Un nouveau conjoint, un nouvel enfant, un nouveau joueur dans une équipe de hockey ou de football et même un nouvel immigrant changent inévitablement, à plus ou moins grande échelle, le couple, la famille, le groupe sportif ou le pays d'accueil. Certes, nous pouvons remplacer une fonction, un poste, un rôle, un titre, mais jamais un être humain.

Aucun être au monde n'est remplaçable en tant que personne humaine. Substituer une nouvelle enseignante à une autre en congé de maternité, par exemple, transforme inévitablement l'atmosphère de la classe. Bien sûr, la suppléante peut enseigner le même programme, mais jamais de la même manière. De plus, sa relation avec les élèves se distinguera de celle de son prédécesseur.

Un couple, une famille, une équipe ou une classe forme un système relationnel et chaque personne qui compose le système, par son histoire de vie et par sa singularité, influe sur chacune des parties et sur l'entité globale. C'est pourquoi un nouvel arrivant dans un groupe change automatiquement et sans réserve les interactions dans le système. Celui-ci, de fonctionnel qu'il était peut devenir dysfonctionnel ou vice versa. Ce pouvoir de changement apporté par un seul individu montre l'importance de chaque personne dans un ensemble donné.

Notre appartenance à un groupe est fondamentale à notre épanouissement en tant qu'êtres humains, parce qu'elle nous offre la possibilité de manifester notre unicité ; d'exploiter et de partager nos talents, nos forces, notre potentiel créateur. Ces avantages sont d'autant plus percutants si nous ne sacrifions pas notre identité et que nous demeurons fidèles à ce que nous sommes.

> **Il existe une certaine forme de satisfaction, voire de fierté au fait d'appartenir. Nous ne disons pas LE couple en parlant du nôtre ni LA famille en parlant de la nôtre, mais : MON couple, MA famille, MON gang d'amis, MON équipe de foot, MON école, MES collègues de travail, MA ville, MON pays.**

Ces possessifs témoignent de l'importance de l'appartenance, qui tient au fait qu'elle définit une partie de ce que nous sommes. C'est comme affirmer : je suis *un conjoint, un père, une mère, un enfant, un frère ou une sœur, un travailleur, un*

Montréalais ou un Parisien, un Québécois, un Canadien, un Français ou un Costaricien.

Imaginez une personne sans aucune appartenance. Être victime d'ostracisme, par exemple, rend profondément malheureux. Tous ceux qui ont été forcés de s'expatrier au cours de l'histoire pour des raisons politiques ont énormément souffert du déracinement. Tous les conjoints qui ont été évincés de la relation parce qu'ils sont été remplacés par une autre personne ont mis des mois, voire des années, à s'en remettre. Quand nous sommes coupés définitivement de nos racines nationales, familiales ou amoureuses, que nous l'ayons choisi ou non, nous devons nous transplanter ailleurs pour faire pousser d'autres racines, nous engager à fond avec persévérance pour construire un nouveau lieu d'appartenance parce que, comme le dit si bien Brené Brown : *l'appartenance est au cœur de l'*ADN, *probablement connectée à notre instinct de survie le plus primitif*[55].

Sans contredit, c'est le sentiment d'appartenance qui animait chacune des ethnies autochtones de la Nouvelle-France et les incitait à entretenir des liens forts entre leurs membres pour assurer leur survie. De même, l'appartenance à la communauté catholique a permis aux bâtisseurs de notre pays de se tenir les coudes pour s'entraider et leur a donné le courage d'affronter ensemble le climat et l'adversité.

C'est aussi le besoin vital d'appartenance qui incite certains jeunes à joindre des groupes de rebelles pour avoir le sentiment d'exister et de faire une différence dans un monde où la famille s'effrite, les couples se séparent, les bases spirituelles ont disparu.

55 Brené Brown. *Op. Cit.* : p. 57

Les jeunes et les adultes qui ne participent pas à la vie familiale, qui n'ont pas d'amis, qui s'isolent de la vie sociale méritent une attention toute particulière. Ceux-ci ont besoin d'appartenance afin de prendre racine, de se construire une base solide, de se réaliser, de réaliser une mission de vie et surtout pour sentir dans le plus profond de leur être qu'ils sont importants pour nous et que, sans eux, notre vie ne serait pas la même.

Le besoin d'être important

> « *The deepest urge in human nature is the desire to be important.* »
>
> John Dewey

Nous n'avons pas seulement besoin d'appartenir à un groupe et de goûter la présence affective d'êtres significatifs dans nos vies pour connaître des relations satisfaisantes avec eux. Nous avons aussi besoin d'avoir la certitude que nous sommes importants pour ceux que nous aimons.

> **Le besoin d'être important est indissociablement lié au besoin de sentir que nous existons vraiment pour les autres, qu'ils ont besoin de nous, non comme d'une chose qu'on utilise et qu'on rejette à volonté, mais comme d'un être humain unique, incomparable et précieux.**

À la suite d'un cours que j'ai donné récemment, j'ai reçu une lettre d'une participante qui m'exprimait un profond malaise parce que, lors de mes exposés, elle avait levé la main à plusieurs reprises pour s'exprimer et que je semblais l'avoir ignorée. J'ai été sincèrement rejointe par la démarche de cette femme et par son vécu, d'abord parce que son besoin d'exister à mes yeux dans la classe n'avait pas été satisfait et surtout parce que, au lieu de s'en plaindre et de basculer dans la critique, elle avait pris en charge ce besoin et avait décidé de m'écrire pour me l'exprimer. Il va sans dire que je lui ai traduit mon empathie et ma compréhension dans une réponse écrite. Je lui ai dit que j'étais sincèrement désolée de ne pas avoir choisi la sienne parmi les nombreuses mains levées. De plus, je l'ai largement reconnue de ne pas avoir versé dans la résignation ou la critique stérile et de s'être occupée de son besoin d'exister au moyen d'une lettre qu'elle m'avait adressée.

Cet exemple montre à quel point le besoin de nous sentir important pour les autres est considérable. Il mérite d'être accueilli avec attention. Le danger est de croire qu'il s'agit d'un besoin enfantin et que c'est faire preuve de puérilisme et d'immaturité que de le ressentir et surtout de le manifester ouvertement. Il suffit d'imaginer qu'une personne que nous aimons nous ignore complètement du jour au lendemain pour comprendre à quel point nous avons besoin d'exister pour les autres. Bien sûr, cette soif d'exister aux yeux de notre entourage prend naissance dans notre enfance. Pour exister, nous avons peut-être tenté d'être l'enfant parfait qu'on reconnaissait de temps en temps parce qu'il ne dérangeait pas ou encore l'enfant rebelle qui a cherché par des moyens exaspérants à attirer l'attention.

Quoi qu'il en soit, le besoin d'exister aux yeux des autres est un besoin inné. Il est tout à fait normal de le ressentir toute notre vie tout comme le besoin d'être aimé. Le contraire serait plutôt inusité et symptomatique d'un manque d'écoute ou d'accueil de notre vérité intérieure.

Cela dit, comme nous ne sommes plus des enfants et que nous avons acquis une certaine maturité, nous possédons les ressources nécessaires pour nous en occuper. Attendre passivement que les autres nous accordent de l'importance ne sert qu'à nous rendre malheureux.

Ce n'est pas la responsabilité de notre conjoint, de nos enfants, de notre père, de notre employeur, de nos collègues de travail et de nos amis de prendre en charge nos besoins. Se consacrer à la satisfaction des leurs est déjà assez exigeant pour eux. Par l'acceptation et la formulation de demandes claires, il nous revient de prendre soin de nous-mêmes.

Nous devons, avec notre besoin d'exister et tous nos autres besoins, nous montrer aussi vigilants que les gardiens de phare l'étaient au XIXe siècle pour sauver la vie des marins, parce que notre équilibre psychique et notre bonheur sont tributaires de notre présence à nos exigences intérieures.

Cependant, il existe une condition pour que l'harmonie intérieure et relationnelle soit préservée eu égard à nos besoins d'exister et de nous sentir importants : donner de l'importance aux autres.

Nous sommes tous des êtres précieux, autant les autres que nous-mêmes. Aussi est-il fondamental de signifier quotidiennement et avec sincérité aux gens que nous aimons, par des paroles, par des gestes et par des actions, qu'ils sont chers à nos yeux. Il est nécessaire et non seulement souhaitable que nous leur accordions du temps, sans attente et sans calcul, pour les écouter et pour leur dire combien leur amour et leur présence dans nos vies sont inestimables pour nous.

Exercice

Si, par contre, vous vous sentez coincé dans une relation à sens unique dans laquelle vous êtes le seul à entretenir le pont qui vous unit à l'autre et le seul à donner de l'importance à l'autre, vous devez questionner le rapport que vous nourrissez avec vos besoins.

- Vous en occupez-vous suffisamment ?
- Prenez-vous soin de vos blessures ?
- Manquez-vous d'amour de vous-même ?
- Vous faites-vous valablement confiance ?
- Êtes-vous un bon gardien de vos trésors intérieurs, de vos blessures et un bon parent pour vous-même ?
- Faites-vous des demandes claires ?
- Prenez-vous le temps de bien recevoir ce qu'on vous donne ?
- Respectez-vous vos limites et les affirmez-vous ?
- Endurez-vous le manque de considération pour éviter les conflits ?
- Prendre le temps de répondre à ces questions, c'est déjà vous donner de l'importance. N'oubliez pas que, si vous voulez vous sentir apprécié par les autres, vous devez exister pleinement dans votre relation avec eux.

Nous ne pouvons demander aux autres ce que nous ne nous consentons pas. Autrement dit, si nous n'avons pas de considération pour nous, les autres ne nous en accorderont pas, à moins qu'ils soient des sauveurs. Faisons-nous du bien, les autres nous en feront. Donnons-nous de l'amour, les autres nous en donneront. Accordons-nous de l'importance, les autres nous en accorderont.

En réalité, un équilibre naturel et non calculé entre l'amour de soi et l'amour de l'autre contribue à résoudre nos problèmes personnels et relationnels, et à mettre fin à des systèmes qui nous empoisonnent la vie. Donner et se donner du bien-être représente la meilleure façon de recevoir des autres et de l'Univers ce dont nous avons besoin pour dénouer nos systèmes relationnels éprouvants.

Les besoins de donner et de recevoir

Je m'attarde volontairement à ces deux besoins inséparables, car ils sont l'expression même de la vie spirituelle.

> **Différents des besoins de la personnalité qui souhaite ardemment et légitimement être aimée, valorisée, sécurisée, acceptée, importante et libre, les besoins de donner et de recevoir se présentent comme des moyens d'expression naturelle de l'Être profond qui nous habite.**

Sans cette énergie bipolaire qui circule incessamment entre l'extérieur et l'intérieur de nous, et qui consiste à donner et à recevoir, la partie sacrée qui nous constitue perd sa puissance et sa sagesse. Il n'existe pas de vie, d'amour et de véritable joie sans ce mouvement perpétuel qui nous lie aux autres et à l'Univers, et qui les unit à nous.

Quand nous sommes dépressifs, désespérés et que nous nous sentons démunis, c'est parfois parce que nous sommes trop centrés sur notre souffrance et nos manques affectifs et pas assez sur les autres. Dans ces moments-là, rien de mieux, pour soulager la douleur dévorante que d'écouter les autres dans l'expression de leur malheur, de se consacrer à une œuvre humanitaire ou de s'occuper d'un enfant. Entendons-nous bien. Je ne dis pas qu'il faille s'oublier, ne penser défensivement qu'aux autres à notre détriment et refouler nos émotions douloureuses quand nous sommes blessés. Je dis simplement que nous avons parfois tendance à nous fixer sur notre nombril quand nous sommes affectés par une souffrance chronique. Souvent, nous attendons passivement que la Vie et les autres s'occupent de nous et nous libèrent de nos tourments comme par magie.

L'exemple le plus éclairant que je puisse apporter ici est celui de la relation avec les enfants. Prendre soin d'un enfant que nous aimons est habituellement thérapeutique. En effet, ces êtres privilégiés nous offrent un amour inconditionnel et nous accordent une confiance totale qui nous procure un bonheur indéniable. En leur présence, si nous ouvrons nos cœurs à recevoir, nous oublions nos soucis et nous nous imprégnons des largesses que nous réserve le moment présent. Il existe peu d'êtres au monde à qui nous donnons avec autant d'amour désintéressé qu'aux enfants. *Si vous ne devenez pas comme des enfants*, nous dit Jésus, *vous n'entrerez pas dans le royaume des cieux*. Autrement dit, si nous n'arrivons pas, comme les enfants, à donner gratuitement et à recevoir sans nous sentir redevables dans nos relations affectives, nous ne connaîtrons pas le bonheur de la communication authentique, de l'attachement, de l'intimité et de l'appartenance qu'apporte le sentiment de liberté dans le partage de l'amour vrai.

J'insiste toutefois sur le rapport au *recevoir*. Malgré les apparences, même quand nous devenons égoïstes, égocentriques, individualistes et narcissiques, nous ne savons pas accueillir ce que la Vie et notre entourage nous offrent de nourrissant pour le cœur et pour l'âme. Nous cherchons à combler notre manque affectif et à peupler notre désert spirituel par des moyens artificiels et uniquement matériels qui creusent davantage notre puits intérieur asséché par l'illusion. La *coquetterie* des fleurs, l'aspect majestueux des arbres, la splendeur d'un coucher de soleil, l'abondance d'une récolte, l'inquiétude d'une mère, la fierté d'un père, la tendresse d'une grand-mère, la fidélité d'un ami, le regard chaleureux d'un passant sont autant de cadeaux gratuits que la Vie nous offre gracieusement et que nous ne prenons pas le temps de recevoir.

Nous tenons pour acquis le fait de marcher, de danser, de voir, d'entendre et de parler. Nous ne nous arrêtons pas assez pour nous délecter de la générosité infinie de l'Univers à notre égard. Nous nous imposons inconsciemment le supplice de Tantale en ne profitant pas des offrandes que la Vie met à notre disposition pour nourrir notre vie affective, relationnelle et spirituelle.

Trop souvent, nous cherchons ailleurs ce qui se trouve sous nos yeux et ce que nous portons déjà en nous. De plus, notre tendance à ne voir que le négatif chez les autres et dans les situations de la vie ou à focaliser uniquement sur l'argent et les biens matériels nous empêche de recevoir l'essentiel que la vie met à notre disposition et d'accueillir à bras ouverts ce qui comble nos vrais besoins.

Je souhaite que la prise de conscience de notre difficulté à recevoir un compliment, un cadeau, une reconnaissance et les bienfaits de la Vie nous motive à concentrer notre attention sur la beauté et la grandeur de ceux avec lesquels nous entretenons des relations houleuses et des systèmes relationnels disharmonieux. Je nous souhaite à tous de prendre du temps, à partir de maintenant, pour conscientiser et pour recevoir intérieurement la luxuriance des richesses naturelles et humaines qui nous entoure.

Tant que nous n'aurons pas appris à recevoir avec le cœur le beau, le bon et le vrai qui nous sont offerts en permanence, nous sentirons un manque au creux de notre être qui ne sera jamais comblé si nous essayons de le remplir par des moyens artificiels et vides de sens.

Ce faisant, nous ne verrons pas passer les trains qui transportent les seules nourritures susceptibles de satisfaire nos besoins profonds : l'amour, la paix et la sérénité. Aussi longtemps que nous demeurerons déconnectés de notre cœur et de notre âme, nous utiliserons les autres pour nous rendre heureux alors que la seule personne au monde qui a le pouvoir de nous offrir la félicité, c'est nous-mêmes.

L'histoire de Caleb et de son père Maxime est particulièrement révélatrice en ce sens. Gâté par son père parce qu'il était le cadet de la famille et, par surcroît, son seul fils, Caleb n'était pourtant pas heureux. Il voulait toujours plus de sorties, plus d'argent, plus de cadeaux coûteux. Dès que son père cédait à ses désirs, il se lassait rapidement et exigeait toujours davantage sans trouver de véritable satisfaction.

Maxime était comme certains pères, un homme bien intentionné qui répondait aux besoins de présence et d'amour de son fils en le gavant de biens matériels. Évidemment, Caleb n'était pas en mesure d'apprécier la générosité de son père. Ce qu'il recevait ne correspondait pas réellement à ce qu'il voulait, car il n'avait pas appris à identifier et à exprimer ses vrais besoins. Son expérience de la relation affective avait fait de cet enfant malheureux un homme égocentrique, incapable, dans ses relations amoureuses et affectives, de donner ce qu'il n'avait pas reçu, incapable de recevoir l'amour véritable parce qu'il avait introjecté la croyance que l'amour s'exprime par l'avoir plutôt que par l'être. C'est pourquoi, dans sa vie amoureuse, Caleb comble son amoureux, Joseph, de cadeaux, d'invitations au restaurant, de fleurs, de voyages exotiques, tout en attendant de lui qu'il le comble à son tour de la même manière. Il se demande alors pourquoi, malgré tout ce qu'il reçoit, il n'est jamais content, pourquoi tous ces présents qu'il souhaitait posséder le laissent chaque fois avec un sentiment de manque de plus en plus profond et de vide impossible à remplir.

Les personnes qui n'ont pas reçu l'amour dont elles ont besoin et qui n'ont pas appris à le recevoir quand il passe dans leur vie le cherchent là où elles ne peuvent pas le trouver. Elles deviennent alors égocentriques et utilisent les autres pour tenter, sans succès, tel le tonneau des Danaïdes, de combler leur néant affectif et spirituel.

Ces personnes ne peuvent pas donner parce que leur coupe intérieure est vide. Pour s'épanouir et être heureuses en relation, elles ont un urgent besoin de prendre le temps de repérer et de recevoir les richesses immatérielles et humaines qu'elles réclament inconsciemment.

Croyez-moi, nous ne donnerons jamais d'amour à autrui si nous ne savons pas recevoir celui qui nous est offert dans le présent.

Parfois, nous espérons l'amour d'une personne et il nous arrive par une autre. Parfois, nous attendons qu'il nous soit manifesté d'une manière précise et il se présente d'une autre façon. Si nous ne sommes pas présents, souples et ouverts aux cadeaux de la Vie et aux chemins qu'elle prend pour nous choyer dans l'ici et maintenant, nous nous sentirons comme une coquille vide, à la recherche ininterrompue de plénitude. De plus, nous n'accueillerons pas l'amour qui passe, parce que nous ne savons pas distinguer l'amour vrai de l'amour égoïste et destructeur. Dans ce cas, il s'avère fondamental de réclamer de l'aide pour apprendre à identifier nos véritables besoins, à les exprimer et pour apprendre aussi à écouter, sans les juger ni les castrer, ceux des autres.

Le travail sur soi est une condition sine qua non pour connaître le bonheur de donner et de recevoir l'amour authentique en relation et pour dénouer nos systèmes relationnels dysfonctionnels. Grâce à ce travail d'introspection, nous cesserons de nous méprendre sur les moyens de satisfaire nos vrais besoins et nous pourrons également comprendre aussi les véritables besoins des personnes qui sont importantes pour nous. Enfin nous serons en mesure de recevoir l'amour authentique et d'offrir généreusement l'amour profond qui nous habite, cet amour qui nous apporte, par le seul fait de le donner et de le recevoir, la paix du cœur, de l'âme et de l'esprit.

Le besoin de paix intérieure

Quand j'étais enfant et que j'assistais aux offices religieux, j'étais toujours étonnée d'entendre si souvent le mot « paix » dans la bouche des célébrants. Adolescente, je l'étais tout autant quand mon grand-père me souhaitait la santé et la paix au jour de l'An. À l'époque, j'avais bien d'autres préoccupations que celles-là. Aujourd'hui, maintenant que j'ai l'âge qu'il avait lorsqu'il prononçait ces souhaits, je me rends compte à quel point, par ses vœux, il touchait à l'essentiel. Après avoir été éprouvée pendant des années par de graves problèmes de santé, il n'y a pas de mots pour dire à quel point je suis aujourd'hui reconnaissante à la Vie de pouvoir marcher, me laver et m'habiller sans aide. J'ai largement et assidûment participé à l'amélioration de ma condition physique. Toutefois, grâce au lâcher-prise que j'ai pratiqué devant mon impuissance et à l'acceptation de ma réalité, j'ai rencontré les bonnes personnes aux bons moments qui m'ont aidée à renverser le processus de dégénérescence. Je sais maintenant combien la santé du corps est précieuse, mais ce que mon grand-père savait et que j'ignorais à cette période de ma vie, c'est à quel point l'est aussi la santé spirituelle.

Le mot *paix*, qui n'avait pas tellement de sens dans ma vie d'enfant, de par son côté abstrait, occupe dans mon expérience actuelle une place incommensurable. La paix est ma quête quotidienne, car elle est source de sérénité. Quand ce besoin de mon Être profond n'est pas satisfait, je ne suis pas heureuse, parce que je suis incapable de ressentir l'amour qu'on me donne et celui qui m'habite. La paix est la réponse à tous mes questionnements par rapport à la vulnérabilité, à la relation, à la Vie. Elle est mon baromètre quand j'ai des décisions à prendre ou des choix à arrêter. Pour la garder, je me pose tous les jours l'une ou l'autre des questions suivantes :

1. *Colette, si tu fais ce choix, est-ce que tu seras en paix ?*
2. *Colette, si tu continues à nourrir de telles pensées, ressentiras-tu la paix ?*
3. *Colette, es-tu en paix en ce moment ? Sinon, qu'est-ce qui t'empêche de l'être ?*

Le sentiment de paix s'avère un guide intérieur infaillible. Peu importe l'opinion des autres, peu importe que la direction que ce guide nous fait emprunter soit contraire à la logique ou à celle de notre entourage : la paix intérieure ne nous trompe jamais. Elle sait toujours distinguer ce qui nous convient de ce qui ne nous convient pas.

Cet état de tranquillité ne se trouve pas seulement dans l'absence de conflits, de guerres et de compétitions malsaines qui ne sont que des manifestations extérieures d'une condition beaucoup plus profonde.

C'est en nous-mêmes que réside le trône de la paix, qui n'a rien d'une qualité accessible pour certains et inatteignable pour d'autres. La paix, tout comme l'amour et la joie, de par sa nature spirituelle, est un état qui nous constitue. Elle est ce que nous sommes tous. Elle attend au cœur de plusieurs d'entre nous que nous lui fournissions les conditions pour se manifester.

Quelles sont donc les conditions favorables au jaillissement du sentiment de paix en nous ?

Même si la paix, comme l'amour, est toujours présente au creux de notre être, nous pouvons passer notre vie sans y avoir accès, par manque de moyens pour la contacter. Pour la ressentir, il est impératif que nous prenions le temps de nous arrêter, et ce, à plusieurs moments de la journée. Se laisser emporter par la frénésie des activités quotidiennes, par les sollicitations des nouvelles technologies, par les besoins des autres au détriment des nôtres et par des pensées destructrices et autodestructrices n'a jamais contribué à l'émergence de la paix. C'est précisément l'absence de calme intérieur qui nous pousse parfois dans des actions impulsives qui provoquent l'affrontement, l'incompréhension et la rivalité dans nos relations. S'asseoir dans un endroit paisible et confortable pour méditer, respirer en pleine conscience, contempler la nature, écouter de la musique douce crée les conditions favorables pour ressentir la paix.

Si nous ne l'atteignons pas par ces moyens et que nos pensées vagabondes nous rendent anxieux, cela signifie que nous devons arrêter des choix significatifs dans nos vies pour que sa présence perce au cœur de notre être. Parmi ces choix se trouve celui de dépouiller nos relations de tous les parasites humains ou matériels qui les déstabilisent et contribuent à la formation de nos systèmes relationnels souffrants, comme l'addiction au travail, à la télévision, à l'informatique, aux téléphones intelligents, au *magasinage* et *tutti quanti*. Tout déséquilibre dans nos vies, quel qu'il soit, sabote la satisfaction de notre besoin de paix. Les *trop* et les *pas assez*, à quelque niveau que ce soit, sont des saboteurs de paix.

Croyez-moi, pour connaître le bien-être que nous recherchons tous et pour dénouer nos systèmes relationnels disharmonieux, la satisfaction du besoin de paix intérieure n'est pas facultative mais nécessaire, non seulement pour toutes les raisons que je viens d'énumérer, mais surtout parce que, selon mon expérience, elle ouvre le chemin à l'amour et à la joie d'être ensemble.

5. Le besoin de joie

Du plus loin que je me souvienne, j'ai toujours été une personne sérieuse, fiable, travaillante, disciplinée, volontaire, déterminée, persévérante, avec un sens inné des responsabilités. Ces caractéristiques ont toujours été très valorisées dans mon éducation. Aussi, par besoin d'être aimée et reconnue, je les ai cultivées toute ma vie. Elles ont d'ailleurs été d'un grand secours dans la réalisation de mes rêves. Quand je me fixais un objectif dans le domaine du « faire » et de l'« agir », j'étais très bien équipée pour l'atteindre, et je le suis toujours. Même des buts d'apparence inatteignables m'étaient accessibles. Loin de renier aujourd'hui ces qualités, je les reconnais et remercie mes parents de me les avoir inculquées. Cependant, il a manqué, pendant des années, un élément important au processus d'accomplissement de mes aspirations : la joie. Il y avait toujours cette exigence de perfectionnisme, cet empressement à atteindre des résultats tangibles, cette peur de ne pas être à la hauteur des critères élevés que je projetais sur les autres et ce doute de mes capacités qui rendait ma vie parfois triste, parfois accablante. J'obtenais presque tout ce que je voulais, mais sans véritable joie. Je m'accordais certains plaisirs, bien sûr, comme des plaisirs alimentaires, culturels, récréatifs, mais je ne connaissais pas vraiment la joie, sinon quand j'observais les enfants et que je m'imprégnais de leur innocence et de leur pureté. En fait, je trouvais un certain bonheur en restant à la surface de moi-même, par peur de l'inconnu qui m'habitait et parce que j'ignorais que, derrière mes blessures, se trouvait le temple sacré de la paix, de l'amour et de la joie.

Lors d'une session de formation en psychothérapie, un participant qui me dévisageait depuis le début du programme m'a dit, à brûle-pourpoint : « Tu es tellement sérieuse Colette. Tu manques de joie de vivre. Relâche tes épaules, on dirait que tu portes le poids du monde sur ton dos. » Cette remarque m'a à la fois surprise et dérangée. J'ai jugé cet homme désobligeant et carrément irrespectueux. « De quoi se mêle cet intrus, pensai-je, je ne lui ai rien demandé. Il exagère vraiment. » Mon inconfort, pour employer un euphémisme, venait davantage du fait qu'il avait visé juste au cœur de mon être que de la manière dont il s'était adressé à moi et des mots sans ménagement qu'il avait utilisés pour exprimer sa pensée. Ses paroles ont eu une telle résonance en moi que j'ai dû admettre que, d'une certaine façon, il avait raison. Cette prise de conscience forcée a servi de départ à un processus de travail introspectif en ce qui concerne mon rapport à la joie. En bonne chercheuse, j'ai d'abord voulu savoir ce qu'est la joie.

Ce qu'est la joie

J'ai commencé par consulter Aristote, qui la définit comme *une émotion agréable de bonheur, de ravissement et de satisfaction.* Vu son caractère momentané et éphémère, le mot *émotion* m'a laissée perplexe. J'ai donc poursuivi ma recherche en passant par Wikipédia, qui présente la joie comme un sentiment de satisfaction spirituelle qui remplit la totalité de la conscience, contrairement au plaisir, qui n'en affecte qu'une partie, celle qui touche la satisfaction des besoins du corps. Un panorama des pensées philosophiques s'ajoute à cette définition. Vue comme *un état d'âme* par Cicéron (Rome 1er siècle avant J.C.), comme une source d'accroissement de notre puissance par Spinoza (Hollande, XVIIe siècle), comme la conséquence d'une création qui donne un sens à notre existence par Bergson (France XIXe et XXe siècle), elle est pour Nietzsche (Allemagne XIXe siècle), une grâce irrationnelle qui permet d'accepter et de traverser les épreuves de la vie. Pour sa part, plus près de nous, Nicolas Go, auteur de *L'art de la joie*, la voit comme une nécessité. Elle est, selon lui, l'atome du bonheur, le triomphe de la vie, la source de l'amour.

La joie n'est autre que le sentiment qui s'épanouit quand nous vivons en accord avec notre nature et avec la nature entière. C'est donc dire que le honteux ne connaît vraiment pas la joie.

Quant à Brené Brown dans L*a grâce de l'imperfection*, elle la définit à partir de ses racines linguistiques. Le mot *joie*, dit-elle, vient du grec *chairo* qui signifie *culmination de l'être et bonne humeur de l'âme.* [56]

56 Brené Brown. L*a grâce de l'imperfection*. p. 129

De toutes ces définitions, j'ai d'abord retenu l'aspect spirituel de la joie. Besoin fondamental de l'âme, elle s'inscrit en nous comme une force qui nous constitue. C'est la raison pour laquelle Nicolas Go la voit comme une exigence, voire une nécessité dans nos vies. Nous ne choisissons pas la joie. Comme l'amour et la paix, elle est. Nous pouvons choisir toutefois de la contacter ou non et c'est à cela que m'a conviée ma recherche. Synonyme d'enthousiasme, de ravissement, de satisfaction, de créativité, de puissance, d'épanouissement et d'accomplissement, il m'est apparu essentiel de l'intégrer à ma vie quotidienne d'une manière consciente. Je me suis alors demandé : qu'est-ce qui rend joyeux ?

Qu'est-ce qui rend joyeux ?

Chercher ce qui rend joyeux m'a constamment ramenée au *bonheur*. Existe-t-il une différence entre la joie et le bonheur ? Certains auteurs les confondent. D'autres, comme Brené Brown, y voient une différence fondamentale, le bonheur étant, pour elle, identifié au plaisir, à la bonne fortune et à la santé. Selon ces écrivains, le bonheur est éphémère et dépend des situations et des événements. Il dirige notre attention vers le monde extérieur alors que la joie est un état d'harmonie intérieure, un prérequis au bonheur. Elle teinte nos expériences extérieures et les rend heureuses parce que ces expériences reflètent notre vie profonde. C'est donc dire que

ce qui rend joyeux vient de l'intérieur de notre être. Ce n'est alors ni l'argent, ni la réussite professionnelle, ni les biens matériels qui eux seraient des sources de bonheur et non des sources de joie. Quant à la joie, elle prend sa source dans la puissance créatrice, la

générosité, la reconnaissance, la gratitude, l'acceptation et le lâcher-prise.

Cela dit, au cours des années de pratique d'intégration de la joie à ma vie, j'ai pris conscience qu'il ne suffisait pas d'actualiser ma créativité, d'être généreuse, de cultiver la gratitude et d'accepter ce qui est pour ressentir la joie.

L'absence de joie ne découle pas d'un manque d'action, mais d'un manque de présence à ce que nous accomplissons.

Nous agissons trop souvent comme des automates, absents de notre propre vie intérieure et relationnelle. Nous ne pratiquons pas la pleine conscience de ce qui est, de ce que nous sommes et de ce que nous faisons. Nous sommes ailleurs, tirés par des pensées débridées qui nous éloignent de notre plus grande source de joie qu'est le moment présent. Le merveilleux livre d'Eckhart TOLLE, *Le pouvoir du moment présent*, est une ressource inestimable à ce sujet. Cet ouvrage, que je cite souvent dans mes écrits, est l'un de mes livres de chevet. Je ne me lasse pas de le relire, car il me ramène toujours au cœur de moi, à la source même de l'amour, de la paix et de la joie véritable. Il me rappelle aussi la nécessité de pratiquer quotidiennement la présence à ce qui est. Je n'y arrive pas toujours facilement, mais je poursuis ma démarche parce que, quand je réussis à être présente, je jouis d'un sentiment de plénitude qui me procure du bien. C'est pour que vous gouttiez à cette plénitude que j'insiste tant sur la présence à l'ici et maintenant sans laquelle vous connaîtrez peut-être le bonheur, mais pas la joie au sens où nous entendons ces deux réalités dans cet ouvrage.

Pour saisir le lien entre la présence et la joie, observons les enfants. Ils expriment une joie pure parce qu'ils sont 100 % présents à leurs jeux. Ils sont spontanés. C'est donc naturel pour l'être humain d'être joyeux, car la joie est innée. Si nous ne la ressentons plus, c'est que nous laissons nos pensées nous amener loin de l'ici et maintenant. En les ramenant à ce qui est, en nous et autour de nous, nous nous sentirons pleinement vivants.

Cet état de présence dans la pleine conscience s'avère indispensable pour mettre également de la joie dans nos relations affectives. Rencontrer l'autre au niveau du cœur, tout en étant présent, crée une connexion, un lien, un rapprochement qui procurent une joie inexprimable et inestimable. Lorsque nous décrochons des faits et des théories pour nous centrer sur l'expression bien ressentie de notre vérité profonde, c'est-à-dire de nos sentiments et de nos besoins, nous avons immédiatement accès à notre source d'amour véritable et à une joie qui remplit inévitablement notre cœur. Même les différences individuelles, sociales et culturelles s'estompent dans ces moments de grâce qu'offre la communication authentique[57]. Cette rencontre, parce qu'elle satisfait grandement les besoins de notre personnalité et ceux de notre âme, dénoue progressivement les systèmes relationnels dysfonctionnels et les harmonise. Elle contribue à notre croissance et à notre évolution.

Donc, pour que vos liens affectifs soient plus harmonieux, mettez de la joie, du bonheur, du plaisir, de la bonne humeur, du bien-être, de l'humour et du « fun » dans vos relations affectives. Quel que soit le mot que vous privilégiez pour

57 Pour en savoir plus sur les conditions qui favorisent ce type de communication, consultez mon ouvrage publié aux Éditions du CRAM sous le titre *La communication authentique*.

désigner la joie de vivre, trouvez ensemble ce qui vous rend joyeux et heureux et mettez-le en action quotidiennement. Amusez-vous, riez de vous-mêmes, sautez, dansez, écoutez de la musique, méditez ensemble, contemplez la nature en silence, parlez-vous en tête-à-tête, sortez, allez au cinéma, au théâtre, au Centre Bell pour une partie de hockey, à la Place des Arts pour un concert ou un gala, rencontrez des amis. Réjouissez-vous. Mettez un brin de folie dans votre quotidien. Ne laissez pas la lassitude, la nostalgie et la monotonie envahir votre vie affective. Appliquez-lui de la couleur et du relief pour la garder vivante, stimulante, mouvante et en constante évolution.

6. Le besoin d'évolution

La notion d'évolution inclut deux réalités incontournables : le changement et la progression. Nous ne pouvons d'aucune façon évoluer sans nous renouveler et sans nous améliorer. L'immobilité, la permanence et la stagnation sont l'envers de la croissance et de l'évolution. Heureusement, la vie est ainsi conçue qu'elle assure, voire provoque, les métamorphoses et le progrès. La preuve en est que notre corps de bébé s'est développé naturellement pour devenir celui d'un adulte, comme celui de la chenille qui se transforme en papillon. Tout ce qui est vivant génère la croissance et le changement. C'est à la fois le mystère, la beauté, la grandeur et la magnificence de la vie. Néanmoins, si le corps croît en taille d'une manière naturelle, sans le recours de notre volonté, il n'en est pas ainsi de nos dimensions intellectuelle, psychique, spirituelle et relationnelle qui nécessitent le secours extérieur et surtout notre secours pour s'épanouir.

C'est à la fois la conjonction de nos ressources et de nos besoins innés, d'une part, et des circonstances extérieures, d'autre part, qui nous poussent à grandir. Nous avons tous le désir profond de savoir, de comprendre, d'apprendre, de vivre en paix, d'aimer, de donner et d'être heureux et joyeux. Cependant, sans le travail intérieur déclenché par les événements de la vie et par les autres, il est fort possible que notre évolution serait considérablement ralentie. Nous risquerions de piétiner ou de tourner en rond comme dans un labyrinthe qui nous ramène toujours au point de départ. Quand la motivation au changement ne vient pas de nos besoins et de nos aspirations, le monde extérieur intervient en réveillant la souffrance de nos blessures.

La plus efficace et la plus importante source d'évolution d'un être humain est, sans contredit, sa relation avec les autres, spécialement lorsqu'il y a attachement. La relation de couple, de même que celles que nous entretenons avec nos parents ou nos enfants sont des déclencheurs incontestables de remises en question permanentes.

En réalité, toutes nos relations affectives sont des puissants moteurs de croissance et de changement, soit parce que nous sommes motivés de l'intérieur à les rendre harmonieuses, soit parce que nos blessures, nos réactions défensives et celles de ceux que nous aimons nous causent tellement de souffrance qu'elles conduisent au travail sur nous-mêmes qui assure notre évolution.

Le couple le plus touchant que j'ai eu en thérapie était un couple de personnes âgées. Gilberte et Conrad avaient quarante-cinq ans de vie commune quand ils m'ont consultée pour la première fois. Ils m'avaient été référés par leur fille, qui était en dernière année de formation de spécialiste des relations humaines au Centre de

Relation d'Aide de Montréal. Gilberte, de nature loquace et extravertie, s'est exprimé la première. Elle était d'ailleurs l'initiatrice de la démarche qu'ils entreprenaient avec moi. Je me souviendrai toujours de ses yeux perçants et de ses gestes saccadés lorsqu'elle m'a déversé la somme d'insatisfactions qu'elle rencontrait dans sa relation avec Conrad. Elle semblait décharger enfin ce qu'elle avait retenu depuis longtemps, espérant, comme elle me l'a dit, que je règle en une séance tous les problèmes de sa vie matrimoniale. D'ailleurs nous avons généralement tendance à donner à un aidant, dans quelque domaine que ce soit, un pouvoir absolu de résolution des désagréments de nos vies. En fait, cette femme dynamique reprochait à son mari sa taciturnité, son flegme et son inertie. Toute sa vie, elle l'avait bousculé pour le faire réagir, mais, malgré ses efforts, Conrad était toujours demeuré égal à lui-même : un homme calme, réfléchi et modéré.

Après l'avoir écoutée et avoir bien reflété l'essentiel de ses paroles et de ses malaises, je lui ai demandé ce qui, chez Conrad, l'avait attirée au début de leurs fréquentations. Particulièrement vive et intelligente, elle a vite compris le but de ma question. Elle m'a regardée avec des yeux pétillants et s'est mise à rire comme une enfant. Puis, elle a répondu : « C'est son calme qui m'a conquise, cette façon qu'il avait de me manifester son amour par un regard ou cette manière de me prendre dans ses bras sans dire un mot qui me procurait un sentiment de sécurité indescriptible. J'aimais aussi sa façon posée d'aborder les difficultés de la vie telles qu'elles étaient. » Puis, elle s'est retournée vers Conrad et s'est mise à pleurer. Il la regardait, toujours aussi impassible en apparence, mais son silence et son regard étaient tellement éloquents que je ne suis intervenue d'aucune façon pour respecter ce moment privilégié que tous les amoureux du monde voudraient connaître.

Gilberte était, il va sans dire, une femme active, entreprenante, aventureuse, une femme qui remettait tout en question, y compris elle-même. Elle n'était pas à sa première démarche de croissance. Pour résoudre son problème de couple, elle avait assisté à des conférences, participé à des ateliers et lu de nombreux livres de psychologie. Ses frustrations par rapport à Conrad l'avaient poussée à chercher des solutions, à essayer de comprendre, à se questionner sur ses comportements. Elle savait qu'elle pouvait parfois agresser son mari et l'envahir pour qu'il se manifeste. Elle avait d'ailleurs travaillé à s'améliorer sur ce plan et à se montrer moins pugnace. De son côté, Conrad, devant les revendications de son épouse, redoublait d'attention et lui assurait un amour et un soutien inconditionnels. Leurs différences ont été pour eux à la fois une source de conflits et d'évolution. Chacun, au cours de leurs années de vie commune, avait cherché, à sa façon, à s'améliorer pour être heureux avec l'autre. Cela a été possible parce qu'ils étaient profondément attachés l'un à l'autre et très engagés dans la relation. Pour cette raison, ils n'avaient pas remis en question leur relation chaque fois qu'ils avaient été confrontés au choc de leurs différences. Ce sont précisément ces différences qui les avaient attirés l'un envers l'autre et c'est en les acceptant qu'ils pourraient poursuivre leur vie ensemble.

Cet exemple nous invite à changer nos croyances négatives par rapport à la relation affective et à la voir comme un cadeau que la Vie met sur notre chemin pour nous aider à soulager nos blessures d'enfant, à grandir et à partager tout l'amour que nous portons en nous.

5. L'amour de soi

« S'aimer soi-même est la chose la plus brave que nous puissions jamais faire. »
Brené Brown

Un jour, mon père m'a raconté une petite histoire qui m'a beaucoup fait rire. Deux frères se trouvaient devant deux morceaux de gâteau au chocolat, l'un petit et l'autre beaucoup plus gros ; ils n'arrivaient pas à se décider à choisir l'un ou l'autre. C'était pourtant leur dessert préféré. Finalement, le plus jeune passa à l'action et opta pour la portion la plus alléchante. Aussitôt l'aîné le lui reprocha et le traita d'égoïste, à quoi son cadet rétorqua par la question suivante : « Qu'aurais-tu fait à ma place ? » « J'aurais pris le plus petit », répondit l'aîné. « Alors, de quoi te plains-tu ? Tu l'as. »

Cette simple histoire, apparemment anodine et superficielle, cache des réalités qui nous concernent tous. Combien de fois sommes-nous déchirés entre nos désirs et un sentiment de culpabilité ? Combien de fois sommes-nous tiraillés entre l'envie de nous faire plaisir et la peur du jugement. Qu'il est difficile d'intégrer dans nos vies l'amour de soi ! Nous avons appris qu'il fallait faire passer impérativement les autres avant nous pour ne pas être taxés d'égoïste, voire de nombriliste. D'autre part, nous ne pouvons nier le bonheur que nous ressentons quand nous offrons généreusement et sans calcul un sourire, une assistance, une aide quelconque. La prodigalité serait-elle une forme d'amour de soi ? Sur quoi repose l'équilibre entre la bienveillance envers soi-même et l'altruisme ? Ces deux visages de l'amour sont-ils complémentaires, juxtaposés, superposés ou inextricablement liés l'un à l'autre ? Comment les concilier sans privilégier l'un au détriment de l'autre ? Ne dit-on pas qu'il est impossible d'aimer vraiment sans s'aimer ?

Toutes ces questions nous font mesurer le décalage entre la théorie et la pratique. Même si nous savons qu'il faut s'aimer d'abord, l'application de cette connaissance n'en reste pas moins complexe. Combien de questions surgissent dans notre esprit à ce propos dans la vie de tous les jours, des questions du genre de celles-ci :

1. Suis-je ingrat de penser que j'ai le droit de ne pas visiter ma mère à l'hôpital aujourd'hui ?
2. Est-ce égoïste de ma part de ne pas répondre au téléphone quand je prends du temps pour moi ? S'il fallait que quelqu'un ait besoin de moi !
3. Est-ce que je manque de dévouement si je décide de partir en vacances cet été plutôt que de garder mes petits-enfants ?
4. Pourquoi suis-je envahie par un sentiment de culpabilité si je ne donne pas d'argent à tous ceux qui tendent la main quand je marche dans les rues du centre-ville ?

La vérité est qu'il existe des personnes qui ne s'embarrassent pas de ces réflexions. Celles-là s'occupent prioritairement de leurs besoins sans même s'inquiéter de ceux des autres.

Qui est le plus heureux : celui qui est centré sur lui-même ou celui qui est tourné uniquement vers ses semblables ? N'y a-t-il pas un manque d'amour de soi dans les deux cas, malgré les apparences ? Aime-t-on vraiment l'autre quand nous donnons par culpabilité ou par peur de ne pas être aimés ?

Ce questionnement est d'autant plus important que notre relation avec les autres est souvent teintée de ces préoccupations. Sommes-nous de ces hommes ou de ces femmes qui aiment trop et qui ne s'aiment pas assez dans leurs relations avec leur conjoint, leurs enfants, leurs parents, leurs amis ou plutôt des individualistes qui valorisent le culte du moi et qui sont incapables de relations intimes parce qu'ils se servent des autres pour satisfaire tous leurs caprices ? Comment s'aimer sans être égoïste ?

Les altruistes défensifs	Les individualistes
• Ils aiment trop. • Ils prennent en charge les besoins des autres à leur détriment.	• Ils valorisent le culte du moi. • Ils se servent des autres pour satisfaire leurs propres besoins
Ils aiment mal, ils s'aiment mal.	

Quand je fréquentais l'école primaire du rang[58] *où j'habitais, enfant, mon institutrice m'a traitée un jour de grande égoïste devant tout le monde parce que je n'avais pas aidé les enfants de première année à mettre leurs manteaux et leurs bottes d'hiver pour aller dehors. J'étais alors en troisième année et j'avais neuf ans. J'ai eu tellement honte ce jour-là que, pendant de nombreuses années, je me suis préoccupée du bien-être des autres à mon détriment, par peur d'être humiliée encore une fois. J'ai grandi avec la conviction que les seuls moments où je pouvais me permettre de penser à moi demeuraient les instants où j'étais seule. Dès que je me trouvais en relation avec les autres, je faisais passer leurs besoins avant les miens. C'était devenu un automatisme. Même après des années de travail sur moi, la peur de l'humiliation, la peur du jugement*

58 Au Québec, le rang est une partie de territoire d'une municipalité rurale formée d'une série d'exploitations agricoles desservies par un chemin. Jusqu'aux années 1960, chaque rang avait son école que les enfants des agriculteurs fréquentaient de la première à la septième année. Une seule institutrice assurait l'enseignement à tous les niveaux du cours primaire dispensé dans cette école.

et la culpabilité m'empêchaient encore parfois de m'occuper de mes besoins. Il n'est pas étonnant que mon premier ouvrage, celui qui décrit l'approche que j'ai créée, l'ANDC^{MC}, s'intitule : Relation d'aide et amour de soi. Intégrer l'amour de soi s'avérait l'entreprise la plus exigeante qui soit parce que j'étais constamment freinée par la honte, la peur et le sentiment d'être anormale à cause de ma vulnérabilité. Que ceux qui ont une piètre image d'eux-mêmes et qui me lisent en ce moment soient encouragés par mon histoire !

Le cheminement que j'ai parcouru a d'abord commencé par la connaissance et l'acceptation de mes blessures et de mes réactions défensives. Il s'est poursuivi par la découverte d'une puissance intérieure exceptionnelle sur laquelle je pouvais toujours m'appuyer dans l'épreuve. J'avoue que j'ai besogné autant à accepter mes forces qu'à accueillir mes faiblesses. Je me sentais à la fois puissante et tellement vulnérable. C'est pourtant sur l'acceptation de ces polarités que s'est construit petit à petit mon sentiment d'amour pour moi-même. Aussi paradoxal que cela puisse paraître, j'ai trouvé dans ma vulnérabilité une force que je ne lui soupçonnais pas. Elle a servi de fondement à toutes mes réalisations, tant dans la création de ma relation de couple, de mes relations familiales et amicales que dans mes réalisations professionnelles.

Je suis une femme blessée et, par conséquent, sensible et vulnérable. Néanmoins, sans cette émotivité souvent à fleur de peau, je ne serais pas la personne que je suis aujourd'hui. Je n'aurais probablement pas cherché avec autant d'ardeur et de persévérance la source de ma souffrance et je n'aurais pas su en retirer toutes les ressources. Cette démarche, qui s'est échelonnée sur une longue période et que je poursuis toujours, a donné d'excellents résultats. Je peux affirmer maintenant que, même si ma vulnérabilité me fait encore souffrir, je traverse présentement les plus belles années de ma vie parce que j'accueille davantage ma vulnérabilité dans toute son intensité.

Grâce à cette vive sensibilité et à mes blessures, j'ai consacré ma vie à la relation humaine, tant sur le plan personnel que sur le plan professionnel. C'est pourquoi mes écrits sur l'amour de soi et la relation ne sont pas seulement des élucubrations théoriques. Ils résultent surtout de mes expériences vécues de fille, de mère, de femme, de conjointe, d'enseignante, d'animatrice, de créatrice de l'ANDC^MC, de directrice du CRAM^MC et de thérapeute non directif créateur.

Croyez-moi, il n'y a pas d'amour de soi sans accueil inconditionnel de notre enfant intérieur meurtri et de la vulnérabilité qui découle de ses blessures.

Cet accueil est nécessaire pour vaincre la honte et la peur et pour exprimer ce que nous avons mis tant d'énergie à cacher. Il est aussi indispensable pour dire authentiquement lorsque nous le ressentons :

Oui, je suis touchée, en ce moment.

Oui, j'ai de la peine.

Oui, je doute de moi présentement.

Oui, j'ai besoin d'être aimée par toi.

Oui, j'ai besoin d'être importante pour toi.

Oui, j'aimerais me rapprocher de toi au niveau du cœur.

Oui, oui, oui...

Je sais maintenant, par expérience, que m'aimer, c'est m'accepter telle que je suis et m'affirmer authentiquement. Jamais je n'insisterai trop dans ce livre sur le lien inséparable entre l'acceptation et l'amour de soi. Vous qui me lisez, si vos relations affectives sont la principale source de vos souffrances, cela signifie que, par manque d'acceptation de votre vulnérabilité, de vos émotions et de vos besoins, vous êtes défensifs, vous provoquez la défensive des êtres chers et vous entretenez avec eux une relation d'affrontements plutôt qu'une relation d'harmonie. L'acceptation de soi représente la voie royale qui mène à l'amour de soi et aux relations heureuses. Pour la faciliter, les moyens suivants s'avèreront pour vous de précieuses ressources.

Les moyens d'entretenir l'amour de soi

a) Parlez de vous

Le silence, le secret et le jugement que vous portez sur vous-même nourrissent la honte, nous dit Brené Brown. *Nous devons partager notre expérience. La honte arrive entre les humains, elle se soigne entre les humains. Si nous trouvons quelqu'un qui mérite d'écouter notre histoire, nous devons la lui dire. La honte perd alors ses pouvoirs lorsqu'elle est verbalisée*[59].

Ce n'est pas en vous isolant ni en vous cachant derrière vos personnages que vous vous libérerez de la honte toxique et que vous vous accepterez, mais en dévoilant de manière authentique votre vérité profonde. Il n'y a pas d'autres chemins. Je ne saurais dire combien j'ai vu de personnes qui ont entrepris une démarche de travail sur elles-mêmes avec un thérapeute ou dans un groupe animé par un spécialiste de l'ANDC[MC] et qui, au cours du processus thérapeutique, se sont dégagées de leur honte et ont connu la joie d'être enfin elles-mêmes. Il n'existe pas de meilleur moyen pour accepter ce que vous croyez laid et inadmissible en vous que d'être acceptés dans votre partie *ombre* et, par le fait même, honteuse de ce que vous êtes.

Pour que votre seconde naissance se produise, il faut vous exprimer à une personne de confiance, c'est-à-dire à une personne compétente qui sait travailler avec les honteux de manière à leur ouvrir la porte de

59 Brené Brown. *Op. Cit.* : p. 76

la liberté d'être, de dire et d'agir en accord total avec ce qu'ils sont.

Parce que j'ai été étouffée pendant une grande partie de ma vie par la honte, parce que je connais la souffrance indicible causée par un tel sentiment, j'ai créé une approche thérapeutique centrée sur l'acceptation par la relation. À partir de mon expérience personnelle et de mes connaissances, j'ai élaboré un contenu de formation qui prépare ceux qui s'y inscrivent à se libérer de leur honte toxique et à aider adéquatement et efficacement les autres à s'affranchir à leur tour de la honte qui les paralyse pour renaître à leur véritable Moi.

Vous libérer du pouvoir que vous concédez à la honte est incontestablement une étape indispensable pour apprendre à vous aimer vraiment et certainement la plus éprouvante, car c'est elle qui demande le plus de courage. Grâce à cette libération, vous saisissez intérieurement le sens de l'amour de soi et vous adoptez une manière beaucoup plus positive de parler de vous en présence des autres.

b) Choisissez un vocabulaire positif

Pour nourrir un sentiment inaltérable d'amour à votre égard, vous devez commencer, une fois la honte apprivoisée, par remplacer le vocabulaire négatif que vous utilisez en parlant de vous par des qualificatifs cléments. Autrement dit, il est fondamental de ne jamais dire du mal de vous, pas plus que des autres d'ailleurs. Les « *je suis con, nul, stupide, incapable* » ou autres mots du genre doivent impérativement disparaître de vos conversations. Quand vous les prononcez par mégarde ou par habitude, il est important de les annuler immédiatement et de trouver une manière plus bienveillante de vous qualifier. Il ne s'agit pas de désavouer vos limites. Nous ne sommes pas parfaits, fort heureusement. Il s'agit plutôt de vous respecter et d'avoir de l'estime pour tout ce que vous êtes ainsi que de la reconnaissance envers votre corps, votre cœur, votre esprit et votre âme pour tout le support qu'ils vous ont apporté au cours de votre vie.

L'amour de soi débute par le même respect, la même estime, la même délicatesse envers votre enfant intérieur que vous manifestez à un enfant innocent et sans défense qui tend les bras vers vous parce qu'il a besoin d'amour.

Il ne vous viendrait jamais à l'esprit de le rabrouer, de le traiter de tous les mots dévalorisants que nous utilisons parfois au Québec pour nous qualifier, tels que : *cave*, *épais*, *niaiseux*, *nono* ou *tarlais*. Au contraire, vous vous comporteriez envers cet être inoffensif comme de bons parents chaleureux, compréhensifs, déférents et aimants. Pourtant cet enfant intérieur que vous abandonnez ou que vous négligez a lui aussi un besoin pressant de votre attention et de votre reconnaissance. Lui manquer de respect, c'est irrévérencieux envers vous et le manque d'estime envers vous aura un impact sur toutes vos relations affectives.

Plus vous serez aimable avec la personne que vous êtes, plus vous démontrerez de l'attendrissement envers ceux que vous aimez. Plus vous parlerez de vous avec respect, plus vous les respecterez aussi quand vous parlerez d'eux.

À plus ou moins long terme, cette attitude bienveillante contribuera inévitablement à dénouer vos systèmes relationnels dysfonctionnels et à rendre vos relations plus agréables et plus authentiques.

c) Chérissez l'authenticité

Vous traiter avec amour, c'est quitter la zone de confort du *plaire à tout prix* pour vous accorder le privilège d'être entièrement fidèle à votre nature véritable. Ce changement d'attitude et de comportement demande du courage, mais les bénéfices que vous en retirez sur les plans personnel et relationnel sont inestimables. « *Si vous sacrifiez votre moi authentique à la zone de confort, vous pourriez ressentir les effets indésirables suivants : angoisse, dépression, troubles alimentaires, dépendance, rage, blâme, ressentiment et chagrin inexplicable. Sacrifier ce que nous sommes au profit de ce que les autres pensent ne vaut pas le coup. Oui, devenir authentique peut être douloureux pour les gens autour de nous, mais au bout de compte, être soi-même est le plus inestimable cadeau que nous puissions offrir aux gens que nous aimons*[60]. »

En réalité, être authentique c'est vous créer des relations fondées sur la sécurité, l'attachement et l'intimité. Si, par honte ou par peur du jugement, vous présentez aux autres des personnages, vous renoncez au bonheur de connaître des relations intimes.

De plus, le manque d'authenticité se traduit inévitablement par l'insécurité. Rappelons-nous que le besoin de sécurité est placé à la base de la pyramide de Maslow. C'est sur ce besoin, notamment, que se construisent votre personnalité et vos relations affectives. Je vous encourage donc à accepter que le respect de vous-même puisse parfois déranger les autres. Il est parfois difficile de dire *non* quand ils aimeraient entendre *oui*, mais une relation dans laquelle vous dites toujours *oui* pour plaire devient une source permanente de frustrations. Exprimer des opinions, des émotions et des goûts différents peut importuner, mais c'est essentiel pour

60 Brené Brown. *Op. Cit.* : p. 93

ne pas vous trahir et subséquemment être trahi. Il ne s'agit pas d'être égoïste et de ne penser qu'à vous, mais d'être vrai pour vous créer des relations vécues dans la liberté plutôt que dans la dépendance.

Cela dit, être vrai ne signifie pas décharger sur les autres tous vos affects négatifs refoulés. C'est exprimer avec respect votre vérité profonde et, par conséquent, ouvrir votre cœur à la vérité intérieure des autres.

Être authentique, c'est traiter les autres comme vous aimeriez qu'ils vous traitent. Vous n'aimez pas que les personnes importantes pour vous soient fausses avec vous. Vous n'aimez pas qu'elles jouent des rôles et qu'elles vous manipulent. Vous les voulez naturelles et sincères. C'est de cette manière seulement qu'elles éveillent votre confiance. Leur fausseté ne vous séduit pas longtemps. Pourquoi alors ne pas leur offrir ce que vous attendez d'elles ?

Pour leur accorder cette attention, il est indispensable que vous vous l'accordiez à vous-même, que vous vous traitiez avec douceur et amour.

d) Aimez-vous même si c'est difficile

Vous aimer, c'est :

- reconnaître votre valeur ;
- prendre soin de la santé de votre corps, de votre cœur, de votre esprit et de votre âme ;
- irrécusablement identifier vos besoins et les prendre en charge sans attendre que les autres les devinent et s'en occupent ;
- accueillir la culpabilité qui se cache derrière vos interminables justifications ;

- accepter le sentiment d'infériorité qui déclenche votre besoin de prouver votre valeur ou qui vous pousse à vous sous-évaluer et à sous-exploiter vos talents ;
- reconnaître humblement votre grandeur et vos limites ;
- nourrir assez d'estime envers vous-même pour cesser de vous traiter comme un objet de comparaison, un objet de mesure de votre supériorité ou de votre infériorité ;
- protéger vos territoires physique, psychique, intellectuel et professionnel ;
- mener à terme vos projets, surtout quand vous sentez intuitivement qu'ils rendent possible l'accomplissement de votre mission de vie ;
- toujours vous engager envers vous-même avant de vous engager envers les autres.

Après avoir lu en quoi consiste l'amour de soi, travailler à vous aimer vous paraît-il une entreprise trop exigeante ? un programme trop ambitieux ? Si oui, pensez à la quantité d'énergie que vous dépensez à vous oublier pour les autres ; à jouer vos personnages ; à plaire pour attirer une forme d'amour et de reconnaissance qui ne vous comble jamais ; à calquer vos choix et vos décisions sur leurs opinions ; à refouler vos émotions, vos besoins, vos non-dits et votre potentiel créateur et à vous maintenir dans une dépendance relationnelle destructrice.

Votre véritable choix s'impose à vous dans l'ici et maintenant. Que préférez-vous ? Gaspiller votre énergie à vous trahir ou l'utiliser pour vous affirmer tel que vous êtes ?

Si la voie de l'amour de soi l'emporte, faites en sorte de ne pas en rester aux bonnes intentions. Relisez tout ce qui concerne le sujet de l'amour de soi et passez à l'action. Si vous voyez ce travail sur vous-même comme une montagne et que vous ne vous faites pas confiance, consultez une personne compétente, apportez-lui ce livre et demandez-lui de vous accompagner dans votre démarche. Surtout, n'entreprenez pas l'ascension de cette montagne avec le désir d'arriver immédiatement au sommet. Allez-y pas à pas et ne vous abandonnez jamais.

Cependant, à s'aimer autant, n'y a-t-il pas danger d'égocentrisme ? Où finit l'amour de soi et où commence l'amour pour les autres ? Comment trouver un équilibre entre les deux ?

N'oubliez jamais que si vous vous aimez de la manière dont je viens de le décrire, votre amour pour les autres décuplera automatiquement. Ils en bénéficieront énormément. De plus, quand le doute vous envahit à ce propos, faites appel à votre baromètre intérieur.

Tout en vous converge vers la paix. Si vous vous sentez en paix au fond de votre cœur, il n'y a aucun doute, vous êtes inévitablement sur le bon chemin, celui de la relation authentique avec vous-même, avec les autres et avec le monde.

La relation avec les autres

Tout le travail précédent sur l'amour de soi sert de préréquis à une meilleure approche des autres. La relation avec vous-même demeure la condition première et essentielle pour rencontrer ceux que vous aimez au niveau du cœur. Cela dit, plusieurs composantes assurent la réussite des rendez-vous intimes. Parmi celles-ci, retenons :

1. la communication authentique
2. l'implication et l'engagement

3. la conception d'une relation réussie
4. le désir et l'attirance
5. le lien entre l'action et la parole
6. l'attention à l'autre
7. la reconnaissance et la gratitude

1. La communication authentique

J'ai largement développé ce thème dans quelques-uns de mes ouvrages puisqu'il sert de fondement à l'Approche non directive créatrice^MC^ (ANDC^MC^). Je recommande particulièrement à tous les couples qui souhaitent sincèrement améliorer leur relation et se libérer des systèmes relationnels dont ils sont prisonniers de se procurer l'ouvrage suivant : *3 grands secrets pour réussir votre relation amoureuse*[61]. Je leur propose de le lire ensemble, point par point, et de l'utiliser comme déclencheur de communication authentique pour se rapprocher l'un de l'autre sans s'accuser mutuellement de quoi que ce soit.

Il est incontestablement plus favorable et plus agréable d'appuyer les échanges sur des sujets positifs que sur des sujets de conflits, d'autant plus que, de cette manière, les problèmes relationnels se résolvent d'eux-mêmes sans affrontements passionnels. De nombreux témoignages de personnes qui ont lu ce livre confirment à quel point il peut servir de trait d'union entre les personnes enlisées dans des conflits interminables. Plusieurs couples désillusionnés, ouverts au changement, désireux de se parler cœur à cœur, ne savent pas comment engager la conversation. À ceux-là, je conseille fortement de suivre les étapes suivantes :

61 Montréal : Les Éditions du CRAM.

1. Procurez-vous les 3 *grands secrets*... à la bibliothèque ou empruntez-le d'un ami ou encore achetez-le si vous souhaitez l'annoter et souligner des passages significatifs pour vous.
2. Ce livre comporte trois chapitres intitulés : 1) *prendre soin de la relation*, 2) *prendre soin de l'autre* et 3) *prendre soin de soi*. Chaque chapitre contient une dizaine de petits secrets pour améliorer votre relation. Chacun de ces petits secrets est développé sur deux à cinq pages. Je propose que chacun de vous lise l'introduction (p. 1 à 17) et le premier petit secret (p. 20 à 22), et que vous preniez des notes pour alimenter la communication et favoriser la réussite de la rencontre. Surtout, n'attendez pas de votre conjoint qu'il fasse tout le travail.
3. Après ou avant la lecture, je vous encourage à prendre un rendez-vous pour vous parler de ce qui vous a frappé dans ce premier petit secret. Assurez-vous de ne pas être dérangés par le téléphone, la télévision ou par les enfants au moment de la rencontre.
4. Accordez un minimum d'une heure à ce moment d'intimité. Je vous recommande de commencer par la communication et de terminer par un loisir quelconque, une activité qui plaît à tous les deux comme, par exemple, une soirée au cinéma ou au théâtre.
5. Respectez obligatoirement la règle suivante dans vos communications : évitez de verser dans l'accusation, le jugement et la tendance à responsabiliser l'autre de vos malaises. Parlez plutôt de la manière dont vous aimeriez appliquer le secret de la semaine dans votre vie de couple.
6. Impliquez-vous tous les deux dans la relation et engagez-vous à ne pas lâcher si vous affrontez des difficultés. Si toutefois vous êtes trop blessés pour vous parler

sans vous blâmer, arrêtez et reprenez le lendemain ou deux jours plus tard.

7. Pour faciliter la poursuite de l'exercice la semaine suivante, terminez chaque rencontre par des mots de reconnaissance de l'autre et par une accolade.
8. Au cours de la semaine qui suit la communication, mettez en pratique le *petit secret* dont vous avez parlé.
9. Autant que possible, consacrez toujours le même moment de la semaine pour votre rencontre, par exemple tous les jeudis soir à 8 heures. Ce moment choisi doit être sacré. Ne laissez rien ni personne le remplacer.
10. La personne qui parle la première doit changer d'une semaine à l'autre. Si votre conjoint a lancé la communication la dernière fois, c'est à votre tour cette fois-ci.
11. À partir de la deuxième rencontre et jusqu'à la fin, suivez les directives suivantes :
    - La personne qui engage la conversation doit dire d'abord comment elle a vécu sa semaine, si elle est satisfaite d'elle-même ou non, pourquoi elle l'est ou ne l'est pas et, s'il y a lieu, ce qu'elle souhaite améliorer au cours de la semaine suivante.
    - Ensuite, il est fondamental que cette même personne verbalise clairement ses besoins, sans obliger l'autre à les satisfaire, mais comme un souhait qui pourrait contribuer à se sentir important et aimé. Le besoin ne doit jamais être exprimé comme un ordre, mais comme la formulation d'un vœu qui respecte la liberté de l'autre.
    - Pour finir, elle doit exprimer à l'autre ce qu'elle a apprécié de son comportement au cours des sept derniers jours.

12. Pendant le déroulement de ces trois étapes, il est indispensable que chacun consacre entièrement à l'autre une écoute attentionnée et sans intervention. Chaque partenaire doit attendre son tour pour s'exprimer. Quand son conjoint a bien terminé :
    - il le remercie pour son appréciation ;
    - il le reconnaît pour ses accomplissements ;
    - il lui dit quels besoins il est en mesure de satisfaire dans le respect de ses limites et de son rythme ;
    - après, il s'exprime à son tour en suivant lui aussi les trois étapes proposées au numéro 11.

    N'oubliez pas que la réussite de cette rencontre dépend de votre engagement à vous exprimer sans accusation, sans jugement et avec responsabilité.
13. Celui qui a parlé le premier doit, après avoir écouté l'autre, mettre en action les directives proposées au numéro 12.
14. Efforcez-vous de ne pas bouder votre conjoint ni de lui adresser des reproches si, au cours de la semaine, vous vivez des frustrations.
15. Efforcez-vous aussi, au cours de la semaine, de respecter votre parole par rapport aux besoins de l'autre.
16. Poursuivez votre démarche avec un petit secret par semaine, tant et aussi longtemps que vous ne sentirez pas de satisfaction, tant et aussi longtemps que vous ne serez pas libérés des systèmes relationnels qui rendent votre relation dysfonctionnelle.
17. Maintenez vos rendez-vous intimes, même après la lecture entière du livre et ne les arrêtez jamais. Votre couple a besoin de temps de qualité et de périodes d'intimité pour s'épanouir.

18. Si vous n'arrivez pas à communiquer adéquatement par manque de responsabilité ou parce que l'un de vous ne s'implique pas suffisamment, je vous encourage fortement à ne pas larguer vos désirs de rapprochement. Vos difficultés de communication proviennent de mauvaises habitudes bien ancrées dans lesquelles vous retombez automatiquement malgré votre volonté et vos efforts. Ce comportement est tout à fait normal. S'il se poursuit, n'hésitez pas à consulter un spécialiste de la relation authentique. Ne craignez rien. S'il s'agit d'un thérapeute ANDC, il ne prendra parti ni pour vous ni pour votre conjoint et il ne vous jugera pas. Si tel était le cas, quel que soit le thérapeute, cela signifierait que vous n'êtes pas à la bonne adresse. N'abandonnez pas pour autant. Changez de consultant. La réussite de votre relation est un objectif à ne jamais perdre de vue. La persévérance donne toujours des résultats bénéfiques, et ce, quels qu'ils soient.

Ce processus de communication authentique peut s'appliquer à toutes vos rencontres intimes. Il sert d'encadrement sécuritaire à vos conversations. Je vous propose de le relire au début de chacun de vos tête-à-tête pour créer des conditions favorables à votre rapprochement et pour que vos rencontres vous libèrent des systèmes qui vous emprisonnent. Toutefois, deux conditions s'imposent pour le réaliser avec satisfaction : l'implication et l'engagement.

2. L'implication et l'engagement

Nous sommes à une époque où de nombreuses personnes se lancent dans une vie de couple avec la pensée qu'ils pourront sans problème se séparer s'ils ne s'entendent pas. Avec ce point de vue, ils se quittent dès que leurs blessures sont éveillées ou qu'ils sont séduits par une autre personne.

Les valeurs comme la fidélité et l'engagement passent au second rang. La conséquence la plus inquiétante à ce phénomène social est que plusieurs amoureux nagent dans une insécurité permanente. Ils ne savent jamais quand le bateau de leur relation coulera.

L'insécurité représente l'obstacle majeur à la réussite d'une vie à deux. Une relation affective ne peut être harmonieuse sans engagement. Vivre avec la peur de l'abandon, la peur de perdre sa liberté ou sous une menace constante de séparation entraîne inévitablement des problèmes et des conflits.

Le système relationnel abandonnique/déserteur déclenche des blessures qui engendrent de violentes souffrances. Si, dans la relation, un seul de vous s'implique et un seul s'engage, il est évident que, petit à petit, le lien s'effritera parce que la douleur psychique de l'autre deviendra insupportable. Pour assurer la pérennité de votre vie à deux, vous aurez avantage à vous engager à prendre des moyens pour vous occuper de votre relation si les conflits vous rendent malheureux. Des moyens comme le processus de communication décrit plus haut ou comme l'aide thérapeutique s'avèrent des ressources appréciables, voire incontournables dans certaines circonstances.

Croire qu'une relation amoureuse réglera tous vos problèmes personnels et comblera tous vos manques est un leurre qui conduit invariablement à la déception et à la désillusion.

La raison pour laquelle vous êtes attiré par certaines personnes bien particulières est que, en réveillant la souffrance de vos blessures d'enfant, ces personnes suscitent le travail sur vous-même nécessaire à votre évolution.

Il est donc normal que vos blessures vous fassent souffrir en relation. Toutefois cette réalité, loin d'être une malédiction, peut devenir une grâce si vous considérez avec bienveillance votre souffrance. Cette compassion envers vous-même est le meilleur moyen dont vous disposez pour comprendre ceux que vous aimez quand ils sont blessés par vous. Grâce à elle, vous admettrez honnêtement que vous déclenchez aussi leurs blessures par vos réactions défensives. Cette prise de conscience peut changer votre conception erronée d'une relation réussie pour la remplacer par une conception porteuse de potentiel créateur, de paix et de sérénité.

3. La conception d'une relation réussie

L'un des plus grands obstacles à la réussite d'une relation affective est l'idéalisation. Dans votre imaginaire, vous construisez le modèle parfait du père, de la mère, de l'enfant ou de l'amoureux, voire de l'amour, en espérant que ce modèle se concrétise dans la vie réelle. Forcément, vous êtes déçu. Lorsque vos blessures sont déclenchées par ceux que vous aimez, d'extraordinaires qu'ils apparaissaient dans vos fantasmes, ils se transforment en monstres dans la réalité. De plus, l'espoir que votre relation avec eux fasse de vous une meilleure personne se dissipe en fumée rapidement. Alors que vous croyiez que l'amour vous changerait avantageusement, vous vous rendez compte que vos réactions défensives demeurent aussi impulsives et incontrôlables qu'auparavant. Vous êtes, par conséquent, confronté à l'évidence immuable suivante :

Rien ni personne ne peut modifier ce que vous êtes sans votre participation et votre consentement et, inversement, vous ne pouvez transformer les autres selon votre bon vouloir sans leur souhait conscient ou inconscient de se laisser influencer par vous.

Même l'influence inconsciente ne vous transforme pas intérieurement si elle ne satisfait pas l'un ou plusieurs de vos besoins fondamentaux. Autrement dit, si vous changez sous l'influence d'une autre personne, ce n'est pas parce que cette personne veut vous changer. C'est parce que ce changement répond, tant bien que mal, à l'un ou l'autre de vos besoins irrépressibles d'être aimé, reconnu, accepté, écouté, important ou à votre besoin viscéral d'appartenance, ou encore à votre besoin de protéger votre enfant intérieur contre la souffrance causée par ses blessures.

Ces besoins intenses sont tellement essentiels à votre survie psychique que vous pouvez tolérer de nombreuses réactions défensives irrespectueuses pour les satisfaire faiblement, modérément ou pleinement. Plus le manque affectif et la peur de souffrir sont considérables, moins vous êtes exigeants. C'est le cas des enfants, des adolescents ou des adultes qui se contentent des miettes parce que, pour eux, c'est mieux que rien. C'est donc dire que, quand vous vous laissez dominer ou manipuler, c'est que vous en retirez un certain avantage, celui de satisfaire entièrement ou potentiellement l'un de vos besoins essentiels, ne serait-ce que votre besoin de survie physique ou psychique.

Je crois à l'influence inconsciente, mais je suis convaincue que nous ne sommes pas de la pâte à modeler et qu'il existe au fond de notre psychisme un mécanisme automatique d'ouverture et de fermeture qui régule, selon l'intensité plus ou moins forte de nos besoins, l'influence extérieure.

Cette réalité explique pourquoi j'insiste tant sur la prise de conscience dans l'ici et maintenant de vos émotions, de vos blessures, de vos besoins et de vos mécanismes de défense pour découvrir quels besoins et quelles peurs vous mènent et comment les satisfaire sans vous limiter à des rognures. Cette prise de conscience ajoute quelque chose de fondamental à votre pouvoir inconscient de régulation. Elle contribue à vous rendre davantage maître de votre vie, car votre conscient et votre inconscient travaillent en collaboration à votre mieux-être. Grâce à la conscientisation et à l'acceptation de votre vérité intérieure, vous pouvez dénouer les fils entremêlés de vos systèmes relationnels dysfonctionnels et vous créer des relations affectives réussies.

La relation affective *per se* ne change rien. Vous seuls avez le pouvoir de vous en servir comme déclencheur de remises en question, d'introspection, d'acceptation et de transformation. Le véritable changement prend sa source au cœur de votre être et passe inévitablement par la prise de conscience de vos fonctionnements psychiques et par l'acceptation.

Un être humain change, non pas parce qu'il a révolutionné sa nature profonde, mais parce qu'il l'a découverte, accueillie et acceptée. C'est uniquement la prise de conscience et l'acceptation qui génèrent les véritables changements intérieurs et rien d'autre. Vous ne pouvez pas rester fidèles à votre nature sans la connaître et sans l'accepter. Attendre des autres et d'une relation qu'ils changent votre vie relève donc d'une pure illusion.

Éric BERNE, dans son *Analyse transactionnelle*, présente des rapports humains et fait, à ce propos, un résumé particulièrement intéressant. Ce québécois, de famille juive d'Europe de l'Est, né en 1910 à Montréal, a étudié la médecine à l'Université McGill avant d'émigrer aux États Unis d'Amérique où il est décédé en 1970. D'abord inspiré par Sigmund FREUD, il s'est distancié de la psychanalyse pour développer un outil thérapeutique efficace et accessible à tous. Selon lui, l'enfant, de par son expérience, adopte dans ses relations d'adulte l'une ou l'autre des positions suivantes :

a) la position d'infériorité : *Je ne suis pas* OK, *vous êtes* OK.

b) la position de supériorité : *Je suis* OK, *vous ne l'êtes pas.*

c) la position de renoncement : *Je ne suis pas* OK, *vous ne l'êtes pas non plus.*

d) la position idéale : *Je suis* OK, *vous l'êtes aussi.*

Seule la dernière position crée des relations satisfaisantes et réussies. Toutes les autres forment des systèmes relationnels disharmonieux. Néanmoins, cette position ne peut s'atteindre que par l'acceptation de soi et de l'autre. Autrement, il est impossible d'y accéder. Cela dit, il ne faut pas croire que l'acceptation peut éliminer de la vie relationnelle tous les conflits. De nombreuses personnes pensent que l'absence de désaccords et de disputes est un indice de relation saine et réussie.

J'ai rencontré un jour, lors d'un voyage dans un coin de paradis de ma belle province, une dame dont l'histoire m'a beaucoup touchée. Mariée pendant vingt-cinq ans à un homme qu'elle avait profondément aimé et qu'elle aimait toujours, elle vivait un deuil très éprouvant parce que cet homme venait de la quitter pour une femme plus jeune. Dévastée, elle disait ne pas comprendre le choix de son époux parce qu'ils n'avaient connu aucun conflit au cours de leurs nombreuses années de vie ensemble. J'ai écouté cette dame avec empathie, sans toutefois être surprise du dénouement de son histoire d'amour.

Une relation sans conflit est généralement fondée sur le refoulement et le manque d'authenticité. L'acceptation de soi n'enlève pas les blessures, elle les dévoile.

Ce n'est pas parce que vous vous acceptez que vous cesserez d'être déclenché par les réactions défensives des autres et de vous défendre à votre tour. Cependant, par le travail accompli sur vous-même, vous devenez plus conscient de votre vécu, de vos besoins et de vos mécanismes défensifs, et plus en mesure de les exprimer authentiquement et de réduire ainsi vos querelles de couple.

C'est précisément l'affirmation précisément de ce qui se passe réellement en vous qui permet de renouer les liens affectifs parce qu'elle vous mène à l'essentiel.

Ouvrir votre cœur à l'autre de manière authentique quand vous êtes blessé, c'est l'encourager à ouvrir le sien. Se construit alors comme par magie le pont de la réconciliation et de la paix intérieure.

Cela s'explique par le fait que les sentiments ressentis et ceux que vous suscitez chez l'autre quand vous ne vous affirmez pas authentiquement sont des sources incontestables de souffrance. En effet, l'insécurité, la honte, la frustration, la tristesse, l'impuissance, la peur, les sentiments d'abattement et de persécution de même que la rancune nourrissent la victime, qui éloigne ceux que vous aimez plutôt que de les rapprocher. Au contraire, lorsque vous manifestez sans vergogne et sans défensives votre vie intérieure à une personne que vous aimez, vous ressentez et déclenchez chez l'autre des sentiments de sécurité, de félicité et de satisfaction. De plus, votre relation avec cette personne devient définitivement plus profonde, plus enracinée et plus harmonieuse. Enfin, quand le ressentiment disparaît, le sentiment amoureux et le désir reprennent spontanément leur place au cœur de votre être.

4. Désir et attirance

Comme je l'ai expliqué au premier chapitre, nous ne sommes pas attirés sexuellement et affectivement par tous les hommes ni par toutes les femmes que nous rencontrons. Dieu merci ! D'une manière générale, seuls ceux ou celles qui rappellent à notre mémoire inconsciente nos expériences éducatives passées de l'amour nous séduisent de même que ceux sur lesquels nous projetons ce que nous n'acceptons pas de nous-mêmes. L'attirance sexuelle entre deux personnes est un phénomène non seulement normal, mais particulièrement agréable et excitant. La plupart d'entre nous en avons besoin pour nous épanouir et nous réaliser physiquement, affectivement et spirituellement.

Malheureusement, de nos jours, la rencontre entre de nombreuses personnes qui s'attirent mutuellement est centrée sur la dimension sexuelle au détriment des autres dimensions. Dès le premier ou le deuxième rendez-vous, les amoureux font l'amour comme si leur relation reposait d'abord et avant tout sur la sexualité. À rechercher principalement, voire uniquement, les rapports sexuels, il s'avère trop souvent que le lien ne développe pas de racines. Il se brise à la première tempête. La sexualité sans rapprochement au niveau du cœur et sans intimité affective reste superficielle et vide de sens. Il est impossible de s'attacher à une personne uniquement pour son corps.

La relation a besoin de temps pour se construire, de communication authentique pour que les liens se soudent, de partage pour que l'amour vrai se manifeste. Ce n'est pas une question de morale, ni de religion, ni de principe, ni de pudeur, mais d'expérience de la vie à deux.

Il est vrai que les personnes de notre génération et des précédentes étaient freinées dans leurs élans par la religion. L'un de mes oncles a fréquenté son amoureuse durant sept ans avant de l'épouser. À l'époque, il n'était pas question de faire l'amour avant le mariage. Lui et ma tante vivent encore. Ils ont près de soixante-dix ans de vie commune. C'est l'un des couples les plus unis et les plus heureux que je connaisse. Pour cette raison, c'est à eux que je dédie ce livre. Cela dit, rassurez-vous, je ne recommande à personne de s'imposer cette discipline. Cependant, force nous est de reconnaître que la libération des années soixante au Québec nous a fait passer d'un extrême à l'autre et rejeter sans discernement certaines valeurs constructives du passé.

Un homme qui a suivi la formation du Centre de relation d'aide de Montréal et à qui j'enseignais m'a raconté un jour son histoire. Je la relate ici. Il avait cinquante-sept ans au moment où il s'est révélé à moi. À l'âge de dix-sept ans, il avait connu sa première expérience sexuelle avec une fille de trois ans son aînée. Cette relation n'avait duré que trois mois. Toutes les femmes qu'il avait fréquentées par la suite n'étaient restées dans sa vie que de trois à six mois. Séducteur né, viril à souhait, beau comme un Apollon et passionné comme un Céladon, il aurait certainement pu capter l'attention des Amazones. Malgré ces avantages, qu'il avait exploités ad libitum, il a réalisé à quarante ans que sa solitude et ses sentiments de manque et de vide intérieur le rendaient extrêmement malheureux. Ne trouvant aucun sens à la vie et se sentant complètement déprimé, il décida de participer à un groupe de développement personnel qui traitait de la relation hommes-femmes. Il retira énormément de ces rencontres. Cependant, fidèle à sa nature, il ne pouvait rester indifférent à certaines participantes. L'une d'elles, en particulier, attira son regard dès la première soirée. Il attendit toutefois le dernier jour de la session pour lui exprimer son désir de la fréquenter. Afin de se protéger et pour l'assurer du sérieux de ses intentions, il lui proposa d'entretenir une relation suivie avec elle pour la connaître davantage, mais sans rapports sexuels entre eux pendant au moins six mois. Au moment où cet homme m'a confié son expérience, soit dix-sept ans plus tard, il partageait toujours la vie de cette participante et se glorifiait d'être le père de deux merveilleux adolescents.

Mon objectif en relatant cette histoire vécue n'est pas de vous ramener à l'âge de pierre, mais de vous sensibiliser à l'approche globale des relations humaines, spécialement des relations amoureuses. La sexualité, bien qu'importante, ne représente qu'une dimension de la vie d'une personne. Se limiter à elle ou tout centrer sur elle, c'est inévitablement se créer des relations éphémères parce que sans fondement solide.

Cela dit, il n'existe pas de temps idéal entre le début d'une relation amoureuse et l'expérience sexuelle. D'ailleurs ce n'est pas sous l'angle du temps que je traite le présent sujet. Ce qui importe par-dessus tout et qu'il est indispensable de retenir de mes affirmations est que les dimensions affective et intellectuelle de même que la dimension spirituelle ne soient jamais négligées dans votre relation de couple au profit de la seule dimension sexuelle. Si ces conditions sont honorées dès le départ et maintenues assidûment par la suite, et si la sexualité est vécue dans le respect de la nature globale de l'être, votre relation se créera sur la terre ferme plutôt que sur du sable mouvant.

L'image qui me vient ici est celle d'une chaise à quatre pattes, chaque patte représentant une de vos dimensions. Imaginez que la chaise de votre relation amoureuse repose sur un seul de ses quatre supports. Il est évident qu'elle n'aura pas de bases solides. C'est donc dire que les dimensions corporelle, affective, intellectuelle et spirituelle doivent toutes être exploitées pour vous créer une relation amoureuse qui ne s'écroulera pas à la première tempête. Je tiens à préciser toutefois que, lorsque j'évoque la spiritualité, je ne la lie pas nécessairement à la religion, mais à une recherche commune de satisfaction des besoins de l'âme que sont les besoins de paix, de joie, d'amour, de générosité et de gratitude. Une relation bâtie sans cette forme de spiritualité ressemble à une grande maison de pierres dont le solage[62] est en carton.

Donc, si vous souhaitez réussir votre vie à deux et assurer sa longévité, ne sacrifiez pas la communication authentique, les projets communs et la satisfaction de vos besoins psychiques et spirituels au projet exclusif de la sexualité. Intégrez toutes ces valeurs à votre vie. Vous vous épargnerez la souffrance qu'engendrent les systèmes dysfonctionnels qui perdurent quand ceux qui les forment ont négligé des parties fondamentales de leur nature véritable. Cependant, je souhaite que, après avoir lu ces dernières pages, l'approche globale ne reste pas pour vous une belle théorie et qu'elle ne se traduise pas seulement dans un discours qui a pour but d'impressionner, mais qu'elle soit actualisée dans les actions concrètes de votre vie quotidienne.

62 Solage est un mot utilisé au Québec qui signifie *les fondations*

5. Le lien entre l'action et la parole

Un jour, un ami costaricien m'a proposé de m'accompagner au marché d'Atenas. Il m'a donné rendez-vous chez lui à 8 heures le vendredi, jour du marché dans ce village du Costa Rica. Quand, ce matin-là, j'ai pris la voiture avec mon conjoint pour me rendre chez lui, je me suis rendu compte qu'un des pneus était dégonflé. Je me suis donc empressée de téléphoner à cet ami pour l'informer d'un retard possible de quelques minutes, le temps de remplacer le « neumatico ». À ma stupéfaction totale, il m'a répondu sans vergogne qu'il ne pouvait pas aller « al mercado » parce qu'il devait garder ses petits-enfants toute la journée. Comme il ne m'avait pas téléphoné pour me prévenir, je m'étais levée très tôt pour être à l'heure au rendez-vous.

Devant cette situation pour le moins désagréable, j'ai pensé à l'expérience intenable des enfants qui attendent pendant des heures un père ou une mère qui leur avait promis de les emmener au cirque, au foot ou au cinéma et qui ne se présente pas. Que d'espoirs déçus ! Quand ces épreuves se répètent, les conséquences peuvent devenir dramatiques. Des blessures naissent dans le psychisme de l'enfant. Si ses émotions ne sont pas exprimées et entendues dans l'ici et maintenant, elles risquent d'influencer toutes ses relations affectives ultérieures. Les promesses non tenues, les paroles non respectées et les engagements non actualisés sont vécus comme une trahison par l'enfant, parce que son besoin vital de se sentir exister pour ses parents n'est pas satisfait. Si son père ou sa mère ont d'autres priorités que celles de respecter leurs promesses envers lui, c'est, croit-il, qu'il n'est pas important pour eux, qu'il n'a pas de valeur à leurs yeux et que, par conséquent, il ne mérite pas leur attention ni leur amour. Cet enfant devient alors très *insécure* et perd entièrement confiance, non seulement en ses parents, mais surtout en lui-même. Par la suite, ces expériences le rendent très sensible à toute forme de trahison.

Je ne suis pas la première ni la seule personne à avoir vécu l'expérience déplaisante d'une parole non honorée. Cependant, comme je suis affectée par une blessure de trahison, je suis vulnérable à ce genre de comportement. Dans une relation affective, lorsque l'un des deux a été trahi dans le passé et qu'il en porte la marque, il est évident que les engagements non tenus par l'autre finissent par détruire sa confiance. Sans respect de la parole donnée, la confiance est ébranlée et la relation aussi. Une relation de couple, une relation parent/enfant et une relation amicale ne résistent pas longtemps aux sentiments d'insécurité, de doute, de méfiance et d'anxiété causés par le manque de respect des engagements.

Pour éviter les querelles inutiles et pour fonder des relations affectives sur la confiance, répétez quotidiennement le slogan suivant : *Je dis, je fais.* Affichez-le partout et actualisez-le. Si vous ne pouvez pas faire suivre vos paroles d'actes concrets, ne les prononcez pas. Par contre, si vous ne vous engagez jamais et ne promettez rien par peur de décevoir et de trahir, c'est que vous n'êtes pas à la bonne place. Partez. Ne faites languir personne par votre incapacité à vous engager. Une relation affective a besoin de susciter la confiance et le sentiment d'être important, sinon les systèmes dysfonctionnels s'installent et brisent l'harmonie. C'est pourquoi elle respire mal sans engagement et sans respect des promesses.

Dans les cas de manque d'engagement ou de trahison, nous avons l'impression que rien ne fonctionne et notre sentiment d'impuissance entraîne le découragement. Nous nous sentons coincés dans nos systèmes relationnels et nous ne trouvons pas la porte de sortie de nos labyrinthes intérieurs. C'est précisément dans ces moments-là que la communication authentique est d'un immense secours pour nous libérer. Exprimer authentiquement et avec responsabilité nos émotions et nos besoins, et accueillir sans jugement la vérité profonde de l'autre ouvrent nos cœurs à l'amour et favorisent le rapprochement. De plus, comme complément à la rencontre intime et comme moyen efficace de briser les systèmes qui engendrent la souffrance, rien ne remplace l'attention que vous accordez à ceux que vous aimez.

6. L'attention à l'autre

J'ai beaucoup insisté dans ce livre sur l'importance de prendre en charge vos besoins. Si, par exemple, vous avez besoin d'aide et vous ne demandez rien, vous devrez vous débrouiller seul. Personne n'est obligé de deviner ce que vous voulez. Si vous souhaitez être écouté et que vous ne parlez pas, il est impossible que votre besoin soit satisfait. Si vous recherchez l'amour et que vous êtes une personne désagréable, bourrue et égocentrique, vous attirez davantage le rejet que l'amour. À moins d'être un bébé ou d'être gravement malade, vous êtes entièrement responsable de vous occuper de vos besoins en accomplissant un travail assidu sur vous-même.

Cependant, vous occuper de vos besoins ne signifie pas qu'il faille vous désintéresser de ceux des autres et les ignorer complètement. Si vous souhaitez sincèrement réussir vos relations affectives, si vous voulez honnêtement qu'elles soient harmonieuses, préoccupez-vous de l'autre, soyez attentif à lui, ayez le souci constant de lui faire plaisir. C'est une condition indispensable pour dénouer les systèmes relationnels dysfonctionnels. Faites l'effort d'être présent à ceux que vous aimez parce que l'amour vrai n'existe absolument pas sans effort. *Puisque l'amour est un travail,* nous dit Scott PECK, *l'essence du non-amour est la paresse* ( ) *L'acte d'amour* ( ) *demande de réagir contre la paresse (par le travail) ou contre la peur (par le courage).*[63]

C'est donc dire que faire seulement ce don vous avez envie dans la vie ne mène nulle part. Quand vous voulez avoir un corps en santé, vous prenez les moyens pour atteindre votre objectif et ces moyens ne s'actualisent pas sans ardeur et sans efforts. Vous lever plus tôt pour faire de la course à pied, vous entraîner tous les jours et mieux vous alimenter exigent un acte de volonté de votre part. Si vous suivez vos envies du moment, c'est sûr que certains matins, vous resterez au lit. Pourquoi cette discipline alors ? Tout simplement parce que même si c'est difficile dans l'instant, vous bénéficiez à long terme d'une meilleure énergie qui vous permet de réaliser vos rêves. Le même phénomène se produit avec toutes les formes d'apprentissage. Apprendre à marcher, à lire, apprendre une langue, apprendre un métier ou une profession demande volonté et discipline. Personne n'y échappe. Réaliser un projet aussi exige des efforts. Par exemple, pour écrire ce livre, je me suis imposé au moins quatre heures de travail tous les matins pendant près de deux ans. Croire que la rédaction d'un ouvrage résulte uniquement de l'inspiration est complètement faux. L'inspiration sans effort ne sert à rien ; elle se perd dans la nuit des temps. Toutes les vedettes, tous les sportifs, tous les auteurs que vous admirez n'auraient absolument rien réalisé sans discipline et sans effort.

Ce principe de conduite s'applique aussi à toutes les relations affectives. La mère qui se lève la nuit pour nourrir son enfant fait un effort même si elle l'aime. Beaucoup d'actions

63 Scott PECK. *Le chemin le moins fréquenté, apprendre à vivre avec la vie.* Paris : Robert Laffont, 1978, 378 p.

qu'accomplissent les parents pour éduquer leurs enfants demandent un acte de volonté. Vous verriez mal une mère dire ceci : *Aujourd'hui, je ne nourris pas mon bébé. Je n'en ai pas envie. Je prends congé et je m'occupe uniquement de moi.* Ou encore : *Cette semaine, je ne fais ni courses ni ne cuisine. Mes enfants se débrouilleront pour se trouver à manger.*

Croyez-moi, vous ne sortirez pas de vos systèmes relationnels disharmonieux sans la volonté de faire plaisir à celui ou à celle que vous aimez même s'il ne vous le demande pas. Aidez-le à préparer un repas, préparez-lui son mets préféré, accompagnez-le au salon de l'automobile même si vous n'avez pas d'intérêt particulier pour les voitures, mais simplement pour partager son plaisir. Partagez aussi son intérêt pour le théâtre, la philatélie ou la photographie. Il ne s'agit pas de devenir un adepte du théâtre si vous ne l'êtes pas, de devenir un philatéliste ou un photographe, mais de faire un effort pour lui témoigner l'importance qu'il a pour vous.

J'encourage tous les parents qui me lisent à intégrer cette valeur dans le cœur des enfants. Apprenez-leur à vous faire plaisir sans que vous le leur demandiez. Apprenez-leur à faire parfois autre chose que la tâche qui leur est assignée. Apprenez-leur à aider leur père ou leur mère à peindre leur chambre, à cuisiner, seulement pour faire plaisir. Apprenez-leur à prendre soin de leur petit frère ou à jouer avec leur cousin ou à vous accompagner à une fête de famille même s'ils n'en ont pas envie, mais simplement pour faire plaisir. Les phrases comme *Je n'ai pas envie*, ou *Je n'ai pas le goût*, ou encore, comme nous disons au Québec *Ça ne me tente pas*, n'ont pas leur place dans l'amour vrai. Cela ne signifie pas qu'il faille satisfaire tous les besoins et tous les caprices des autres à votre détriment. Au lieu de dire : *Je n'ai pas envie*, dites plutôt : *En ce moment, je ne peux pas t'aider pour telle ou telle raison, mais ça me fera plaisir de répondre à ta demande la prochaine fois.*

Le but est de manifester à l'autre l'importance qu'il a pour vous, de l'assurer que vous n'êtes pas indifférent à ses besoins et que vous êtes soucieux de son bonheur. Être attentif à l'autre pour se créer des relations heureuses n'est pas souhaitable, mais nécessaire. Faites-en une règle de vie. N'entrez pas dans une relation amoureuse comme un pacha dans son empire. Impliquez-vous. Préoccupez-vous du bien-être de celui ou de celle que vous aimez. Sinon, ne soyez pas imposteur, restez célibataire.

Par contre, ne soyez pas avec vos enfants et avec votre conjoint celui ou celle qui donne sans retour. Occupez-vous de votre besoin d'exister à leurs yeux, de votre besoin d'être important pour eux. Il ne vous est pas demandé de calculer le temps ni la manière de donner, mais de vous assurer qu'un équilibre entre le donner et le recevoir soit maintenu dans vos relations sans quoi des systèmes se créeront et vous rendront indéniablement malheureux.

Croyez-moi, tous les efforts que vous mettrez pour manifester de l'attention à l'autre vous procureront des bénéfices extraordinaires. N'oubliez jamais que, dans la vie, là où on investit vraiment du temps, de l'effort, de l'énergie, on obtient toujours de bons résultats. La meilleure façon d'investir dans une relation affective est d'accorder de l'attention à ceux que vous aimez en leur faisant plaisir gratuitement et sans raison et en leur exprimant de la reconnaissance et de la gratitude pour ce qu'ils apportent de bon dans vos vies.

7. La reconnaissance et la gratitude

Bien qu'elles soient sœurs siamoises, la reconnaissance et la gratitude diffèrent l'une de l'autre. Les pratiquer quotidiennement n'est pas uniquement souhaitable, mais absolument indispensable au dénouement des systèmes relationnels.

En quoi diffèrent-elles l'une de l'autre et qu'apportent-elles de si capital à la réussite d'une relation affective ?

La reconnaissance

Il n'y a guère au monde plus bel excès que celui de la reconnaissance.

Jean de La Bruyère, XVIIe siècle

Reconnaître quelqu'un, c'est admettre son existence et sa valeur et le lui exprimer.

> **Par la reconnaissance sincère, nous donnons à ceux que nous aimons ce que nous avons tant besoin de recevoir pour vivre heureux ensemble : le sentiment d'exister et d'être importants.**

La reconnaissance, autant celle que nous donnons que celle que nous recevons, est un des meilleurs antidotes contre la honte. Elle éveille le sentiment d'*être quelqu'un* dont la honte nous spolie. Elle transforme les émotions souffrantes que nous nourrissons par rapport à nous-mêmes en affects positifs. Grâce à elle, nous nous sentons intégrés dans la communauté humaine. Au lieu de nous sentir loin des autres, incompétents, défectueux, insuffisants, une lueur d'espoir se pointe quand nous reconnaissons les autres et que nous sommes reconnus avec sincérité. La personne reconnue a alors l'impression de *faire partie* plutôt que d'être à part, de marcher avec les autres plutôt que de se sentir isolée et souillée. Pour les honteux que sont plusieurs d'entre nous, la reconnaissance exprimée avec authenticité favorise l'acceptation nécessaire à la métamorphose intérieure parce qu'elle contribue à satisfaire nos besoins psychiques fondamentaux.

Ce noble sentiment nous confirme notre besoin vital des autres et de notre relation avec eux ainsi que le fait que notre existence fait une différence. Nous sommes des créateurs uniques possédant de grandes forces. Théoriquement, nous savons que chaque être humain est doté de caractéristiques propres à sa singularité. En effet, plusieurs personnes peuvent manifester de la générosité, mais personne ne le fera de la même manière. À cause de nos particularités et de nos limites, et à cause des spécificités des autres et de leurs limites, nous recherchons leur présence pour nous réaliser et ils recherchent la nôtre. Même si nous en doutons parfois, tous nous occupons nécessairement une place dans le grand tout qu'est l'humanité et dans les ensembles plus modestes que forment, par exemple, le couple, la famille ou l'équipe.

Malheureusement plusieurs d'entre nous, affectés par la honte, éprouvent de la difficulté à reconnaître leurs propres apports. Même si théoriquement ils en saisissent la logique, ils n'arrivent pas à se convaincre que, grâce à leurs particularités, ils enrichissent les autres. L'enfant en eux a été trop blessé par l'humiliation pour émerger de sa souffrance. À ceux-là, auxquels je suis particulièrement empathique, je propose de jeter un regard sur le monde et de rechercher le beau, le bon et le vrai qui les entoure et d'exprimer avec le cœur de la reconnaissance à tous ceux qui dégagent cette beauté, cette bonté, cette vérité profonde.

Concrètement, manifester de la reconnaissance, c'est exprimer à vos parents, à vos enfants, à votre conjoint, à vos amis ou à d'autres personnes votre admiration sincère pour ce qu'ils sont et pour ce qu'ils réalisent. Cette pratique a très souvent pour effet de changer l'état intérieur et d'améliorer les relations.

Ce fut d'ailleurs le cas de Janelle et Régis.

Lorsque j'ai accueilli ces deux conjoints pour la première fois en thérapie, ils songeaient sérieusement à la séparation. Le ressentiment de chacun envers l'autre étouffait totalement le sentiment amoureux qui les avait unis. Ils ne tarissaient pas de reproches et d'accusations quotidiennes qui rendaient leur vie de couple infernale. Je pouvais facilement comprendre la souffrance qu'ils éprouvaient par le malaise croissant que je ressentais en leur présence. Les seules paroles qu'ils s'adressaient étaient défensives et dévalorisantes, ce qui amplifiait la souffrance causée par leurs blessures. Lorsqu'ils étaient ensemble, ces deux êtres meurtris ne cherchaient qu'à survivre psychiquement.

Emprisonnés dans les systèmes abandonnique/déserteur et juge/coupable, ils tentaient chaque jour d'émerger de leurs meurtrissures. Consciente de la vulnérabilité à fleur de peau de ces deux personnes blessées, je savais qu'un travail individuel était souhaitable pour apprivoiser l'enfant souffrant et conscientiser les fonctionnements qui découlaient de leurs peurs. J'ai tout de même terminé la première séance de thérapie avec ce couple en leur proposant un exercice. Au cours de la semaine suivant notre rencontre, ils devaient s'exprimer l'un à l'autre une fois par jour des paroles de reconnaissance telles que : « Bravo pour tel talent, telle qualité, tel geste ou telle action. » (laquelle était accomplie régulièrement, mais non remarquée parce qu'elle était tenue pour acquise) *« Tu as bien réussi ta tarte aux framboises. Elle est délicieuse. » ou « C'est agréable d'entrer dans une maison propre et bien ordonnée. Je l'apprécie vraiment. » ou encore « Je tiens à reconnaître ton sens du travail bien fait. Je t'admire vraiment. » ou « J'aime ta nouvelle coiffure. Elle te sied à merveille. »*

Certaines personnes toutefois éprouvent de la difficulté à dire : *Bravo* ! ou *Félicitations* ! ou *Quel beau travail* ! ou *Quel merveilleux talent tu as* ! Pourtant, ces personnes carburent à la reconnaissance que les autres leur témoignent. Ils l'attendent constamment et effectuent parfois des pirouettes pour se l'attirer. Sans elle, ils fanent comme une fleur coupée. La plupart de ces personnes souffrent d'une blessure causée par la comparaison. Meurtries par un sentiment d'infériorité, elles ne peuvent reconnaître les autres sans avoir le sentiment que c'est à leur détriment et que cela leur enlève de la valeur. Comme elles n'existent que par et dans la comparaison, elles croient inconsciemment que si elles reconnaissent une qualité, un talent ou un accomplissement chez une autre personne, cela signifie que cette personne les dépasse, ce qu'elles ne peuvent supporter. L'éducation reçue leur a appris que leur grandeur tient à leur capacité à *être plus* ou à *faire mieux* que les autres et que, si elles ne les surpassent pas, elles ne seront pas aimées. Reconnaître les autres est donc menaçant pour leur enfant intérieur blessé. Lorsque ces personnes expriment une certaine reconnaissance, elles se retrouvent automatiquement et très souvent en état d'infériorité. Elles éprouvent alors une peur irraisonnée d'être rejetées, abandonnées ou ignorées. Elles en souffrent énormément. Leur souffrance est réelle et considérable. Ces personnes méritent par conséquent notre compassion plutôt que nos jugements.

Ces êtres profondément meurtris par la comparaison créent dans leurs relations affectives un système supérieur/inférieur dont elles ne peuvent se libérer que par la prise de conscience et l'acceptation de leur vulnérabilité et de la honte qui les empêche d'exprimer leur douleur psychique. Leur incapacité à reconnaître les autres n'est rien d'autre qu'un mécanisme de défense. À cause de leur blessure, elles refoulent l'élan naturel d'un cœur qui ne demande qu'à donner.

Une autre raison fondamentale bloque l'expression de la reconnaissance des autres chez ces personnes : le manque de reconnaissance d'elles-mêmes. Si ces êtres blessés se servent des autres pour confirmer leur valeur, et ce, sans réciprocité, c'est que, en dépit de toutes les apparences, elles ne s'aiment pas. C'est pourquoi elles dépendent entièrement des autres pour exister. Il est évident que si vous n'avez à peu près jamais été reconnu, enfant, votre besoin d'être reconnu par les autres est accru, voire crucial, lorsque vous grandissez. Cependant, *aide-toi et le ciel t'aidera* nous dit le proverbe. Devenu adulte, la meilleure manière de vous aider est de vous témoigner de la reconnaissance en vous félicitant quotidiennement de la manière suivante :

« *Bravo à toi mon corps pour l'énergie que tu déploies pour me permettre de réaliser mes rêves.* »

« *Bravo à toi ma mémoire pour ta capacité à me supporter dans cet examen.* »

« *Bravo à toi mon intuition, toi qui ne me trompes jamais quand je t'écoute.* »

« *Bravo à toi mon talent pour l'écriture qui me donne le plaisir d'écrire ce livre.* »

« *Bravo à toi mon intelligence rationnelle pour la curiosité intellectuelle que tu éveilles constamment en moi.* »

Ces *bravos* à vous-même vous dégagent progressivement de votre dépendance douloureuse aux autres et font en sorte que vous pouvez recevoir leur témoignage de reconnaissance à votre égard et vous en nourrir au lieu de la rechercher et d'être incapable de la recevoir par manque d'amour de vous-même. Il est fondamental de comprendre ici que, en tant qu'adulte, votre sentiment de valeur est entretenu autant par l'auto reconnaissance que par celle des autres, pour la simple raison que nous sommes des êtres reliés. Cette dialectique est indispensable à notre épanouissement.

Compter uniquement sur nous-mêmes cause autant de déséquilibre psychique dans nos vies que de compter uniquement sur les autres. Nous ne pouvons nous dissocier de la relation pour évoluer.

Donc, introduisez le mot *bravo* dans votre vie et faites en sorte que, lorsque vous l'utilisez, il parte du cœur. Ce petit mot qui se doit d'être exprimé avec sincérité déclenche chez les autres le bonheur d'être vus par vous et d'être considérés, ce qui change complètement le climat d'une relation. De plus, la reconnaissance n'est pas seulement bénéfique à votre entourage, elle l'est surtout à vous-même parce qu'elle répond à un des besoins les plus élevés de l'âme : le besoin de donner avec amour. La satisfaction de ce besoin rend inéluctablement heureux. C'est d'ailleurs ce qui s'est passé pour Janelle et Régis. Ils sont arrivés à notre deuxième rencontre avec le sourire aux lèvres et l'espoir au fond du cœur, conscients d'avoir encore besoin d'aide, mais prêts à s'engager à poursuivre leur démarche. Si l'une de vos relations affectives importantes déclenche vos blessures, imitez donc Janelle et Régis et offrez à l'autre le sentiment d'exister par le biais de quelques paroles de reconnaissance quotidienne. Comme le souligne si bien Christophe ANDRÉ, « *valoriser et encourager autrui, reconnaître sa valeur, c'est le meilleur service que chaque être humain peut rendre à l'humanité.* »[64] Cette reconnaissance est encore plus efficace pour dénouer les systèmes relationnels dysfonctionnels quand elle est accompagnée de gratitude.

64 Christophe ANDRÉ. *Imparfaits, libres et heureux*. p. 321

La gratitude

La gratitude est non seulement la plus grande des vertus,
mais c'est également la mère de toutes les autres.
Emil Michel CIORAN

Si la reconnaissance est l'art de dire « Bravo », la gratitude est l'art de dire « Merci ». Ces deux mots exprimés avec sincérité prennent leur source au plus profond de notre être. Ils répondent à notre besoin spirituel d'offrir aux autres ce qu'il y a de meilleur en nous.

« *Nous remercier, c'est donner, c'est rendre grâce, c'est partager* », nous dit André COMTE-SPONVILLE dans *Le petit traité des grandes vertus*. Dire *merci* à Dieu, à l'Univers ou à la Vie, selon nos croyances rend indéniablement heureux. Dire *merci* à notre conjoint, à nos parents, à nos enfants, c'est mettre notre attention sur tout ce que nous recevons d'eux plutôt que sur ce qui nous manque.

La plus grande preuve du caractère primordial de la gratitude est l'immensité de la souffrance causée par l'ingratitude.

L'histoire touchante de Léopold en est un exemple saisissant.

Fils aîné d'une famille de dix enfants, il n'avait que seize ans lorsque son père est mort accidentellement. Pour aider sa mère, il a pris la relève sur la ferme, ce qui a permis à sa famille de subsister et à ses frères et sœurs de poursuivre leurs études. Doté d'une intelligence nettement remarquable et, vu ses résultats scolaires exceptionnels, il souhaitait faire des études avancées et devenir médecin. Malheureusement, à cause de la mort de son père, il a dû renoncer à ses rêves.

Lorsqu'il m'a raconté son histoire, lors d'une de mes visites dans un centre pour personnes âgées, Léopold avait quatre-vingt-six ans. Pour aider sa famille et pour échapper à la culpabilité et au rejet, il avait sacrifié ses projets professionnels. Son rêve de fonder sa propre famille avait été anéanti. Il aurait tellement aimé aller à la messe du dimanche accompagné de son épouse et de ses enfants. Malheureusement célibataire, il enviait ses frères et sœurs d'avoir eu la liberté de choisir leur orientation de vie sans le déchirement et l'abnégation qu'il avait vécus. Il éprouvait à leur égard une rancœur inqualifiable parce qu'aucun d'eux ne lui avait exprimé sa gratitude.

En l'écoutant, j'ai été particulièrement touchée lorsqu'il m'a dit avec beaucoup d'émotion dans la voix : « Aujourd'hui, je suis seul. Quand je repense à ce passé et au choix que j'ai été forcé d'arrêter à seize ans, je ne regrette rien. Je sais que j'aurais été incapable de vivre heureux si j'avais abandonné ma mère, mes frères et mes sœurs à leur sort. Cependant, ce qui me fait le plus souffrir, ce n'est pas ce que je considère comme ayant été mon destin, mais l'ingratitude totale de ceux à qui j'ai consacré entièrement ma vie pour qu'ils puissent, eux, aller au bout de leurs rêves. »

Pendant que cet homme parlait, je lui serrais la main les larmes aux yeux. Grâce à lui, j'ai compris à quel point la gratitude facilitait la traversée des épreuves de la vie. Léopold acceptait intégralement ce qu'il appelait avec fierté « *mon destin* ». Il avait même le sentiment bienfaisant d'avoir bien accompli sa mission sur Terre et, ce faisant, de plaire à Dieu. Pour lui, en tant que catholique pratiquant, cela était fondamental. Par contre, il n'avait pas pu accepter l'ingratitude de sa fratrie. Il croyait en avoir besoin pour vieillir en paix. Il se demandait pourquoi elle ne lui avait pas été accordée.

Léopold avait vécu, avec générosité, plusieurs deuils dans sa vie. Il lui en restait un autre à réaliser pour mourir en paix, celui de la gratitude de sa famille. Quand je lui ai fait voir cette réalité, il m'a regardé longuement en silence, puis il m'a souri et il m'a dit : *merci*.

Je suis passée dans la vie de Léopold pendant à peine deux heures. Malgré le peu de temps qu'il a passé dans la mienne, je ne l'oublierai jamais. La Vie nous fait constamment de ces cadeaux que nous n'apprécions pas toujours à leur juste valeur. Cet homme merveilleux a été un maître pour moi. Il m'a confirmé l'importance, dans une relation affective, de la réciprocité. Même si nous savons que ce que nous donnons dans la vie ne nous revient pas nécessairement de ceux à qui nous avons manifesté notre générosité, même si nous savons qu'attendre la gratitude nous rend malheureux, même si nous savons que le véritable don de soi est gratuit, il n'en reste pas moins qu'une relation affective où l'un donne sans compter et l'autre reçoit sans donner est vouée à la souffrance, voire à l'échec. Il ne s'agit pas de calcul, mais d'équilibre. La gratitude bien ressentie est une nourriture psychique essentielle à l'harmonie d'une relation.

Le meilleur exemple à apporter est celui de la relation parents/enfants. Jamais un enfant ne pourra remettre à ses parents tout ce qu'il a reçu d'eux. Il suffit d'être père ou d'être mère pour expérimenter ce qu'est le don de soi sans calcul et sans attente. Nous ne comptons jamais le nombre d'heures de présence, de préoccupations, d'inquiétude, d'attention, d'aide, d'écoute que nous consacrons à nos enfants. Rarement dans sa vie, un fils ou une fille peut donner autant à ses parents que ce qu'il en a reçu. C'est donc dire que de tout ce que nos parents nous ont donné, nous ne pouvons en remettre qu'une partie. Par contre, nous pouvons l'offrir à nos enfants ou à d'autres personnes : c'est le cycle normal de la vie. Cependant, il existe une chose que nous pouvons et devons offrir en retour à ceux qui nous ont donné la vie : la gratitude.

Dans une relation affective, la gratitude assure l'équilibre entre le donner et le recevoir. Lorsque, par exemple, dans un couple, l'un des deux conjoints a vraiment besoin d'aide sur le plan personnel ou professionnel et que l'autre lui offre pendant des semaines, des mois ou des années un support assidu par le don gratuit de son temps, de sa compétence, de sa compréhension et de son encouragement, l'équilibre se rétablit si cette générosité est récompensée par des *mercis* sincères. La plupart du temps, ces *mercis* suffisent pour nourrir le cœur.

J'ai vécu cette expérience en 2013 alors que mes problèmes de santé me privaient complètement de mon autonomie. Mon conjoint s'est alors occupé de moi avec une générosité exceptionnelle et une disponibilité remarquable. Jamais au cours de cette année de limites physiques, je me suis sentie coupable et redevable, et ce, pour deux raisons spécifiques : d'abord, son assistance a été sincèrement gratuite et accomplie avec un amour véritable ; ensuite, tous les jours, je lui ai exprimé ma gratitude la plus profonde.

Pour que nos relations affectives soient harmonieuses, il n'est pas nécessaire de remettre à l'autre exactement ce qu'il nous donne. Toutefois il est essentiel de le remercier chaleureusement et de se montrer disponible à l'aider d'une autre manière, dans le respect de nos capacités et de nos limites, s'il en a besoin.

Je vous encourage donc à intégrer les mots *merci* et *bravo* dans vos relations avec les personnes que vous aimez. N'attendez pas de les avoir perdues pour les remercier et les reconnaître. La gratitude et la

reconnaissance nourrissent les liens et les renforcent. Elles favorisent automatiquement le rapprochement et elles ont pour merveilleux avantage d'apporter la paix relationnelle et le bonheur de vivre ensemble.

N'oubliez pas que les systèmes relationnels dysfonctionnels se créent dans la relation et qu'ils se dissolvent aussi dans la relation avec vous-même et avec les autres. Les thèmes développés dans ce dernier chapitre, s'ils sont appliqués dans votre vie, serviront à construire ou à consolider le pont grâce auquel vous expérimenterez quotidiennement la rencontre au niveau du cœur, la communication authentique et l'intimité qui resserrent les liens favorables à un attachement sain et durable.

Conclusion

Le courage, la compassion et la connexion ne viennent qu'avec la pratique.
La pratique quotidienne.
Brené BROWN

Après avoir lu et compris ce qu'est un système relationnel, comment il se crée, de quoi il se compose et comment il se dénoue, il reste maintenant l'étape la plus importante à franchir : la pratique. Je vis en couple depuis 1962, je suis mère de quatre enfants et grand-mère de douze petits-enfants. Je puis vous assurer que le contenu de cet ouvrage résulte d'une pratique quotidienne des moyens proposés dans ce livre. Pratiquer sans relâche est le secret de la transformation de vos relations insatisfaisantes et souffrantes en relations harmonieuses. Pratiquer parce qu'*une relation est un processus vivant, en aucun cas un produit fini, il y aura toujours de nouvelles questions et de nouveaux défis*[65] pour garantir votre évolution. Pratiquer parce que *l'action est l'oxygène de l'estime de soi.*[66] Pratiquer pour CRÉER votre vie relationnelle plutôt que de la subir. Pratiquer jusqu'à ce que vous répondiez ceci à la question suivante :

Question : De quel système relationnel êtes-vous prisonnier ?

65 John WELWOOD. *Op. Cit.* : p. 18
66 Christophe ANDRÉ. *Op. Cit.* : p. 329

Réponse : Aucun.

Cependant, pratiquer quotidiennement demande du courage, c'est-à-dire de l'ardeur, de l'enthousiasme, de l'empressement à vous réaliser et une force morale soutenue pour affronter les obstacles de la vie relationnelle et pour surmonter non seulement la souffrance, mais surtout la peur de souffrir. C'est cette peur qui, non conscientisée, non accueillie et non acceptée, vous enlève parfois le courage d'être entièrement vous-même et authentique avec ceux que vous aimez ; c'est elle qui vous retire le courage de vous faire confiance et de dire chaque matin avec conviction : *quoiqu'il arrive aujourd'hui, je suis à la hauteur.* C'est aussi cette peur de souffrir qui vous dérobe le courage d'affronter vos blessures, votre vulnérabilité, votre enfant intérieur psychologiquement meurtri. C'est elle qui vous fait reculer devant l'inconnu que renferment vos relations et qui vous incite à choisir la résignation. C'est elle qui vous incline à toujours remettre aux calendes grecques le passage à l'action nécessaire au dénouement de vos systèmes relationnels.

Pratiquer c'est, malgré cette peur de souffrir, cultiver le courage de vous investir à fond dans vos relations affectives ; de vous engager envers vous-même, envers les autres et envers la relation ; de reconnaître vos erreurs ; d'exprimer vos non-dits ; de vous occuper de vos besoins ; d'aller chercher de l'aide quand vous en avez besoin ; d'agir plutôt que de subir et surtout de rester dans la relation au lieu de fuir quand les problèmes et les conflits déclenchent vos blessures.

Ce courage, vous le trouverez dans vos ressources intérieures, dans la détermination, la persévérance et la quête incessante de satisfaction de vos besoins d'amour, de partage, de joie et de paix.

Avant de fermer ce livre, je vous encourage très fortement à décider quel premier pas réaliste vous franchirez pour rendre votre principale relation affective plus harmonieuse. Lorsque vous aurez pris cette décision, ayez le courage de passer à l'action sans procrastiner et sans abandonner vos objectifs. Que la lecture de cet ouvrage ne soit pas seulement une page de plus dans le grand livre de vos connaissances, mais une incitation à agir maintenant et quotidiennement pour vous créer une vie relationnelle épanouie, satisfaisante et heureuse.

Bon cheminement !

Bibliographie

ANDRÉ, Christophe. *Imparfaits, libres et heureux : pratiques de l'estime de soi*. Paris : Odile Jacob, 2011, 480 p.

ANDRÉ, Christophe. *Les états d'âme, un apprentissage de la sérénité*. Paris : Odile Jacob, 2006, 470 p.

ANDRÉ, Christophe. *Méditer jour après jour : 25 leçons pour vivre en pleine conscience*. Paris : Éditions L'Iconoclaste, 2011.

ASSOUN, Paul-Laurent. *Leçons psychanalytiques sur le masochisme*. Paris : Éditions Anthropos, 2007.

BADEN, Dr Luc et Maria-Élisa HURTADE-GRACIET, *Ho'oponopono*. Saint-Julien-en-Genevois : Éditions Jouvence, 2011.

BERNE, Éric. *Analyse transactionnelle et psychothérapie*. Paris : Poche, Petite bibliothèque Payot. 2001, 384 p.

BRADSHAW, John. *S'affranchir de la honte : libérer son enfant intérieur en soi*. Montréal : Éditions Le Jour, 1993, 353 p.

BRARD, Véronique. *La vulnérabilité, clé des relations*. Gap : Éditions Le Souffle d'Or, 2010, 315 p.

BROWN, Brené. *La grâce de l'imperfection : lâchez prise sur ce que vous pensez devoir être et soyez qui vous êtes*. Longueuil : Éditions Béliveau, 2013, 200 p.

BROWN, Brené. *Le pouvoir de la vulnérabilité*. Paris : Guy Trédaniel. 2014, 318 p.

COMTE-SPONVILLE, André. *Petit traité des grandes vertus*. Paris : Éditions Points, 2014, 448 p.

CORNEAU, Guy. *Revivre*. Montréal : Les Éditions de l'Homme, 2010

FERRINI, Paul. *Accueillir son vrai moi*. Paris : Éditions Dangles, 2010, 192 p.

FORWARD, Susan. *Le chantage affectif*. Montréal : Éditions de l'homme, 02010.

FRANKL, Viktor E. *Man's Search for Meaning*. Pocket Books, 1984, 221 p.

GO, Nicolas. *L'art de la joie : essai sur la sagesse*. Lausanne : Buchet-Chastel, 239 p.

JUNG, Carl Gustav. *L'âme et la vie*. Paris : LGF, livre de poche, 1995, 416 p. Édition d'origine, Buchet-Chastel.

KABAT-ZINN, Jon. *Au cœur de la tourmente, la pleine conscience*. Paris : Éditions de Boeck, 2014, 832 p.

KAUFMAN, Jean-Claude. *L'invention de soi, une théorie de l'identité*. Paris : A. Colin, Individu et société, 2004, 352 p.

LYUBOMIRSKY, Sonja. *Qu'est-ce qui nous rend vraiment heureux?* Paris : Éditions Les Arènes, 2014.

PECK, Scott. *Le chemin le moins fréquenté : apprendre à vivre avec la vie*. Paris : Robert Laffont, 2002.

PESSOA, Fernando. *Livre de l'intranquillité.* 3e éd. Paris : Éditions Christian Bourgois, 2011.

PORTELANCE, Colette. 1943- *Aimer sans perdre sa liberté.* Montréal : Éditions du CRAM, 3e édition revue et corrigée, 2012, 249 p.

PORTELANCE, Colette. 1943- *3 grands secrets pour réussir votre relation amoureuse.* Montréal : Éditions du CRAM, collection Guide, 2011, 186 p.

PORTELANCE, Colette. 1943- *L'acceptation et le lâcher-prise.* Montréal : Éditions du CRAM, 2e édition mise à jour, 2015, 305 p.

PORTELANCE, Colette. 1943- *La communication authentique.* Montréal : Éditions du CRAM, 3e édition revue et corrigée, 2012, 276 p.

PORTELANCE, Colette. 1943- *Petit cahier d'exercices pour identifier les blessures du cœur.* St-Julien en Genevois : Éditions Jouvence, 2013, 64 p.

PORTELANCE, Colette. 1943- *Petit cahier d'exercices pour soulager les blessures du cœur.* St-Julien en Genevois : Éditions Jouvence, 2013, 64 p.

PORTELANCE, Colette. 1943- *Relation d'aide et amour de soi.* Montréal : Éditions du CRAM, 5e édition mise à jour, 2014, 531 p.

PORTELANCE, Colette. 1943- *Vivre en couple et heureux, c'est possible.* Montréal : Éditions du CRAM, 3e édition, 2014, 240 p.

SINGER, Christiane. 1943-2007. *Éloge du mariage, de l'engagement et autres folies.* Paris : Albin Michel, 2000, 132 p.

SŒUR EMMANUELLE. *Confession d'une religieuse.* Paris, Flammarion, 2008.

SPOCK, Benjamin. *Comment soigner et éduquer son enfant.* Paris : Éditions Belfond, 1979, ouvrage indisponible[67].

THALMANN, Yves-Alexandre. *Au diable la culpabilité : cessez de vous culpabiliser et retrouvez votre liberté intérieure.* St-Julien-en-Genevois : Jouvence, 2005, 205 p.

THALMANN, Yves-Alexandre. *Le non-jugement : de la théorie à la pratique.* St-Julien-en-Genevois : Jouvence, 2008, 219 p.

TOLLE, Eckhart. 1948- *Le pouvoir du moment présent : guide d'éveil spirituel.* Traduction d'Annie J. Ollivier. Paris : J'ai lu, 2010, 253 p.

VEDRAL, Joyce L. *Look in, look up, look out : Be the Person you Were Meant to Be.* New York : Werner Books, 1996, 275 p.

WELWOOD, John. *Le chemin de l'amour conscient. Une voie personnelle et sacrée.* Gap : Éditions le Souffle d'Or, 2010, 250 p.

67 L'ouvrage existe dans la collection Marabout Service, Édition du Port Royal, http ://www.babelio.com/livres/

Achevé d'imprimer
au mois d'avril 2015
sur les presses de l'imprimerie Norecob
à Saint-Jules (Québec).